ЛАБИРИНТ

ЗВЕЗДНЫЙ

СЕРГЕЙ ЯКИМОВ

ГЕРОИ ЗЕМЛИ

ИЗДАТЕЛЬСТВО АСТ • МОСКВА

1998

ББК 84 (2Рос-Рус) 6
Я45

Серия основана в 1997 году

Серийное оформление А.А. Кудрявцева

*В оформлении обложки использована работа,
предоставленная Александром Корженевским.*

Якимов С.

Я45   Герои Земли: Фантастический роман. – М.: ООО
"Фирма "Издательство АСТ", 1998. – 496 с. – (Звездный лабиринт).

ISBN 5-237-00288-9

Он помнил, кто он – человек. Юноша. Широ. И – все. Память
пропала. Вокруг – тьма. Выбраться бы... только вопрос – откуда?
Что ж это за место, выход откуда преграждает стена пламени? Что
за люди в черных балахонах появляются буквально повсюду,
неуловимые, смертоносные? Три мира – и один из них, между
прочим, наш. Страшно, когда открываются врата между мирами, а
в одном – кровь и гибель, во втором – огненный хаос, третий же –
просто-напросто Земля...

Часть первая

ОХОТА НА ЗЕМЛЮ

1

Он боялся открыть глаза...

Голова гудела, будто в ней поселился рой пчел и сейчас, потревоженный чем-то, метался из одного полушария в другое. Болело левое плечо, кожу на нем саднило. И похоже, была придавлена левая нога. Но больше всего его беспокоило не это.

Широ не мог вспомнить, как он оказался в этом положении. Помнил, кто он: человек, юноша, 22 года. Где живет: город Армаз, что в переводе с древнеситинского — «Цветущий». Что делал утром: купание в озере, зарядка, завтрак, чтение...

А вот что было дальше?..

Широ даже улыбнулся: в такую нелепую ситуацию он никогда раньше не попадал. Ну, один раз, в детстве, отбился от экскурсионной группы в Старом городе и битых два часа бродил среди безмолвных каменных стен, простоявших более трех тысяч лет. Вначале было даже интересно, но уже на исходе первого часа Широ стало казаться, что из темных прямоугольников окон за ним наблюдают пытливые глаза предков, а еще через час стали чудиться их шаги и голоса. Потом он два дня провел в Центре психологической реабилитации, и родители приехали к нему на целую неделю.

И вот снова он влип в какую-то историю!

Широ расслабился, прогнал все эти мысли и медленно сосчитал до двадцати двух. Потом открыл глаза — и ничего не увидел. Проклятие сорвалось с его губ, неприятный холодок пробежал по телу, забылась и боль в плече, и даже «потеря» памяти. Все это казалось мелочью по сравнению с новым страшным фактом.

Он ничего не видел!

Сразу вспомнился «урок сострадания» в школе. Вместо рассказов о том, как тяжело быть слепым, ученикам на глаза надевали черную повязку, которую они должны были носить минимум три часа. Сначала было интересно, даже смешно. Все ходили осторожно, с вытянутыми вперед руками, чтобы не набивать себе синяки, натыкаясь на невидимые предметы. Но уже через час, а то и раньше, веселье улетучивалось. Ученики не могли ни рисовать, ни писать, ни читать, ни смотреть учебные программы по стереовизору, не могли даже просто развлечься, и все с нетерпением ждали, когда кончится этот третий час, чтобы сорвать с глаз ненавистную повязку и зажмуриться от яркого света. Редко кто желал остаться «слепым» более трех положенных часов.

Ослеп! Эта мысль билась в мозгу Широ тревожным колоколом, звон которого ничто не могло заглушить. Он закрыл и снова открыл глаза, но по-прежнему взгляд его упирался в давящую темноту.

Юноше стало холодно, будто он с головой окунулся в ледяную воду, в горле застрял крик отчаяния. Теперь ему стало по-настоящему страшно!

Он потянулся рукой к лицу — и ладонь его ударилась обо что-то твердое и гладкое. Это что-то находилось на расстоянии двадцати—тридцати сантиметров от лица. Широ повернул голову и увидел неразборчивые очертания какого-то предмета.

Он чуть не закричал от радости. Он не потерял зрения, просто прямо над ним нависает какая-то темная поверхность, создающая иллюзию слепоты.

Широ облегченно вздохнул, но радостная улыбка тут же слетела с его лица, так как он явственно почувствовал запах дыма.

— Чудесно! — сказал Широ сам себе. — Теперь смогу полюбоваться огнем!

Он приподнял правую ногу, колено тут же уперлось в гладкую поверхность. Левая нога была чем-то придавлена, но, судя по всему, не повреждена. Широ поводил правой рукой, с трудом различая ее в густой темноте, но ничего не обнаружил. Едва шевельнул левой, как острая колющая боль пронзила плечо. Он отодвинулся в сторону и правой рукой осторожно нащупал пару металлических труб с острыми зазубренными концами. О них, похоже, и было поцарапано плечо.

«Где я? Что случилось?» — эти вопросы возникали то и дело, но юноша усилием воли отгонял их, сконцентрировавшись на одном.

— Задача первая, — сказал он себе, — выбраться отсюда!

И тут же поймал себя на мысли, что не мешало бы знать — откуда.

Широ осторожно поводил рукой позади себя и, не нащупав ничего, решил, что двигаться нужно туда. «Куда? — немедленно спросил разум. — Что там дальше?»

Широ сконцентрировался на физических действиях. Пошевелил левой ногой и даже вытащил ее на несколько сантиметров, но потом ступня во что-то уперлась. Наклонил ее как только мог, и нога продвинулась еще на десяток сантиметров.

— Отлично! — сказал Широ, хотя почувствовал, что зажавший ногу предмет надавил на нее еще сильнее.

Он попытался сдвинуть его правой ногой, но кромешная тьма не давала увидеть, что именно надо двигать, а нависшая поверхность мешала свободно действовать.

Широ старался не обращать внимания не только на голос разума, но и на усиливающийся запах дыма.

Он пошевелил застрявшей ногой, двинул ее в сторону, что-то с металлическим лязгом упало — и нога оказалась свободной.

— Ух! — радостно выдохнул Широ, все еще не веря в столь быстрое освобождение.

Он полз на спине, впервые обратив внимание на то, что под ним нечто твердое и упругое, похожее на плотную резину.

Дымом пахло все сильнее.

Откуда-то слева, сверху, в глаза Широ ударил тоненький лучик света. Пару секунд юноша, забыв обо всем, прищурив один глаз, радостно смотрел на эту светящуюся точку, а потом, опомнившись, уперся руками в гладкую поверхность над собой, в попытке приподнять ее. Точка света превратилась в узкую полоску, блеснул металл каких-то тонких труб, и юноша разглядел, что поверхность над ним имеет темно-зеленый цвет. «Как потолок спортзала...» — подумал Широ, и в голове у него за одно короткое мгновение пронеслось то, что он забыл.

...Широ был в спорткомплексе один, до полудня там никогда никого не было. Вспышка, от которой зарябило в глазах, застала его в тренажерном зале. Подумав, что это молния, он, несколько удивленный, — ведь буквально пятнадцать минут назад на небе не было ни облачка — подошел к окну. За ним раскинулся цветущий сад, а небо над деревьями было голубым и безоблачным. Несколько художников в саду удивленно озирались по сторонам, тоже, видимо, не понимая природу вспышки.

Постояв пару минут у окна, Широ развернулся и отошел, и тут в окна ударил сильный порыв ветра, от которого, казалось, вздрогнули не только стекла, но и стены.

Потом за окном раздался какой-то низкий грохот и сдавленный крик. Не успел Широ обернуться, как от удара невиданной силы вздрогнул и заходил ходуном, казалось, весь мир. Юношу бросило в глубь зала, на тренажеры, он ударился головой — и его накрыло непроницаемое одеяло темноты...

Широ дотронулся до ушибленного места на голове и тут же отдернул руку, поморщившись от боли, а рой пчел загудел еще сильнее.

Несмотря на то что память наконец вернулась, Широ стало еще больше не по себе, появлялись все новые и новые вопросы. Ураган? Землетрясение? Какой катаклизм заставил трехметровый потолок тренажерного зала оказаться меньше чем в полуметре от пола? Широ прошиб холодный пот, едва он представил, во что сейчас превратился спорткомплекс. Он быстро отогнал мысль о том, что может вообще не выбраться из-под завала...

Где-то справа появился еще один источник света. Правда, свет в нем был какой-то оранжевый, пляшущий.

Огонь!

2

Пару секунд Широ смотрел на небольшие робкие языки пламени, что появились справа от него метрах в трех-четырех, а потом с новой силой уперся в гладкую поверхность над собой. Секция потолка была слишком тяжела, чтобы ее смог поднять один человек. Широ добился лишь увеличения полоски света и, бросив бесполезное занятие, быстро пополз на спине, забыв об осторожности.

Он как раз подумал, что лучше бы перевернуться на живот, — и врезался затылком во что-то тяжелое и металлическое. Перед глазами заплясал хоровод искорок, боль разошлась по всей голове, затылок запульсировал, готовый взорваться от переполнявшей его тяжести. Непроизвольный стон сорвался с губ юноши, и, проклиная свою неосторожность и эти железяки, попавшиеся на пути, он перевернулся на живот.

Впереди был виден свет: серый, дневной, а чуть левее — оранжевый, дрожащий, несущий угрозу. Оглядевшись по сторонам, Широ смог разглядеть очертания придавленных, покореженных тренажеров. И как это он умудрился остаться в живых! Скорее всего это произошло благодаря старым допотопным тренажерам, сделанным из металла. Они-то и приняли на себя основной удар рухнувшего потолка.

Широ перебрался через металлические диски, о которые стукнулся головой, и, не обращая внимания на пульсирующую боль в затылке, пополз дальше.

«Куда ползем-то?» — поинтересовался разум, и юноша остановился, решив, что ответить на этот вопрос все же стоит. Хотя найти ответ оказалось очень и очень непросто, потому как юноша не смог сориентироваться в сильно изменившемся интерьере тренажерного зала. По идее, следовало двигаться к лестнице на первый этаж — если она, конечно, не завалена, — но Широ не мог вспомнить, каким образом он упал, а точнее, как именно уронил его вздрогнувший мир, не мог определить своего теперешнего местоположения и, естественно, не мог выбрать правильное направление движения.

А огонь не ждал. Он злобно полыхнул, осветив темницу Широ и обдав его лицо горячим дыханием. Теперь уже не робкие языки пламени дрожали где-то по сторонам, а хищные щупальца тянулись к нему, чтобы захватить в свои обжигающие объятия.

Узкое пространство между полом и рухнувшим потолком заполнил дрожащий оранжевый свет.

Широ еще раз внимательно осмотрелся и наконец сориентировался. Однако радости ему это не принесло.

Путь к лестнице преградила стена огня. Про окна можно было забыть, их просто не существовало.

— Ну и где же выход? — спросил Широ вслух, жмурясь от начавшего наполнять пространство дыма.

Он снова перевернулся на спину и попытался приподнять секцию потолка. В зале она выполняла чисто декоративную функцию и не была такой уж тяжелой, но, видимо, в данный момент сверху на ней лежали обломки крыши и перекрытий, так что Широ смог приподнять секцию лишь на пару сантиметров. Пламя сбоку от него загудело, в образовавшуюся щель ворвался дым.

— Сквозит! — сказал юноша, расслабляя руки. — А это значит...

Кашлянув от дыма, он посмотрел на пламя в стороне.

— Хорошо горишь! Значит, имеешь доступ к кислороду!

Чтобы не утратить решимости, Широ не стал долго размышлять. Все равно другого выхода не было.

Встав на колени — благо высота позволяла, хотя спина и упиралась в потолок, — он ринулся прямо в огонь.

После первых шагов, конечно, пожалел об этом. В лицо ударила волна невыносимого жара, ладони словно оказались на раскаленной плите. Он побежал, с бешеной скоростью перебирая руками и ногами, ничего перед собой не видя, так как глаза были плотно зажмурены. Три секунды движения в огне показались Широ вечностью. Где-то глубоко в сознании забил тревогу колокольчик инстинкта самосохранения, и звон его с каждой миллисекундой становился все громче и настойчивее.

Но Широ продолжал бежать, стараясь как можно быстрее продвигаться вперед, и не сразу обратил внимание на то, что волна бившего в лицо нестерпимого жара начала спадать. Он замедлил свой бешеный бег и приоткрыл глаза.

Пол под ним хоть и был деревянным, но не горел. Зато был горячим, сквозь его щели просачивался дым. Оглянувшись, Широ увидел сплошную стену пламени, которое злобно гудело, недовольное тем, что выпустило добычу из своих объятий...

В этот момент под Широ раздался треск ломающегося дерева, и он вдруг почувствовал, что летит куда-то вниз. Перед глазами мелькнул горящий потолок, куски падающего дерева, голубая поверхность воды — и он, взметнув сноп брызг, шлепнулся в бассейн. Пронзило холодом дважды ушибленный затылок, ледяные иголки впились в обожженные ладони, прямо перед юношей, пузырясь, прошла горящая деревянная балка, другая задела его плечо, и он решил повременить с выныриванием.

В бассейн продолжали сыпаться куски обгоревшего потолка, поэтому, высунув на мгновение голову над поверхностью и набрав полную грудь воздуха пополам с дымом, Широ нырнул до самого дна и мощными гребками поплыл к выходу из бассейна.

Поверхность воды была завалена почерневшими щепками и досками, некоторые из них медленно опускались на дно, где уже лежали более крупные балки.

У кромки бассейна Широ осторожно высунул голову и огляделся.

Потолок горел, пламя стелилось по нему, не отбрасывая языков вниз. Большие, занимавшие две стены окна тысячами стеклянных осколков лежали сейчас на полу помещения, а их огромные пустые глазницы были перекрыты неровной хаотичной решеткой рухнувших балок. Кроме осколков окон, пол был усыпан кусками отвалившейся плитки и сверкающими кусочками разбитых зеркал. По стенам пустили причудливую паутину многочисленные трещины.

И как остров надежности посреди этого разгрома стояли в углу три небольшие, в человеческий рост, пальмы. Стихия, казалось, обошла их стороной, ни один листочек не упал с веток величественных деревьев.

Возле них располагалась дверь в раздевалки и душевые, через которые можно было попасть в холл спорткомплекса. Однако, судя по струившемуся оттуда сизому дыму, путь этот был отрезан, поэтому Широ приподнялся над бортиком бассейна и взглянул на другую дверь, что вела в небольшой внутренний дворик комплекса. Как таковой двери не было, ее створки лежали метрах в трех от пустого проема, за которым виднелось беспорядочное сплетение ветвей и листвы.

Широ выскочил из бассейна, хрустя осколками стекла и плитки, пробежал несколько метров до двери и оказался вне здания.

За его спиной послышался треск ломающихся досок, всплеск воды и громкое шипение от соприкоснувшегося с ней огня.

— Вовремя я! — сказал Широ: не оборачиваясь, он сообразил, что обрушился потолок.

Ноги его по щиколотку утонули в выплеснувшейся из бассейна воде, которая, скатившись по ступенькам, разлилась по небольшому декоративному саду. Вернее по тому, что от него осталось.

Сад, красотой которого наслаждались все посетители спорткомплекса, превратился в хаотичное нагромождение вырванных с корнем, сломанных, покрывшихся трещинами деревьев. Ветви их переплелись, словно в надежде удержать стволы, половина листьев опала, накрыв землю зеленым ковром.

Широ с трудом пробирался через этот хаос. Обожженные ладони не позволяли ему с должной осторожностью раздвигать ветви, из-за чего он получил несколько хлестких ударов по лицу.

Наконец, покинув изуродованный сад, юноша почувствовал себя в относительной безопасности. Он подумал было, что все уже позади, но, оглядевшись вокруг, понял, что все только начинается...

3

Уссва вспомнил слова отца: «Если ты в четырех стенах и нет двери — проруби ее!» В трудные моменты он всегда вспоминал отца: немногословного сероглазого гиганта, который одним ударом топора мог срубить дерево толщиной в руку, а в бытность свою наемником в северных племенах — разрубить врага мечом от шеи до пояса. Правда, отец не любил вспоминать те воинственные времена. «Было дело, — говорил он, — ну и что? Не в этом главное, сынок...» Хотя иногда и рассказывал о походах вольных киннерийцев на восток или далеко на юг, в Боссию.

«Если ты в четырех стенах...»

Уссва осторожно выглянул в окно и увидел трех всадников, с трудом удерживающих на месте своих взмыленных, гарцующих жеребцов. Всадники — небольшого роста, коренастые, смуглолицые, с темными курчавыми волосами, облаченные в сделанные из грубой кожи одежды, явно принадлежали к какому-то воинственному степному племени, пришедшему с далекого востока. С недавних пор к их услугам частенько прибегали некоторые боссийские бароны.

Заброшенный полуразрушенный замок, в котором укрылся сейчас Уссва, стал для него и убежищем, и западней одновременно. Он по всем правилам запутал свои следы, но эти смуглолицые коротышки все равно смогли отыскать его, и теперь три десятка воинов обложили развалины замка, отрезав все пути к бегству.

«...Нет двери — проруби ее!»

Уссва пересчитал стрелы в колчане: одиннадцать плюс одна на арбалете. Еще кинжал да короткий прямой меч, подаренный ему отцом. Негусто, если учесть число противников.

Услышав за своей спиной тихие шаги, он напрягся и резко развернулся, готовый отразить внезапное нападение незаметно подкравшегося врага, однако увидел лишь неясный силуэт, мелькнувший за проемом двери. Держа наготове меч, Уссва выскочил в полумрак коридора и успел увидеть, как два облаченных в абсолютно одинаковые черные балахоны человека скрылись за углом.

В недоумении он опустил меч. Кто это? Уж явно не гвардейцы барона и тем более не восточные наемники! Служители какого-то культа? Уссве вспомнились рассказы о странных людях в черных балахонах, которые, если верить слухам, с недавних пор появились буквально повсюду. Незнакомцы сторонились людей, с ними еще никому не удалось заговорить, более того, никто не мог даже просто приблизиться к ним. А еще ходил слух, что один боссийский барон после пары-другой бутылок крепкого вина поспорил со своим соседом, что изловит хотя бы одного «черного балахона». Через несколько дней он пригласил соседей посмотреть на улов, но, приехав, те обнаружили замок барона разрушенным до основания, а самого хозяина и его «личную гвардию» никто больше не видел.

До сих пор Уссва с усмешкой относился к этим рассказам, но вот теперь...

От размышлений его отвлекли крики, доносящиеся снаружи:

— Уссва! Уссва-охотник! Вместе со своим псом ты потерял и смелость! Прячешься, как заяц в норе...

В ответ на оскорбительные выкрики Уссва лишь усмехнулся. Пса он не терял, а отпустил специально и сейчас не прятался, а выжидал удобного момента.

— Ты окружен, тебе некуда деться! — продолжал надрываться голос за стенами. — Выходи, и мы доставим тебя барону живым... Или хочешь подохнуть с голоду? Нам-то еду привезут, а тебе, боюсь, нет...

«Чего это он разговорился?» — подумал Уссва и тут же нашел ответ.

Он пробежал по полутемному коридору и, уже двигаясь намного осторожнее, выбрался на большой балкон, что выходил в холл замка и располагался чуть в стороне от парадной лестницы. Парадной сейчас ее, конечно, назвать было нельзя. Заваленная камнями, с выщербленными ступенями и разрушенными перилами, она спускалась в засыпанный прошлогодними листьями холл.

И вдоль его дальней стены, осторожно, стараясь не наступать на сухие листья, крались два наемника, а в проломе стены виднелись силуэты еще двоих.

Снаружи доносились неразборчивые слова отвлекавшего внимание Уссвы гвардейца.

Пристроив арбалет между перилами балкона, Уссва прицелился. В тишине зала громко щелкнул механизм, пустивший в полет короткую стрелу. Просвистев, та впилась в плечо наемника, шедшего вторым. Первый же, быстро сообразив, в чем дело, кинулся под укрытие лестницы.

Еще раз свистнули стрелы, правда, стрелял уже не Уссва, а два наемника, притаившихся в проломе. Одна стрела ушла далеко в сторону, а вот вторая, проскочив между перилами, едва не лишила его глаза, а может, и жизни.

Не дав стрелкам времени перезарядить луки, Уссва покинул балкон и притаился у пролома в стене, имея возможность видеть почти весь холл.

Сначала послышался далекий стук копыт, а потом в высокую дверь зала ворвались семеро всадников. Звонко застучали по каменному полу копыта, зашуршали потревоженные листья, просвистели несколько пущенных по балкону стрел.

Восточные воины славились как великолепные наездники, вот и сейчас они продемонстрировали свое мастерство.

Два всадника пустили своих коней прямо по парадной лестнице, и Уссва, целясь в одного из них, слишком сильно высунулся из-за стены, но ему повезло. Стрела врезалась в камни в полуметре от него. Однако Уссва тоже не попал в цель, поспешив нажать на спуск.

Жалеть потраченную зря стрелу было некогда, тем более что два всадника, поднявшись по лестнице, оказались вне его досягаемости, а высунись он еще — более точно пущенная стрела пробьет ему голову.

Гвардеец закончил свою речь, а это значило, что воины за стенами тоже пошли на штурм и круг, в центре которого оказался сейчас Уссва-охотник, медленно, но уверенно сужался.

Однако Уссва не ударился в панику и не утратил прежнего хладнокровия. Это стало для него привычкой, нормой жизни: в решающие, напряженные, опасные моменты он всегда оставался спокойным и рассудительным. Только ладонь крепче сжимала рукоятку меча да губы смыкались в одну узкую полоску.

Уссва понимал, что его хотят загнать на самый верх, заставить выступить в открытую. Он был хорошим бойцом, но три десятка противников — это слишком даже для самого искусного воина. Уссва плохо знал замок, но и враги знали его не лучше. Существовала опасность оказаться в тупике, но и сидеть на месте не имело смысла.

Зарядив арбалет, Уссва пробежал по полутемному коридору и свернул туда же, куда свернули две загадочные фигуры в черных балахонах. В конце короткого коридора было окно, в которое вливался яркий солнечный свет. Держа его под прицелом, ведь каждую секунду в нем мог показаться силуэт противника, охотник бегло осмотрел узкую винтовую лестницу. Нижние ее пролеты были скрыты кромешной тьмой, вид идущих наверх ступеней не вызывал особого доверия — они не выдержали бы и веса ребенка.

И тут Уссва обратил внимание на странную тишину за окном. Уж слишком тихо, подозрительно тихо вели себя атакующие. Подкравшись и осторожно выглянув, он замер в изумлении.

На земле лежало пять тел; и в том, что люди мертвы, не оставалось никакого сомнения. Два наемника застыли возле своих коней, луки их валялись рядом, а сабли даже не были вытащены из ножен. Под стенами замка, у закинутой в одно из окон веревки, лежали два гвардейца. И даже повидавший многое Уссва не смог долго смотреть на их превращенные в кровавое месиво тела. Третий гвардеец лежал возле своей лошади лицом вниз, одежда на его спине дымилась.

А в стороне, на опушке леса, охотник увидел две быстро удаляющиеся черные фигуры. Они двигались быстро, но не бежали, а, как показалось Уссве, будто летели над самой землей. И вправду, не демоны ли они?!

Спрыгнув вниз — благо под окном не было камней, — Уссва подбежал к лошади гвардейца, которая сначала опасливо попятилась от него, но после нескольких ласковых слов заметно успокоилась.

Внизу витал едва уловимый запах жженого мяса, и Уссва с ужасом понял, что исходит он от тел только что убитых воинов, да и дымящаяся спина гвардейца свидетельствовала о том же. Он заметил, что спина эта производит еще более жуткое впечатление, чем грудь двух гвардейцев под стеной. А еще он увидел в траве сломанный меч, и края на месте слома были почему-то оплавлены...

Однако Уссве некогда было думать обо всех этих странностях. Он вскочил на лошадь и понесся прочь от замка.

Но не успела лошадь сделать и двадцати шагов, как в круп ей вонзилась стрела, она оступилась и упала, выкинув человека из седла.

Падая, Уссва успел подумать, что, сначала улыбнувшись, фортуна тут же повернулась к нему спиной...

4

Свет заходящего солнца проникал в темницу через маленькое окно под потолком, оставляя на противоположной стене тускнеющий оранжевый прямоугольник. Уссва с грустью смотрел на это радовавшее глаз пятно, которое почти затерялось среди серых угрюмых камней.

В углу темницы он заметил какое-то движение и в полумраке разглядел силуэт здоровенной крысы. Шикнул на нее, однако та даже не шевельнулась, будто знала, что узник не причинит ей никакого вреда, так как руки и ноги его скованы цепью, а та, в свою очередь, крепится к толстому стальному кольцу, вбитому глубоко в стену.

Уссва пару минут наблюдал за деловитой беготней крысы, но вскоре это соседство ему опротивело, и громкими возгласами он заставил ее скрыться в норе.

Прямоугольник оранжевого света сузился и потускнел, камера постепенно погружалась во мрак...

За дверью послышались шаги, скрипнули ржавые петли, и Уссва зажмурился от яркого пляшущего света факелов, который внезапно залил темницу.

Два гвардейца с факелами встали по обе стороны от двери, маленький слуга внес деревянный стул, поставил его в трех шагах от узника, положив сверху мягкую подушку.

И только после этого в темницу вошел барон Тикам Рикстийский. Это был высокий худой человек с вытянутым лицом, слегка крючковатым «орлиным» носом, большим гладким лбом и зачесанными назад длинными русыми волосами. На длинных тонких пальцах его красовались перстни, на груди висел позолоченный медальон с изображением герба барона — грозно расправившего крылья орла. Одет Тикам Рикстийский — один из самых богатых и могущественных боссийских баронов — был довольно просто: мягкие кожаные сапоги, парчовые штаны и просторная шелковая рубаха. На поясе его не висело никакого оружия, но зато за спиной стояли два вооруженных до зубов гвардейца, чьи взгляды были устремлены на узника, а ладони лежали на рукоятках мечей.

Сев на стул, Тикам с интересом посмотрел на своего пленника:

— Ну что? Выглядишь неплохо...

Несмотря на боль в разбитой губе, Уссва ухмыльнулся в ответ: это он знал и сам. Левый глаз заплыл, болели скулы, шея, спина, ушибленная при падении нога, ныли выдержавшие десяток хороших пинков ребра.

— Да тебя, похоже, и не кормили! — Барон слегка пнул пустую грязную миску и склонился над пленником. — И правильно! Зачем тебя кормить? Завтра ты уже будешь мертвецом!

Тикам впился глазами в лицо смертника, но на лице Уссвы не дрогнул ни один мускул. Выдержав этот взгляд, пленник тихо произнес:

— Осторожно, ваша светлость! Не наклоняйтесь так!.. Я могу вышибить вам мозги цепью!

Цепь в руках охотника тихо, но угрожающе звякнула, гвардейцы сделали шаг вперед, но барон остановил их движением руки.

— Я уважаю сильного противника, Уссва. В эти пару дней ты показал себя таковым. Знаешь, я даже готов простить тебе убийство моего приказчика и дюжины гвардейцев, не говоря уже о воинах моего восточного друга, — пусть им всем земля будет пухом! Поступай ко мне на службу, а?

Барон выжидающе уставился на охотника, но тот молчал.

— И правильно! Если бы ты согласился, я тут же зарубил бы тебя как труса или в лучшем случае обманщика. Это, конечно же, не понравилось бы нашему общему другу жрецу Мирраму. Он просто спит и видит тебя на «костре колдунов». Скажи, правда ли, что ты умеешь читать мысли животных?

— Разве они книга, чтобы их читать?

Тикам хмыкнул и уже более заинтересованно спросил:

— А чем ты убил тех пятерых несчастных у замка?

— Я же говорил...

— Да-да, ты их не убивал, это, по-твоему, сделали «черные балахоны»... А ты видел убитых? Видел наверняка! Только издали. А я посмотрел с близкого расстояния! Признаюсь, меня чуть не вывернуло наизнанку. Их грудь словно пробили здоровенной горящей стрелой. Я ее даже представить себе не могу! А ты? — И не дождавшись ответа, барон предположил: — Это какое-то новое невиданное оружие. Как говорит Миррам: «сатанинские стрелы»!

Барон вновь склонился к охотнику:

— Если ты что-то знаешь, скажи!

Уссва прочитал в глазах собеседника неподдельный интерес. Еще бы, заполучить такое смертоносное оружие! Теперь он, наверное, начнет охоту на «черных балахонов». Интересно было бы на это посмотреть!

— Подумай, я серьезно! — продолжал Тикам Рикстийский. — Не думаю, что ты обладаешь этими «сатанинскими стрелами», но если ты видел их...

— Не видел, — огорчил барона Уссва, — я появился слишком поздно.

— Я могу устроить тебе побег...

— Знаете, ваша светлость, даже если бы я что-то видел, то вряд ли сказал вам об этом. Не хватало еще, чтобы в ваших запачканных кровью руках появились «сатанинские стрелы»...

— Ай, опять старая песня! Ты говоришь, как те бунтовщики: запачканные кровью руки, закованный мною в цепи народ...

— Они были моими друзьями!..

— А, прости, что я их казнил! — ехидно улыбнувшись, произнес барон, и Уссва еле удержался от того, чтобы не расколоть ему цепью череп. — Ладно, я вижу, что если тайна и существует, то она уйдет с тобой в могилу. Ничего, я раскрою ее другими путями.

Барон встал и направился к выходу, но на пороге задержался и спросил:

— А кстати, где твой легендарный пес? Сбежал от хозяина? Или, наоборот, ждет удобного случая спасти тебя?

Словно в ответ ему сквозь маленькое окошко темницы донесся далекий вой собаки.

— О, какое совпадение! — хохотнул Тикам выходя. — Вспомнишь о собаке, так она если не появится, то хотя бы завоет. И вообще, собак развелось...

Вновь оказавшись в темноте, Уссва улыбнулся и посмотрел на светлеющий прямоугольник окна, из которого доносился далекий вой.

Только он узнал в нем голос Варра — своего верного пса...

5

Этой ночью Макарычу почему-то не спалось. Лежа на кровати и глядя в потолок, он перечислял причины сегодняшней бессонницы. Жара, а вернее духота. Днем было не меньше тридцати градусов, и стены дома, вобрав в себя тепло, медленно отдавали его, превращая комнату в парилку. Эх, холодненького пивка бы!..

В окно вливался мертвенно-белый свет полной луны. «Еще и полнолуние, — подумал Макарыч. — Какое-нибудь там биополе тоже не дает заснуть».

Противно жужжа, прямо над ухом пролетел комар. Макарыч хлопнул себя по щеке, потом по лбу, но все безрезультатно: силуэт комара мелькнул на фоне окна и скрылся в темном углу.

— Чтоб тебя жаба сожрала! — зло прошептал Макарыч в темноту.

А ведь раньше комары никогда не мешали ему спать! Ну пищали себе над ухом, ну раз-другой пытались укусить, да только кровь его была для них опасна: слишком много алкоголя! Хлебнут ее — и пикируют на пол по кривой, зеленый змий быстро действует на столь маленькое тело!

Макарыч улыбнулся своим рассуждениям и с грустью подумал о стоящей в холодильнике бутылке. Но сейчас нельзя! Он все-таки не какой-то ханурик, чтобы ночью, одному... Тем более завтра нужно будет доделывать крышу, а на высоте он работал только трезвым. Вот уж после!..

Повернувшись на бок, он закрыл глаза и уже, казалось, окунулся в сон, когда во дворе тревожно завыл Рыжий. Макарыч терпеливо подождал секунд десять и заорал:

— Заткнись, рыжая морда! Дай людям поспать!

Пес на мгновение замолк, а потом немного тише, несмело продолжил.

— Вот блин! Ты ж никогда не выл раньше, чего именно сегодня решил, а?

Пес, казалось, прислушался к словам человека, но через несколько минут снова затянул свою заунывную песнь.

Вздохнув, Макарыч сел на кровати, и ему стал виден кусочек белой луны.

— Ну, понятное дело, зов предков, будь он неладен! Неужели ты думаешь, что луна — это кусок сыра?

Выйдя на улицу, Макарыч с наслаждением вдохнул свежий ночной воздух и подтянул старые спортивные штаны.

— Лепота! — протянул он, глядя на черный ковер неба, усеянный бриллиантами созвездий.

Большой белый диск луны освещал невысокого пожилого человека — Выгодского Василия Макаровича, или просто Макарыча, стоящего задрав голову на пороге своего одноэтажного садового домика. Вокруг него на пяти сотках раскинулся ухоженный огород, а за скрытым в буйных зарослях малины забором виднелась соседская дача, куда более внушительная, чем его домик. Да это и неудивительно, ведь Макарыч являлся всего лишь сторожем дачного кооператива «Прогресс». Сначала он вообще ютился в наскоро сколоченной деревянной халабуде и лишь после, благодаря случайным заработкам — кому лестницу сделал, кому помогал класть шифер на крышу, кому просто мешал раствор, — смог построить небольшой кирпичный домик, в котором было не так холодно зимой и не слишком жарко летом.

— Лепота! — повторил Макарыч и направился к калитке, возле которой завывал Рыжий.

При приближении хозяина тот замолк и скрылся в кустах смородины.

— Чего боишься, бить не буду... Давай-давай, вылазь оттуда!

Пес несмело выбрался из кустов и прошмыгнул в открытую хозяином калитку. Макарыч вышел вслед за ним и оглядел уходящую вдаль улицу с рядами двух-, трехэтажных дач по сторонам. Метров двести было кое-как освещено бледным светом луны, а все остальное растворялось в темноте: до уличного освещения руки ни у кого еще не дошли, хотя кооператив существовал уже чуть ли не десять лет.

— А говорят, в Бельгии, — сказал Макарыч, обращаясь к собаке, — все улицы освещены. Или все дороги? Не важно, у нас и на дорогах такая темень...

Сидя на земле, пес тихонько поскуливал, и только тут Макарыч заметил, что смотрит тот совсем не на луну.

— Эй, Рыжий, ты чего это?

Пес продолжал поскуливать, глядя куда-то в сторону Днепра, что находился буквально шагах в сорока.

Макарыч посмотрел в ту же сторону, но ничего, кроме верхушек прибрежных ив, блестящей водной глади и темного пятна острова, не заметил. Однако он вспомнил, что собаки могут вести **себя** так, предчувствуя землетрясение. Это было бы даже интересно! Рушиться здесь нечему, а за свои пятьдесят с хвостиком Макарыч ни разу не ощутил на себе действия землетрясения. Одно из них, где-то в середине 80-х, он просто проспал, а во время другого, в 90-м году, находился на улице и абсолютно ничего не чувствовал, лишь с удивлением наблюдал, как небольшие группы взволнованных людей выбегают из подъездов высотных домов. И сестра его, живущая на десятом этаже, рассказывала потом, как качалась люстра, дрожали стекла и дорогая ваза чуть не сиганула со шкафа.

Глядя куда-то на Днепр, Рыжий продолжал скулить, и Макарыч попытался определить: не дрожит ли под ногами земля?

Простояв с минуту и ничего не почувствовав, он махнул рукой и зашагал к Днепру. Спустившись между ивами на холодный песок, обвел взглядом мерцавшую под лунным светом водную гладь и снова прошептал:

— Лепота!

Это слово из известного фильма последнее время буквально вертелось у него на языке. Сегодня, помогая класть крышу, он раз пять повторил его да еще не единожды добавил: «Пошто боярышню обидел?»

Чуть правее виднелись огни Киева, хотя до него было километров тридцать пять, не меньше.

Сняв старые, заношенные кроссовки, Макарыч вошел в теплую воду:

— А-а, парное молочко! Искупаться, что ли?

Беспокойно прохаживаясь по берегу, пес продолжал скулить, глядя куда-то в глубину реки.

— Слушай! — с угрозой произнес Макарыч. — Не перестанешь... — и тут же осекся.

Метрах в четырехстах темнели очертания большого острова. Макарыч несколько раз плавал туда с рыбаками. Раньше, лет десять—двенадцать назад, берега острова вечерами украшали дрожащие оранжевые точки — горели костры многочисленных туристов, приезжавших сюда из Киева на моторных лодках. Потом бензин подорожал, а для лодок его требовалось много, и огни исчезли. Хотя последнее время стали появляться вновь, за счет родственников и знакомых дачников, которые на веслах или на моторе — сколько тут бензина надо? — переплывали на остров и, как положено туристам, разбивали палатки и жарили шашлыки.

Сегодня огней костров не было.

Были другие огни.

Где-то в глубине острова поднималось над лесом мерцающее бледно-голубое сияние. Ровное и монолитное в середине, оно дрожало, как марево, по краям. Из-за него очертания острова стали более четкими и темными.

И более зловещими.

Макарыч почувствовал, как по спине у него прошел холодок. Поскуливание Рыжего да полная луна над головой довершили дело. Он быстренько выбежал из воды, так как почудилось ему, что еще немного, и чья-то холодная рука затащит его в темную глубину.

Макарыч отбежал от воды. Не отрываясь, он смотрел на голубоватое сияние, растекающееся над островом.

— Чертовщина! — сказал он пересохшими губами и, забыв о кроссовках, бросился к дому. Рыжий ни на шаг не отставал от хозяина.

Уже в доме, глядя на свои испачканные в песке ноги, Макарыч ухмыльнулся: «Испугался, да? Ну, сияние... Мало ли чего странного в мире: полтергейсты, НЛО всякие?! Ну, полная луна на небе, так это же не значит, что вампиры и водяные полезут!»

Усмехнувшись, Макарыч снова вышел на улицу. Отсюда был хорошо виден остров.

Никакого сияния над ним не было.

6

На столе стояла пустая бутылка водки, рядом с ней — выпитая на две трети. В большой миске лежали малосольные и свежие огурчики, три половинки помидоров, зеленый лук, нарезанный толстыми ломтями хлеб, на самом краю стола — наполовину пустая банка тушенки.

Макарыч развалился на стуле и, причмокивая губами, пытался вникнуть в содержание фильма, что демонстрировался по маленькому черно-белому телевизору.

— Это что... сериал? — спросил он у сидящего рядом человека.

Мужчина лет сорока пяти, упитанный, с животиком, с покрасневшей физиономией, на которой блестели капельки пота, бросил взгляд на телевизор и хохотнул:

— Какой же это сериал? Сериалы идут вечером, а сейчас уже за полночь...

— А чего ж я не могу ничего понять? — не унимался Макарыч.

— Потому что смотришь с середины! — вновь хохотнул мужчина и продолжил: — Эх, Макарыч, простая ты душа... Хорошо тебе тут: природа, река, воздух, дачи...

— Арсенич, что значит дачи? Я, что, их граблю?

— Ой, нет-нет-нет! Ты что, друг сердечный! Никоим образом я так не подумал, никоим образом... — Он неопределенно кивнул. — Просто дачи тут есть...

— И я их сторожу!

— Отлично! Давай выпьем за это. — Арсенич разлил остатки водки по стаканам и, приподнявшись, важно произнес: — За природу и дачи, которые охраняет кристальной души человек!

Растроганный сторож покраснел и залпом осушил стакан.

— Слушай, — сказал он, хрустя малосольным огурчиком, — а этот Сергей...

— Какой Сергей?

— Ну, которому мы крышу делали! Что, забыл уже? Ха! Пить меньше надо!.. Вот этот Сергей, кстати, не пьет! Прямо «новый русский».

Арсенич энергично замотал головой, не соглашаясь:

— Во-первых, «новый украинец», а во-вторых, не «новый».

— Ну да?! Видал, какую дачу себе отгрохал?

Его оппонент снова замотал головой:

— Дело не в даче, дело в машине. У него «девятка», а какие машины у «новых» русских и украинцев?

— Шестисотые «мерседесы».

— Вот, то-то же!.. Слушай, чего твой Рыжий воет?

Макарыч прислушался. Действительно, с улицы доносился заунывный собачий вой.

— Может, есть хочет? — предположил Арсенич, глядя на пустую банку тушенки.

Макарыч вдруг хлопнул себя по лбу и, вскочив, бросился к двери.

— Пошли, такое увидишь!

Арсенич в недоумении поднялся и направился вслед за скрывшимся в дверном проеме сторожем. Выйдя на улицу, он увидел его силуэт уже у самой калитки.

— Эй, куда это ты летишь?

Арсенич догнал сторожа в том месте, где улица упиралась в склон берега, то есть метрах в сорока от дома. Цыкнув на крутящегося под ногами и скулящего Рыжего, он поднял голову и увидел сияние над островом.

— Видал? — спросил Макарыч, глянув на вытянувшуюся физиономию товарища.

Тот закивал, не отрываясь глядя на бледно-голубое сияние, поднимающееся над островом и дрожащее, словно марево.

— Как думаешь, что это? — спросил сторож, всматриваясь в странный колышущийся свет. — И вчерась я это видел, и Рыжий вот выл и скулил так же.

— Может, земснаряд? — несмело предположил Арсенич. — Только что земснаряду делать посреди острова?..

— Вот именно...

Макарыч вдруг сбежал вниз по склону, послышалось хлюпанье воды, и из темноты донесся его голос:

— Сбегай за фонариками, а я пока отвяжу лодку!

...Весла ритмично хлюпали по воде, старая «казанка» отдалялась от берега, уже перестали быть слышными завывания Рыжего.

— О, погасло! — разочарованно произнес Арсенич, когда они преодолели половину пути.

— Ничего, у нас есть фонарики!

— А что мы искать-то будем?

— НЛО! — хохотнул Макарыч, налегая на весла.

— Ну так бы и сказал раньше! — весело продолжил его собеседник.

Лодка прошуршала среди камышей и ткнулась о берег. Включив фонарики, мужчины выпрыгнули на песчаный пятачок, со всех сторон окруженный темной стеной кустарника. В слабом свете фонарей увидели старый след от костра и еле заметную тропинку, ведущую в глубь острова. Они пошли по ней: Макарыч первым, раздвигая ветки, которые потом хлестали по лицу шедшего сзади Арсенича, он усердно отбивался, думая, что так и должно быть.

Теперь их окружал темный лес, практически не пропускавший света луны, то прятавшейся, то вновь появлявшейся из-за облаков. Пока лишь изрядная доза алкоголя в крови спасала двух «смельчаков» от страха, который неминуемо испытал бы всякий нормальный человек, оказавшийся в этой темноте, лесу и тишине.

Лишь через некоторое время Арсенич обратил внимание на эту странную звенящую тишину.

— Ночь, все спят: и звери, и птицы, — ответил ему Макарыч, упорно продолжая продвигаться вперед.

Выглянувшая из-за туч луна немного осветила лес, превратив деревья в многоруких призраков, угрожающе нависших над людьми. Никакие звуки не нарушали тишины, только шаги людей слышались в ней.

И поэтому, когда где-то справа раздался шорох и громкий хруст ветки, люди замерли, и страх запустил им в души свои холодные щупальца. В темноте Арсеничу показалось, что источник шороха находится буквально в двух шагах от них, но, направив в ту сторону фонарик, ничего, кроме листвы и пустого пространства между деревьями, в круге света не увидел.

— Не бойся, какая-нибудь птица, — предположил Макарыч, лицо которого в отсвете пляшущих лучей фонариков приобрело мертвенно-бледный оттенок — случайно взглянув на него, Арсенич даже шарахнулся в сторону.

— Может, вернемся? — предложил он, не чувствуя в себе смелости и решимости, которые были у него, когда «смельчаки» ехали на остров.

— А ну, туши фонари! — крикнул вдруг Макарыч.

В лесу стало заметно светлее. Арсенич взглянул на лицо сторожа и снова чуть не шарахнулся в сторону: оно было слегка голубоватым, как лицо мертвеца из недавно увиденного им фильма ужасов. Голубоватый оттенок придавало лицу Макарыча сияние, что разлилось сейчас над лесом где-то впереди.

2*

— Пошли! — шепотом сказал Макарыч.

— Может, не надо?..

— Не боись! Активных действий предпринимать не будем!

Протрезвевший Арсенич решил, что сторож явно выпил больше чем надо, но все же пошел за ним, но не потому, что почувствовал вдруг прилив смелости, а потому, что боялся возвращаться к лодке.

Не успели они сделать и десятка осторожных шагов, как справа снова раздался шорох.

«Путешественники» повернули головы и увидели два человеческих силуэта.

В этот момент сзади вспыхнуло что-то ослепительно яркое. На Макарыча брызнули капли чего-то теплого и липкого, и тут же его сбило с ног отброшенное неведомой силой тело Арсенича. Оказавшись на земле, сторож почти сразу же вскочил на колени и в свете упавшего фонарика увидел будто взрывом развороченную спину своего товарища и дымок, идущий от его одежды.

Истошный, полный ужаса крик сорвался с его губ, разорвав в клочья тишину леса...

7

...Широ просто не поверил своим глазам.

Выйдя из сада, что располагался во дворе спорткомплекса, он ожидал увидеть знакомую аллею, выложенную плиткой, искусно сделанные деревянные скамьи и каштаны, склонившие над дорожкой ветви с сочной темно-зеленой листвой.

Эта аллея вела в живописный парк с двумя зеркальными чашами озер, на одном из которых располагалась сделанная под старину лодочная станция с допотопными весельными лодками. На них можно было поплавать по озеру и покормить лебедей...

Широ так привык ко всему этому, что, выйдя из сада, превращенного в хаотическое нагромождение деревьев, замер на месте, пораженный открывшейся картиной.

Ряды каштанов по краям аллеи утратили свою стройность. Некоторые, выдержав удар стихии, по-прежнему стояли прямо, некоторые накренились, казалось, еще немного, и они присоединятся к своим собратьям, что лежат на земле, перегородив аллею. Плитка на дорожке вздыбилась, ее углы торчали в разные стороны, образуя странный хаотический рисунок.

Еще Широ увидел куски разбитой упавшим деревом скамьи и среди них неподвижное человеческое тело. Это повергло его в еще больший шок, ибо он и представить себе не мог, что в Армазе или любом другом городе может вот так лежать раненый (или мертвый?!) человек.

Ему вспомнились кадры из новостей о крупнейшей за последнее десятилетие техногенной катастрофе, когда при посадке разбился пассажирский авиалайнер. Тогда шесть человек погибли и восемнадцать получили ранения. Несмотря на шок и ужас от происшедшего, спасатели и просто свидетели катастрофы оказались на месте крушения уже через пять минут. Правда, впоследствии многим из них пришлось пройти курс психологической реабилитации, ибо увиденное так потрясло их, что угрожало психическому здоровью.

Грохот за спиной вывел Широ из состояния шока. Обернувшись, он увидел, как рухнула половина здания спорткомплекса, взметнув сноп искр и клубы дыма. Обломки стен и перекрытий завалили часть сада, примяв и без того покалеченные деревья.

Широ пришел в себя (все-таки правы были психологи, говоря, что есть в нем что-то от «технарей») и огляделся вокруг в поисках людей. Он увидел лишь силуэт бегущего куда-то человека, и взгляд юноши снова остановился на неподвижном теле среди обломков скамьи.

Не отрывая от него глаз, чтобы не поддаться трусости и не обойти тело, Широ вошел в аллею и, спотыкаясь о торчащие во все стороны плиты, двинулся к телу.

Это была женщина, и надежды юноши на то, что она жива, не оправдались. Он попытался высвободить тело из-под дерева, но ствол оказался слишком тяжелым для него, к тому же Широ забыл о своих обожженных ладонях, и они напомнили о себе, едва он ухватился за шершавую кору.

Он обошел дерево, чувствуя, как бешено колотится сердце и кружится голова. «Все-таки не так уж много у меня от «технарей»! — подумал Широ, стараясь унять дрожь в ладонях.

На выходе из аллеи он снова остановился. Парк представлял собой еще более плачевное зрелище. По поверхности одного из озер плавали пустые лодки, часть из них — вверх дном. Опоры, на которых стояла над водой лодочная станция, подкосились, и она съехала в озеро, наполовину скрывшись под водой. Вокруг станции плавал всякий хлам, среди которого выделялись два старинных спасательных круга.

А на крыше станции, обхватив руками колени, сидел человек в мокрой одежде. Просто сидел и смотрел на пустые лодки.

«Что же он сидит и ничего не делает?» — подумал Широ, и возникшая у него мысль заставила юношу вздрогнуть.

Этот человек на крыше ждал помощи. Ее ждали и сбившиеся в кучки люди в парке.

Они ждали помощи. После катастрофы прошло уже полчаса, а они все ждали, что им кто-нибудь поможет, и абсолютно ничего не предпринимали.

Широ вспомнились слова наставника: «Если ты в силах помочь другому — помоги, и потом он поможет тебе». Эти слова наставники говорили своим подопечным на протяжении жизни многих поколений. Их знал весь мир.

И эти люди в парке тоже их знали, но они думали, что помощь нужна именно им, и ждали ее.

Широ с ужасом представил, что район стихийного бедствия мог охватить весь Армаз или даже несколько городов. И тогда все в них ждут помощи, ибо катастрофа наверняка коснулась каждого и каждый чувствует себя пострадавшим и не может оказать помощь окружающим.

Получался замкнутый круг.

А если представить, что катастрофа охватила весь регион, весь материк...

Весь мир?!

...Широ подошел к ближайшей группе людей. Пожилой мужчина сидел, прислонившись спиной к дереву и неотрывно глядя куда-то в сторону озера. Щека его была поцарапана, рубашка порвана в нескольких местах и на месте разрывов пропитана кровью.

Рядом с ним сидела девушка. Она никак не пострадала, но, похоже, все еще находилась в состоянии шока: губы ее дрожали, глаза блестели от слез, а на лице легко можно было прочесть выражение страха и непонимания.

Два молодых человека расположились на траве: один беспрестанно оглядывался, другой ковырял веткой землю.

Эта картина поразила Широ еще больше, чем все разрушения, вместе взятые. Устои общества, в которые он верил (хотя и сомневался в некоторых из них), пошатнулись, будто и их не обошла стороной стихия. Общество, в котором жил Широ, отдавало приоритет духовному развитию человека. «Каждый должен стать личностью с большой буквы, — говорили наставники, — с богатым духовным миром, широким кругозором и открытой душой. Общество таких людей будет процветающим и высокоразвитым...»

И вот сейчас «личности» сидели посреди парка, сбившись в кучки, и уже больше получаса ждали помощи. И видимо, с каждой минутой непонимание и страх росли, нарушая и разрывая в клочья их душевное равновесие.

...Все четверо подняли головы и с надеждой посмотрели на подошедшего Широ, но едва их взгляд скользнул по нему, как огоньки надежды угасли, головы опустились, а по щеке девушки скатилась слеза. Посмотрев на себя, Широ понял, в чем дело. В помятом, порванном, перепачканном сажей спортивном костюме, с грязными руками, измазанным лицом и всклокоченными волосами он выглядел как пострадавший, а не как пришедший на помощь.

— Чего вы ждете? — спросил Широ, и четверка снова обратила к нему свои взгляды, но никто не ответил. — Чего вы ждете? Помощи?

Все непонимающе смотрели на Широ, пытаясь понять, зачем этот молодой человек задает очевидные вопросы.

— Вы ведь практически не пострадали и могли бы сами кому-то помочь! — Широ обвел парк рукой. — Здесь нет раненых, но все почему-то сидят и ждут... А там в аллее мертвая женщина! Может быть, полчаса назад она еще была жива!

Обхватив голову руками, девушка зарыдала.

— Молодой человек, — сказал пожилой мужчина, — вы серьезно ранены, у вас сильный шок. Присаживайтесь, успокойтесь, нам скоро помогут...

— А вы не подумали, что весь Армаз может быть разрушен!

— Успокойтесь, — продолжал мужчина. — У вас шок, садитесь...

— «Духовники»!!! — сорвалось вдруг с губ Широ, и, развернувшись, он пошел прочь, оставив четверку в полном недоумении, смешанном с негодованием.

Ведь «духовниками» их пренебрежительно называли «технари».

8

— Ну что? — спросил Широ, осторожно смывая грязь с ладоней холодной озерной водой.

Мужчина, сидящий на крыше наполовину затопленной лодочной станции, удивленно уставился на него.

— Ждем чего-то? — продолжал юноша, даже не глядя на того, к кому обращался. — Или просто думаем о духовном развитии личности?

— Ты не спасатель, — не то утвердительно, не то вопросительно произнес мужчина, а Широ, плеснув водой на лицо, ответил ему:

— Спасателей не будет! — и, развернувшись, направился в сторону Армаза.

После этих слов ему самому вдруг стало страшно, и какая-то часть сознания просто отказывалась верить в только что сказанное. Ведь не могла же катастрофа охватить весь мир?! Наверняка к пострадавшим районам уже идет помощь. Нужно только подождать...

— Тьфу! — Широ поймал себя на том, что думает как «духовник».

Чтобы отвлечься от этих мыслей, он стал думать над тем, что же за стихийное бедствие обрушилось на Армаз. Смерч? Ураган? Но благодаря макроклиматическому контролю ураганов не было десятки лет. Да и не мог ураган, пусть даже самой разрушительной силы, подцепить плитку в аллее. Это похоже на землетрясение. Но Армаз находится не в сейсмоактивной зоне!

Широ еще раз оглядел парк и так и не смог прийти к какому-нибудь заключению. Деревья гнулись и падали в одном направлении, навесы и беседки тоже — все говорило о том, что прошел сильнейший ураган. Но паутина глубоких трещин на бетонном полу разрушенной беседки и взды-бившаяся плитка дорожек указывали на то, что не обошлось и без сдвигов почвы.

Но возможно ли такое жуткое совпадение: ураган и землетрясение в одном и том же месте, в одно и то же время?.. В это просто невозможно было поверить, хотя все факты упрямо указывали на это!

Размышляя, Широ вышел на дорогу, ведущую в Армаз. Ее асфальтированное полотно также было покрыто паутиной трещин, будто какой-то гигант-ский паук раскинул тут свое хозяйство. До поворота, что находился метрах в трехстах, дорога в несколь-ких местах была перегорожена упавшими соснами. Одна из них чуть не придавила ехавший электромо-биль, но все, похоже, обошлось, он лишь слегка вре-зался в толстый ствол и теперь стоял, уткнувшись в него и мигая аварийными огнями.

— С вами все в порядке? — спросил Широ, на всякий случай заглянув в кабину.

Пристегнутый ремнями безопасности, води-тель сидел на своем месте, держа руку на штурвале. Посмотрев на юношу, он спросил:

— Скоро уберут завалы?

У Широ чуть челюсть не отвисла от такой бес-печности, и, едва удержавшись от смеха, он ответил:

— Когда узнают, что нужно это сделать. — И направился к перегородившей дорогу сосне, чтобы перелезть через нее.

— Эй, подождите!.. — услышал он сзади голос водителя. — А как же?.. Послушайте, вы... Вы «технарь»?

Водитель густо покраснел, ведь было неприлично называть так представителя другого общества, но он, видимо, просто не смог подыскать иного обращения.

— Я? — Широ развернулся, стоя на сосне. — Я «духовник», но... спасибо за комплимент!

Оставив мужчину в полном замешательстве, он спрыгнул на асфальт.

Следующие две машины стояли у обочины и тоже, видимо, ждали, когда уберут завалы. Их пассажиры проводили быстро шагавшего юношу удивленными взглядами, пытаясь, наверное, определить, не «технарь» ли он.

У самого поворота стоял еще один непострадавший электромобиль, но в нем почему-то не оказалось водителя. Обойдя машину, Широ понял причину этого.

В кювете стоял потерпевший аварию двухместный электромобильчик. На земле, в виде кусков стекла и пластика, был виден след его кувырканий. Теперь машина стояла, прижавшись левой дверью к дереву, с помятой крышей, без лобового и правого бокового стекла, заднее же представляло собой причудливую сеть трещин, которая вот-вот должна была рассыпаться.

В кабине сидели двое. Девушка с бледным лицом, откинувшаяся на подголовник, и держащий ее за руку мужчина лет тридцати пяти в солидном, но изрядно помятом костюме.

— Наконец-то! — воскликнул он при виде Широ, но потом вдруг помрачнел. — Вы не...

— Да, я не «технарь». Что здесь произошло?

— Ее машина перевернулась...

— Я вижу.

— Девушка была ранена. — Теперь Широ заметил, что колено неумело перевязано, а плечо заклеено пластырем. Мужчина продолжал: — Водительская дверь прижата деревом, а эту заклинило. Я выбил стекло и забрался внутрь, чтобы оказать посильную помощь... Но я не врач!

— Вы все правильно сделали! — Широ обрадовался, что наконец встретил решительного «духовника». — Но нужно вытащить девушку из машины.

— У нее серьезная травма ноги. В окно ей нельзя...

— Есть двери!

— Но одну заклинило, другая прижата...

— Нужно просто отодвинуть машину, она ведь легкая...

— Я уже пробовал, — покачал головой мужчина, — колеса тоже заклинило.

— Есть ведь ваша машина!

— У меня трос с магнитными защелками, а эта машина пластиковая, — совершенно убитым голосом продолжал мужчина.

— Ну так нужно просто подцепить ее... — не унимался Широ.

— Здесь нет крюка... или как это правильно называется? — слабым голосом произнесла девушка.

Широ тоже не знал, как правильно называется этот крюк в машине. «Все-таки я не «технарь»!» Однако голова его работала лучше, чем у мужчины.

— Подождите! — бросил он и направился к стоящему на дороге электромобилю.

Широ нашел простейшее решение. На машине мужчины он съехал в кювет, уткнувшись капотом в багажник электромобиля девушки. Двигатель загудел чуть громче — и покореженный электромобильчик был сдвинут на пару метров вперед.

Мужчина через окно выбрался из него, и вдвоем с Широ они помогли девушке покинуть ловушку на колесах.

— Нужно отвезти ее в город, — сказал мужчина Широ, когда они усадили раненую на широкое заднее сиденье его машины.

— И меня заодно подбросите! — улыбнулся юноша.

— Но дорога завалена!

— Смелее, всего лишь пара-другая деревьев...

— А вы интересный молодой человек! — медленно произнес мужчина, внимательно рассматривая Широ. — Вы энергичны и, главное, решительны, как...

— «Технари»? — вновь угадал ход его мыслей Широ.

— Да, как некоторые из них. Знаете, я довольно часто общаюсь с «технарями» и заметил, что нам...

— «Духовникам», — вставил Широ.

— Да, нам, «духо...», в общем, нам не хватает решительности.

— Катастрофически не хватает, — согласно закивал Широ, радуясь, что нашел наконец родственную душу, — там целый парк людей, которые до сих пор, наверное, ждут помощи и абсолютно ничего не предпринимают.

— Я понимаю их, им тяжело перенести все это, осмыслить масштаб происшедшего...

— А как вы думаете, какой район охватило бедствие?

— Большой. — Мужчина помрачнел. — Раз из Армаза еще не пришла помощь... Боюсь, город сильно пострадал!

Они свернули за поворот, по обочине объехали лежащую на дороге сосну и увидели впереди, в конце длинного прямого участка, догорающий остов автобуса...

9

Уссва проснулся, когда первые лучи солнца проникли в окно темницы. Он встал с холодного каменного пола, пристально глядя на маленький квадратик голубого неба.

Возможно, это будет его последний рассвет и заката взошедшего солнца он уже не увидит.

Охотник не был трусом, но от этой мысли ему стало не по себе, мурашки пробежали по спине и камера показалась еще более мрачной.

Когда он поднял руку и потер шею, зазвенели цепи. Скоро на эту шею наденут петлю или опустят острое лезвие топора. Это в лучшем случае...

В худшем он окажется на «костре колдунов».

Уссва вспомнил, как, будучи еще совсем молодым охотником, угодил прямо в очаг лесного пожара. Прошло уже много лет, а ощущения те не забылись и казались совсем свежими. Он прекрасно помнил, как, накинув на голову рубаху, бежал среди ревущего пламени, лавируя между горящими стволами, перепрыгивая через упавшие пылающие деревья. Помнил, как раскаленный воздух обжигал лицо, горло и грудь, как дым разъедал глаза. Ему казалось, что он не добежит, упадет обессиленный и будет поглощен безжалостным огнем. И когда Уссва с разбега прыгнул в холодную воду небольшого озера, он почувствовал себя самым везучим человеком на всем белом свете. Он долго просидел в спасительном озерце, глядя, как ревущее пламя бушует вокруг в бессильной злобе.

Но сегодня будет только огонь, и никакой возможности добраться до воды. Он будет стоять, надежно привязанный к столбу, и огненный зверь сделает то, чего не смог сделать много лет назад: доберется до охотника и сожрет его.

Положение было безвыходным. У Уссвы даже промелькнула шальная мысль: а не принять ли предложение барона, не помочь ли ему поймать «черного балахона»?

И охотник еще раз убедился, что страх смерти отсутствует разве что у сумасшедших. Уссва почувствовал, как цепкие коготки его вцепились в душу, увлекая ее на путь предательства, трусости, — лишь бы сохранить жизнь.

Охотник покачал головой. Как говорят воины киннерийских племен? «Боишься умереть под пытками — умри в бою!» Как бы ни хотел Уссва признаваться себе в этом, а костра он боялся. Единственный выход — не дойти до него.

Звякнул засов, и громко заскрипели ржавые петли. В дверь быстро вошел барон, но, сделав пару шагов, остановился. Он словно чувствовал, что ему не стоит слишком близко подходить к пленнику. По бокам от Тикама встали два гвардейца-охранника.

— Наслаждаешься последним утром? — усмехнувшись, спросил барон, пристально глядя на охотника, словно выискивая в его взгляде, движениях, жестах слабинку. — Неприятная для тебя новость: совет жрецов признал тебя колдуном, а это значит...

Тикам замолчал, но Уссва продолжил про себя: «...А это значит — костер!» Что-то изменилось в лице охотника, дрогнул какой-то мускул, ибо барон сделал шаг вперед и, понизив голос, быстро заговорил:

— Но это решение еще должен одобрить я! Одно мое слово — и ты на костре! Одно мое слово — и ты будешь жить! Несмотря на нашу вражду, мы можем договориться. Я верю, что ты так же мало знаешь о «черных балахонах», как и я, верю, что ты не видел «сатанинских стрел», но ты — лучший охотник из всех известных мне...

— Ты хочешь, чтобы я поймал тебе «черного балахона»? — перебил Уссва, поняв, куда тот клонит.

Тикам Рикстийский согласно кивнул и выжидательно посмотрел на охотника. Барон чувствовал, что пробил брешь в его воле, посеял в душе Уссвы сомнения, вселил надежду не оказаться на костре. Уссва и сам чувствовал это. Сейчас между ними шла схватка. Не открытая, что продолжалась несколько последних дней, а скрытая, внутренняя. Схватка характеров.

Мог ли Уссва принять предложение врага? Нет! Даже несмотря на то что барон не предлагает перейти на его сторону, но само по себе участие в охоте на «балахонов» будет переходом в стан врага.

— Мне очень жаль, но вам придется подыскать другого охотника, — холодно ответил Уссва, твердо глядя в глаза барону.

Тот понял, что проиграл, но все же сделал последний ход.

— Подумай, время еще есть! — сказал он, покидая темницу.

Уссва выругался. Последняя фраза была как удар кинжала. Она разжигала огонек надежды и сомнений, который он так старательно пытался загасить.

...Через пару бесконечно долгих часов дверь снова скрипнула, и в образовавшуюся щель заглянул Тикам:

— Не передумал?

— Нет.

— Ну и ладно! Все равно я уже одобрил приговор жрецов...

Уссва не поверил ему и почувствовал, что вышел победителем из их скрытой битвы. Он был уверен, что Тикам заглянул к нему как раз перед тем, как сообщить свое решение жрецам.

— Скоро увидимся! — бросил барон, и дверь с грохотом закрылась.

...За ним пришли под вечер.

Шесть дюжих гвардейцев с обнаженными саблями, шесть пар настороженных глаз, внимательно следящих за каждым его движением, шесть острых лезвий, готовых пресечь любую попытку к бегству.

Уссва вдруг явственно почувствовал горячее дыхание огня. До костра его уж точно доведут! И даже если он попытается что-то предпринять, его оглушат, ранят, но не убьют.

К горлу Уссвы приставили саблю, с него сняли цепь и тут же связали веревкой руки за спиной. Освободили от кандалов ноги и толкнули к двери, за которой ждали еще четверо гвардейцев.

Идя мрачными коридорами подземелья, Уссва поймал себя на том, что считает шаги. Свои последние шаги. Какая-то искорка надежды все же тлела в его душе. Все-таки Варр где-то возле замка... но что может пес — пусть даже сильный, умный и бесстрашный — против сотни вооруженных людей?

Его вывели в просторный внутренний двор замка, наполовину заполненный разношерстной толпой, в которой были и простолюдины в грязных лохмотьях, и богатые купцы в дорогих одеяниях. При появлении осужденного среди толпы прошел ропот, люди зашевелились, пытаясь рассмотреть его.

Уссву повели по коридору, образованному двумя рядами конных гвардейцев, сдерживающих напирающую толпу. Между лошадьми проскочил какой-то оборванец и заорал, тыча в охотника пальцем:

— Туда его! На костер! В огонь колдуна!..

Один из гвардейцев ударом рукоятки отправил кричавшего обратно в гудящую толпу.

Впереди Уссва увидел высокий столб и аккуратно разложенный вокруг него хворост. Охотнику вдруг стало жарко, он будто уже оказался на костре...

Обернувшись назад, увидел широкий балкон — место для знати. Встретился взглядом с сидящим в центре бароном, разглядел сидящего справа жреца Миррама — лысоватого, с пухлыми розовыми щеками и узкими глазенками, в которых светилось торжество. Рядом с равнодушным видом сидел вождь восточных наемников.

Толпа гудела в предвкушении казни, всадники еле сдерживали ее напор. Уссва попытался разглядеть в ней хоть одно знакомое лицо, хоть пару друзей, тогда бы шансы на побег — или на смерть в бою — значительно возросли. Но в этом замке друзей у него не было...

До столба оставалось шагов двадцать, и Уссва решился на отчаянную попытку. Вдруг обстоятельства сложатся удачным образом?

Взгляд его встретился с глазами лошади. Секунду они смотрели друг на друга. Лошадь вдруг заволновалась, затопталась на месте, оттолкнула несколько человек из толпы — всадник безуспешно пытался удержать ее в повиновении. Заржав, лошадь встала на дыбы, заставив оказавшихся возле нее людей завопить от ужаса. Ее соплеменницы тоже заволновались, копыта их звонко застучали по камням площади.

Одна из лошадей внезапно подпрыгнула так, что всадник вылетел из седла, и выкинула в страшном ударе задние ноги, после чего сразу три гвардейца оказались на земле.

Еще несколько лошадей заржали, толпа в ужасе отхлынула от них.

Уссва уже готов был броситься в нее — а вдруг ему удастся раствориться в толпе среди этого переполоха и каким-то образом освободиться от веревок? — но тут другая лошадь лягнула задними ногами, и шедший чуть впереди слева гвардеец отлетел назад, толкнув другого, который, падая, в свою очередь, зацепил Уссву, и они упали вдвоем.

На балконе для знати, глядя на переполох в центре толпы и брыкавшихся лошадей, обеспокоенно приподнялся жрец Миррам.

— Неужели он действительно?.. — пробормотал Тикам.

— Колдун!!! — заорал жрец. — Он взбесил лошадей!

— Прекратите! — поморщившись, произнес намного спокойнее выглядевший барон, указывая на два десятка гвардейцев, бегущих на помощь по утратившему стройность коридору.

Они быстро успокоили взволновавшихся лошадей и унесли тела раненых и мертвых стражников. Уссву подняли и повели к месту казни, а толпа вновь сомкнула свои ряды.

Два дюжих гвардейца прижали охотника к столбу, а третий быстро привязал к нему его руки, не забыв проверить прочность узлов.

Толпа приветственно загудела, когда в коридоре из всадников появился одетый во все черное палач с двумя горящими факелами в руках...

10

Палач остановился возле разложенного хвороста и замер, будто выжидая, когда стихнет гул в толпе. Через минуту над внутренним двориком замка повисла тишина, нарушаемая лишь постукиванием копыт переминавшихся с ноги на ногу лошадей.

В соответствии с обычаем палач обернулся в сторону балкона, будто испрашивая разрешения начать казнь. Затаив дыхание, зрители тоже ждали, что скажет барон, ведь в последний момент он мог помиловать приговоренного.

После паузы Тикам Рикстийский небрежно махнул рукой, давая разрешение на казнь, и толпа радостно загудела, вновь обратив все свое внимание на осужденного. Палач медленно опустил оба факела, и огонь тут же перепрыгнул с них на сухой хворост. Под улюлюканье толпы фигура в черном пошла по кругу, поджигая разложенные рядом со столбом ветви со всех сторон.

Несмотря на то что по небу быстро плыли облака, во дворе замка не чувствовалось ни единого дуновения ветра. Дым от загоревшихся веток поднимался вверх, и пламя не спешило подбираться к столбу, набирая силу.

Уссва уже почувствовал его жаркое дыхание, вдохнул первую порцию дыма. Он смотрел на огонь, что метался по краю круга из хвороста, до основания столба тому нужно было пройти не больше трех шагов.

Гул толпы и гудение набиравшего мощь пламени перекрыл вой собаки. Сквозь марево огня Уссва заметил, как обеспокоенно заерзал на месте жрец Миррам. Вой не замолкал, и толпа притихла, словно придавленная им. Охотник, конечно же, узнал голос своего верного пса, который сейчас был где-то рядом и ждал лишь приказа, готовый, если понадобится, прорваться на помощь хозяину, разорвав по пути несколько неприятельских глоток. Но Уссва не мог отдать такой приказ, им незачем погибать вдвоем. И словно поняв хозяина, пес изменил характер воя. Теперь в нем явно читались угрожающие нотки, и у многих в толпе, да и у Миррама на балконе, пробежали по спине мурашки. Уссва даже усмехнулся, представив, как в скором времени Боссию облетит жуткая новость о том, что жрец Миррам, а возможно, и барон Тикам Рикстийский были загрызены в своем замке собакой-людоедом, которая, впрочем, не тронула никого, кроме них...

Что-то сверкнуло в небесах.

Палач и зрители обеспокоенно подняли головы: не гроза ли? Уссва тоже посмотрел на небо, но облака, плывшие по нему, совсем не походили на грозовые.

А огонь уже плотной полутораметровой стеной окружил столб и медленно, но неотвратимо приближался к нему. Жар обжигал лицо охотника, его горло, проникал в легкие. Он уже практически ничего не слышал, кроме гудения пламени, и различал за ним лишь высокие стены замка да иногда слившихся в единое целое людей.

Прочные веревки крепко держали его руки, и последние титанические усилия освободиться не принесли результатов. Его несвязанные ноги были своего рода насмешкой палачей. Попавшие в капкан волки нередко отгрызали себе лапу, но не мог же он вырваться, оставив на столбе руки!

Огонь приблизился, и от нестерпимого жара Уссва был вынужден закрыть глаза. Скорее бы это все кончилось!..

Он не слышал, как за стенами замка раздался какой-то глухой грохот. Зрители замолкли на полуслове, когда все вокруг вздрогнуло.

Вся толпа, словно подкошенная, рухнула наземь. Придавив всадников и людей, попадали лошади.

Одновременно со звоном повылетали стекла в замке, осыпалось большое стеклянное панно, занимавшее полстены в гостевом зале.

Подняв тучу пыли, с грохотом рухнула арка, соединявшая два крыла замка, а через мгновение на нее осыпалась часть стены.

Тут же подкосилась одна из декоративных колонн, поддерживающая балкон знати во внутреннем дворе. Расколовшись на три здоровенных куска, она рухнула прямо на поваленных невиданной силой людей, сея среди них ужас и смерть.

Перила балкона осыпались, как карточный домик. Сам он треснул в центре, и одна его часть накренилась. Завопив, жрец Миррам свалился с кресла и покатился по ставшему наклонным полу к образовавшейся трещине, но его тучное тело не пролезло в нее, и он застрял в разломе, дико крича.

В довершение всего рухнули две сторожевые башни.

Одна медленно-медленно накренилась и, с жутким грохотом проломив крышу левого крыла, скрылась в нем, разбросав на десятки метров камни и доски. Через секунду из окон верхнего этажа, из всех одновременно, будто по чьей-то команде, вырвались клубы пыли и мелких осколков, потом — из окон третьего, второго и, наконец, нижнего этажей. Снизу вместе с тучами пыли высыпались кучи камней и досок, завалив окна сверху донизу...

Уссва не мог понять, что происходит там, за стеной огня. Он лишь чувствовал, как дрожит под ногами, словно раненый зверь, земля. Звон бьющихся стекол, грохот падающих камней и рушащихся стен, полные ужаса крики людей — все это слилось для него в единую жуткую какофонию звуков. Повернув голову на затмивший все грохот, Уссва увидел, как рухнула на крышу замка сторожевая башня. Земля вздрогнула еще сильнее, ему даже показалось, что пошатнулся столб, к которому он был привязан.

И тут с другой стороны он заметил огромную движущуюся тень. Резко повернув голову, замер от ужаса.

Вторая башня падала прямо во внутренний двор.

С остановившимся сердцем глядя на нее, Уссва даже забыл о костре.

Расколовшись в воздухе на несколько частей, она рухнула в дальнюю, свободную от людей, часть внутреннего двора. Ближе всего к месту ее падения был столб с охотником. Порыв смешанного с пылью воздуха пригнул к земле пламя костра, забрав с собой его жар. Земля вздрогнула так, что Уссва подпрыгнул. А столб действительно пошатнулся и заметно накренился назад и вбок. Закашлявшись от пыли, что покрыла весь двор, охотник пару раз ударил столб спиной, и это принесло некоторый результат: не выдержавший ударов стихии и треснувший у основания столб зашатался еще сильнее.

Уссва принялся яростно толкать его спиной, раскачивать связанными руками, упираясь в землю ногами, налегать на него всем телом. Послышавшийся наконец треск дерева показался ему чудесной музыкой.

Земля вдруг перестала дрожать. Медленно оседала густая пелена пыли, откуда-то доносился стук падающих камней, вскоре к нему прибавились стоны людей. В облаках пыли неясно мерцало потускневшее пламя.

Несмотря на боль в спине и стертых до крови запястьях, Уссва удвоил свои усилия. Нужно было успеть до того, как огонь наберет силу, рассеется пыль и опомнятся люди. Не хватало, чтобы его обвинили еще и в этом бедствии, тогда костром уже не отделаться. Его просто разорвут на части!

Столб вовсю качался, но все еще не падал. А огонь уже набирал силу, хищные оранжевые щупальца потянулись к пленнику, словно чувствуя, что он может вырваться из их жарких объятий. Пыль медленно оседала, рассеивалась. Уссва смог различить неясные пока силуэты ближайших людей.

В очередной раз толкнув спиной столб, он почувствовал, что падает. При падении перевернулся набок и вместе со столбом упал на плечо, но куча веток смягчила удар.

Голова охотника оказалась прямо на линии огня, пламя опалило волосы, обожгло щеку. Уссва отполз назад и, извиваясь, пропустил проклятый столб между спиной и руками. Он торопился добраться до основания и даже не замечал, как острые щепки треснувшего дерева царапают ему руки.

Наконец со вздохом облегчения вскочил на ноги и тут же за линией огня увидел размытый из-за висевшей в воздухе пыли черный силуэт, в котором, впрочем, тут же узнал палача.

Уссва чертыхнулся: он, можно сказать, живым вышел из огня, чтобы в тот же миг лицом к лицу столкнуться со своим палачом, да еще со связанными за спиной руками!..

11

Привезя очередную тачку песка и даже не попытавшись разгрузить ее, Андрей Лебедев укрылся от нестерпимо жарких лучей солнца в тени домика.

— Фу, жуть... Африка! Сахара!

— Эй, Андрей! — услышал он голос отца. — Привезите с Юркой воды...

— Что, прямо сейчас? — без энтузиазма спросил юноша, поглядывая на границу света и тени.

— Ну да, надо же обед готовить!

Андрей с укором посмотрел на колонку, что давала, казалось бы, чистую воду, но стоило ей постоять час-другой, тут же становилось понятно, что для внутреннего употребления она непригодна. Невдалеке стояли наполненные ею для поливки огурцов ведра. Так на них смотреть было страшно! Плотная оранжевая пленка покрывала их поверхность. В принципе, такую же воду давали колонки на соседних участках, даже на всей дачной «улице». Поэтому за питьевой водой все ходили к колонке, скважина которой уходила в пласт чистой воды. Можно, конечно же, возить питьевую воду из Киева, что многие, в том числе семья Лебедевых, и делали, но в такую жару ее явно не хватало. Вот они, например, привезли двадцатилитровую канистру, и меньше чем через полтора дня в ней остался литр-два.

— Эй, Юрка, пошли за водой! — крикнул Андрей, адресуя это короткое послание племяннику, который на втором этаже смотрел телевизор.

— За чем? — переспросил тот.

Андрей секунду подумал: спрашивает ли тот «за чем?» или «зачем?» — и ответил сразу на оба вопроса:

— За «аш два о» для обеда. Пошли, раб телевизора!

— А сам?! — раздался с кухни смешок отца.

— Я уже меньше смотрю! И не все подряд, а он смотрит все! Вот гляди! Юрка, что ты смотрел?

— Да, какая-то чепуха...

— Ну, что я говорил!

Андрей взял пустую канистру и вышел на улицу, где в тенечке его ждал племянник.

— Давай, туда несу я, а ты обратно, — сказал он, чуть ли не выхватывая емкость и не скрывая своего рвения, ведь на обратном пути в канистре уже будет двадцать литров воды.

— Туда несешь ты, обратно вдвоем, — парировал Андрей.

— Нет, ну я же меньше тебя и просто не смогу тащить... — серьезно начал Юрка, но Андрей остановил его.

— Ладно, ты везешь тачку туда, а я везу на ней канистру обратно.

Андрей высыпал из тачки песок и с гордостью оглядел дорожку, что тянулась от самого дома до калитки, — его рук дело! Кроме двух последних метров, она была засыпана песком и щебенкой, так что оставалось лишь положить плитку.

...Первую половину пути солнце находилось справа и безжалостно жгло правое плечо и щеку. Толкаемая Юркой тачка подпрыгивала на камнях и неровностях дороги (если можно было назвать дорогой спрессованный под колесами автомобилей песок, глину и строительный мусор, которым засыпали многочисленные ямы), пластиковая канистра с таким грохотом прыгала по металлическому дну, что Андрей не выдержал и взял ее в руки.

— Слушай, а ты знаешь, кто самый богатый человек в мире? — спросил Юрка.

— Султан Брунея, — ответил Андрей. — Ф. И. О. не помню.

— Ага, у него доход двести тысяч долларов в час. Представляешь, какой у него дом?..

— Обычный дворец на пару сотен комнат с золотыми унитазами.

— Ха-ха! А вот если ему взять и создать в каждом городе... Нет, в каждом крупном городе банк. Такую сеть самых лучших в мире банков...

— Зачем? — спросил Андрей, понимая, что пытливый ум двенадцатилетнего Юрки начинает выдвигать самые невероятные версии и предложения.

— Ну, с его капиталом это будут самые надежные банки.

— Зачем ему эта морока?! Наверняка у него есть контрольный пакет акций какого-нибудь банка или крупных компаний. И вообще свой банк ему не нужен...

— Почему?

— «Не свои» банки начисляют ему проценты по вкладам, которые и составляют эти двести тысяч в час.

Они подошли к колонке и стали набирать воду.

— А что, если... — начал на обратном пути Юрка, — султану Брунея построить в Киеве метро...

Андрей хохотнул.

— Послушай, послушай! — затараторил его племянник. — Ну, не в Киеве, так где-нибудь еще, но такое, чтобы оно подходило к каждому району...

— Ага, к каждому подъезду и имело эскалатор к каждой двери. Это ты загнул еще круче, чем с банками!

— Ну почему? Вот представь, метро в каждый район. Сколько там будет пассажиров! А плату за проезд сделать... ну где-то в пять раз выше, чем в обычном метро...

— Эй, так это у тебя такси подземное получается!

— Почему? — не соглашался тот. — Вот в Киеве метро — тридцать копеек, это новое будет гривна пятьдесят, но в каждый район. А такси сколько?

— Наш человек лучше проедет в автобусе за двадцать, чем в твоем метро за гривну пятьдесят... И вообще, Юрка, я вот запомню несколько твоих идей и лет через восемь — десять тебе их перескажу. Даю гарантию, будешь хохотать до боли в животе... Прошлым летом, помнишь, ты выдвинул предложение строить дачи по типу панельных домов цельными блоками.

— Помню, — рассмеялся племянник.

— Ну так смотри! — Андрей указал на недо-строенную двухэтажную дачу из панельных бло-ков, смотревшуюся гадким утенком рядом с акку-ратными кирпичными домиками.

— А что... нормально! — рассмеялся Юрка пуще прежнего.

Не доезжая метров тридцать до своей дачи, Андрей увидел Владимира Михайловича, выпол-нявшего функции главы дачного кооператива «Прогресс» и сборщика платы за электричество. Загорелый, в одних плавках, с грязными, запылен-ными ногами, он шагал по дороге, не обращая внимания на маленькие острые камушки, которы-ми она была усеяна. Так как свой предыдущий обход Владимир Михайлович делал на прошлой неделе, то сейчас шел явно не для сбора денег.

— Привет, молодежь!

— Здрасьте!

— Когда приехали? Вчера?

— Ага.

— Я тут, понимаете, играю в детектива. Сторож наш, Макарыч, куда-то пропал. Не видели его?

— В прошлое воскресенье... — ответил Андрей.

— А вчера, сегодня?

— Нет.

Владимир Михайлович прищелкнул языком и покачал головой.

— В пятницу он помогал класть шифер, ну а потом со своим товарищем... — Владимир Михай-лович сделал характерный жест, постучав пальцем по горлу. — В его домике на столе бутылки. Прав-да, не так уж много... Рыжий бегает... А Макарыча два дня никто не видел. Еще, говорят, исчезла старая весельная лодка...

— Может, они решили поплавать?

— Боюсь, что так. — Он снова покачал головой. — А дело-то, судя по всему, ночью было... Ну ладно, чувствую, придется заявлять в милицию.

Пошел дальше, но остановился и спросил:

— А вы ничего не слышали о сиянии над островом, прямо напротив берега?

— О каком сиянии? — удивился Андрей.

— Да говорят, какое-то сияние было ночью... Сам, правда, не видел...

Когда он ушел, Юрка тут же полез к Андрею с предложением сходить ночью посмотреть на сияние, если оно действительно есть.

— Может, еще сплаваем на остров выяснить его причину? — пошутил тот...

12

Черный, обгоревший остов автобуса, россыпь разбитых стекол вокруг него и лежащее среди них в неестественной позе человеческое тело показались Широ своего рода предзнаменованием. Мир многих людей сейчас разбит, как эти стекла. И многих (лишь бы их было как можно меньше!) постигла судьба этого несчастного. А еще большее число людей оказалось в положении тех, что беспомощно сидели на обочине дороги.

Электромобиль медленно подъезжал к месту, видимо, одной из многих катастроф, ставшей следствием самой главной и страшной. Нетрудно было догадаться, что здесь произошло. На скорости автобус врезался в упавшую сосну, и, хотя водитель пытался затормозить — на асфальте были видны черные полосы шин, — удар был очень сильным: повылетали все стекла, переднюю часть автобуса смяло в гармошку и в довершение всего, когда бо́льшая часть выживших покинула машину, взорвались газовые баллоны, превратив автобус в пылающий факел. Система пожаротушения не сработала — не было видно никаких следов пены.

Широ уже стал привыкать к тому, что в какой-то критический момент даже самая совершенная техника может отказать. Но к чему привыкнуть было невозможно, так это к виду беспомощных пострадавших людей. Примерно два десятка выживших пассажиров сидели на обочине дороги. Почти каждый из них пострадал: у кого-то было разбито лицо, у кого-то повреждены руки, ноги, но, похоже, серьезно раненных среди них не было.

Если Широ уже мог как-то контролировать себя, то мужчина, сидевший за штурвалом, смотрел на пострадавших глазами, полными ужаса, начисто забыв об управлении. Запищал сигнал безопасности, предупреждая о том, что на пути препятствие, и медленно ехавший электромобиль остановился в метре от ствола упавшего дерева. На это обратил внимание лишь Широ, а водитель и девушка продолжали с ужасом взирать на последствия катастрофы.

— Чем мы можем им помочь? — спросил у Широ мужчина.

Тот не ответил, так как заметил, что от группы раненых отделилась женщина средних лет и, прихрамывая, направилась к их электромобилю. Присмотревшись, Широ сразу понял, что она принадлежит к «технарям».

— Что мы можем сделать? — спросил он, выходя ей навстречу. — Если есть серьезно раненные, давайте заберем их в город...

Женщина посмотрела на юношу с едва заметным удивлением, видимо, не ожидая от «духовника» такой инициативности и решительности.

— В машине есть телефон?

— Сейчас посмотрю, это не моя машина...

Широ нырнул обратно в электромобиль, чувствуя, что покраснел от стыда: уже минут десять он имел под рукой телефон и не додумался позвонить в город.

Женщина приняла телефон с легкой усмешкой на губах, видимо, заметив сконфуженность юноши. Включила аппарат, поднесла к уху, с сомнением пару раз набрала номер и вернула телефон.

— Не работает, наверное, разрушен узел связи...

— Но связь ведь спутниковая?!

— Сигнал от телефона сначала идет на узел связи, а потом, если необходимо, на спутник, — терпеливо объяснила она и, понизив голос, продолжила: — Послушай, парень... Ты вроде бы не в таком состоянии, как все остальные...

— «Духовники»? — произнес Широ за нее.

— Да, — женщина благодарно и удивленно улыбнулась, — ты точно не такой, как они! Но подожди радоваться! Думаю, в городе тебя ждет настоящий шок, и все, что ты видел раньше, покажется просто детской страшилкой...

Широ плохо представлял себе, что такое детская страшилка, лишь слышал, что это какие-то глупые страшные истории, которые сочиняют дети «технарей», чтобы пугать друг друга.

— ...Город скорее всего сильно пострадал, если не разрушен полностью, ведь он строился без какой-либо сейсмозащиты... Ты увидишь много страшного, увидишь множество людей, требующих помощи, но... — в глазах женщины Широ прочитал просьбу, нет, даже мольбу, — постарайся не забыть, что здесь есть тяжелораненый, для которого нужна специальная медицинская машина. У него поврежден позвоночник...

— Я сам приеду на ней! — решительно сказал Широ.

— Запомни, только СММ*!..

— Обязательно...

— Подожди... — Женщина взяла Широ за руку. — Сразу учти, тебе будет очень тяжело, но... Но от тебя зависит жизнь человека! А теперь езжай... И сядь за штурвал! Ты ведь умеешь водить машину?

— Конечно!

— Я так и думала! — улыбнулась женщина.

Ничего не говоря, Широ знаком предложил мужчине пересесть на пассажирское место, а сам уселся на водительское. Отъехал чуть назад и мигнул фарами женщине. Та подняла вверх сжатый кулак, как бы говоря: «Держись!» Широ вдруг понял, что за ее внешним спокойствием и уравновешенностью

---

* СММ — специальная медицинская машина.

скрывается колоссальное внутреннее напряжение. Ладонь ее была холодной как лед.

Рванув с места так, что взвизгнули шины, электромобиль, зацепив крону сосны, объехал ее и помчался по середине дороги.

— Им не нужна помощь? — спросил мужчина.

— Нужна. Там есть тяжелораненый. Мы едем за СММ!

Не сбавляя скорости, подпрыгивая на обочине, ведомая Широ машина объехала очередное упавшее дерево и вынуждена была резко затормозить, чтобы объехать место еще одной катастрофы.

Здесь, видимо, произошло лобовое столкновение двух электромобилей. Их покореженные корпуса лежали на расстоянии метров тридцати друг от друга, а вокруг валялись осколки стекла и детали. Среди них лежало тело одного из водителей. Он, видимо, не был пристегнут ремнями и при столкновении вылетел через лобовое стекло. Широ предположил, что погибший принадлежит к «технарям» — некоторые из них пренебрегали ремнями безопасности, — и, подъехав ближе, по одежде убедился в этом.

Он объехал покореженные машины и помчался к городу, до которого оставалось совсем немного.

Опустив глаза, юноша посмотрел на показатель заряда батарей электромобиля (вдруг не хватит энергии?!) и облегченно вздохнул, так как батареи были заряжены на восемьдесят процентов. И тут его взгляд упал на... радио.

Радио!!!

Широ включил его.

Ответом была тишина.

Широ попытался поймать все известные ему радиостанции Армаза, но они молчали.

Работала лишь одна. Станция «технарей».

— ...просьба соблюдать спокойствие и не впадать в панику, — говорил диктор. — Просьба не бездействовать, ибо масштабы катастрофы таковы, что спасательные и аварийные службы не в состоянии прийти на помощь всем пострадавшим одновременно. Уважаемые жители Армаза, очнитесь от охватившего вас шока и окажите вашим родным, друзьям, знакомым и просто нуждающимся в этом посильную помощь...

Широ оценил правильность этого обращения. Однако авторы его не учли одного: почти каждый в городе считает себя пострадавшим и ждет помощи и психологически просто не в состоянии оказать ее другому. Широ представилась страшная картина: все жители города сидят на улицах среди поваленных деревьев, среди осколков стекла разбитых окон, среди...

Впереди показался Армаз, и у юноши перехватило дыхание, ибо нарисованная воображением картина была просто детской страшилкой по сравнению с тем, что предстало перед его взглядом...

13

Широ ударил по тормозам как раз напротив осколков некогда красивейшего панно с картой Армаза.

«В городе тебя ждет шок... — вспомнились ему слова женщины, и только теперь он до конца понял их. — Город скорее всего сильно пострадал, если не разрушен полностью...»

Все еще вдавливая в пол педаль тормоза и ухватившись руками за штурвал, Широ с замершим сердцем смотрел на открывшийся ему с невысокого холма вид, а в ушах продолжали звучать слова женщины: «...ведь он строился без какой-либо сейсмозащиты. Ты увидишь много страшного...»

Много страшного!..

Та часть города, которую он мог видеть, лежала в руинах. Еще вчера ухоженные, аккуратные домики, форма и внешняя отделка которых ни разу не повторялись, теперь представляли собой ряд похожих друг на друга руин и завалов. Над некоторыми из них поднимались струи дыма, а кое-где виднелись языки пламени. Упавшие деревья, утратившие стройность ряды декоративных кустов, лежащие на земле и превратившиеся в груды камней скульптуры дополняли картину. И среди всего этого виднелись фигурки людей — маленьких и беззащитных среди последствий буйства стихии...

В зеркале заднего вида Широ увидел лицо девушки. Казалось, еще немного — и она закричит от ужаса. Показавший себя достаточно решительным мужчина выглядел не лучше. Если на шоссе он еще мог действовать, то картина разрушений окончательно сломала его волю и парализовала рассудок.

Широ опустил глаза и увидел свои вцепившиеся в штурвал руки, а потом почувствовал, как нога со всей силы давит на педаль тормоза, будто не хочет, чтобы машина сдвинулась с места и въехала в разрушенный город. Он с трудом заставил себя отпустить тормоз, и электромобиль медленно покатился под гору.

Въезд в город перегородило рухнувшее панно, представлявшее собой трехмерную карту Армаза. Теперь от него остались только две металлические опоры да куча обломков на асфальте.

Широ объехал их по газону Клуба музыкантов, еще вчера легкого, почти воздушного трехэтажного строения — казалось, еще немного, и оно улетит вместе с льющимися из него звуками музыки. От клуба остались лишь две боковые стены и большой завал между ними.

— Сюда я сегодня собиралась, — еле слышно проговорила девушка.

Переезжая через вздыбившуюся плитку дорожки, электромобиль подпрыгнул и вновь оказался на покрытом сетью трещин асфальте.

Следующей грудой руин была музыкальная школа. На лужайке возле нее сидела группа детей и две молодые преподавательницы. Все они устремили взгляды на проезжающий электромобиль и на силуэты людей за его темными стеклами, но Широ, сжав штурвал, даже не сбавил скорости. Мужчина и девушка обернулись, глядя на удаляющуюся группу детишек.

«Ты увидишь множество людей, нуждающихся в помощи...» — опять вспомнились юноше слова женщины, и он поехал дальше, стараясь не смотреть по сторонам. «В твоих руках жизнь человека!..»

...Мимо проплывали руины.

С близкого расстояния они не были похожи друг на друга, как казалось издалека. Некоторые строения разрушились целиком, превратившись в груду обломков. Иногда одна или две стены выдерживали удар стихии, и теперь они возвышались над завалами, как скорбные памятники. Различны были и сами завалы. Одни представляли собой кучу битых кирпичей вперемешку с обломками перекрытий, другие — нагромождение поломанных конструкций и деталей интерьера, третьи...

Широ поймал себя на том, что классифицирует характер руин. Это, видимо, помогало ему не обращать внимания на людей, что сидели, стояли или бесцельно бродили среди разрушенных домов.

Лишь в одном месте он увидел двух человек — это были «технари», разбиравшие завалы...

Дрожь прошла по его телу, когда Широ вдруг осознал то, о чем не подумал (или не хотел думать?) раньше.

Под руинами каждого дома мог оказаться человек, и не один!!!

— Смотрите, там... Там человек!!! — словно в подтверждение его мыслям вскрикнула девушка, указывая на руку, видневшуюся в одном из завалов. — Это ужасно...

— Еще ужасней вот это! — чуть ли не закричал Широ, указывая на небольшую группу людей, что сидела на бровке в двадцати шагах от погребенного под руинами человека.

Надавив на сигнал, Широ направил машину прямо на них. Люди в ужасе отпрыгнули в стороны, а электромобиль, проломив аккуратный ряд кустов, остановился, заехав передними колесами на россыпь кирпичей.

Широ выскочил из него и, взобравшись по завалу, присел над рукой. Он вдруг испугался, что, взявшись за нее, вытащит оторванную от тела руку...

Осторожно дотронулся до ладони, та была теплой.

Рука вдруг шевельнулась, и Широ обрадовался, даже не успев как следует испугаться.

— Эй, вы живы? — спросил он.

— Да, — раздался из-под развалин приглушенный мужской голос, — но у меня застряли ноги...

— Сейчас поможем... Идите сюда! — крикнул Широ вышедшему из электромобиля мужчине. — Помогите!

Вдвоем они откидали в стороны кирпичи и доски, освободив верхнюю часть туловища молодого мужчины с испачканной пылью головой и глубокой раной на плече. Потом осторожно сдвинули тяжелую балку, мешавшую ему выбраться из завала. Он попробовал встать сам, но, вскрикнув, схватился за правую ногу.

— Похоже, сломана... — процедил раненый сквозь плотно сжатые зубы.

Широ и владелец электромобиля вытащили спасенного и, помогая ему передвигаться на одной ноге, довели до машины, возле которой собрались люди, которых согнал с бровки ведомый юношей электромобиль.

— Вы не спасатели... — разочарованно произнес пожилой мужчина с осунувшимся бледным лицом.

Широ вспомнился такой же пожилой мужчина, которого он видел в парке. Он, наверное, до сих пор сидит там в ожидании помощи. И десятки, сотни, тысячи похожих на них людей ждут ее...

— Вам, молодой человек, следовало бы ездить поаккуратней... — сказал кто-то из группы и осекся, встретившись со взглядом Широ.

Все инстинктивно отступили назад, ибо такое выражение глаз видели разве что на картинах тысячелетней давности: во взгляде этом читалась злоба, которая была первым предвестником насилия, а его общество искоренило.

Широ почувствовал, что готов ударить сделавшего ему замечание, пинками отправить к руинам на поиски погребенных людей...

Но приступ злобы быстро прошел, едва он, хлопнув дверью, уселся в машину. Но в душе остался неприятный осадок. И страх, выраженный в вопросе, который Широ задавал себе, выезжая через пролом в кустах: «Неужели ты способен на насилие?!»

От мрачных мыслей юношу отвлекла показавшаяся за деревьями крыша дома. Неужели хоть одно строение выдержало удар стихии?! Все в машине буквально уставились на этот островок стойкости, возвышающийся над деревьями.

Но когда они объехали насаждения, надежда увидеть сохранившееся здание испарилась. Издалека дом казался уцелевшим лишь потому, что сохранились крыша и второй этаж, а нижняя его часть просела, превратившись в груду спрессованного камня и дерева, на которой и покоился верх здания.

Широ чуть было не проехал поворот к больнице — указатель валялся на земле, примятый упавшим столбом. Юноша уже был готов к тому, что увидит на месте больницы, но, выехав из тенистой аллеи, ведущей к ней, просто не поверил своим глазам...

14

Размытый пылью черный силуэт приближался, а Уссва, понимая, что теряет драгоценные секунды, просто стоял, ничего не предпринимая. Его сознание отказывалось верить в такую неудачу.

Палачу оставалось сделать шесть-семь шагов. Он переступил через набирающее силу пламя, оранжево блеснула сталь широкого кинжала...

Уссва чувствовал, что веревки на его руках ослабли, но понимал, что понадобится не меньше полминуты, чтобы окончательно освободиться от них, а за это время палач успеет здорово поработать своим кинжалом.

Охотник быстро огляделся. За пеленой оседающей пыли он увидел прижатых к земле людей, нескольких поднявшихся на ноги лошадей, куски обрушившихся стен и колонн, нечеткие очертания стен с темными провалами окон. Взгляд его вернулся к палачу, которому оставалось пройти лишь три-четыре метра. Уссва приготовился прыгнуть и ногами нанести противнику один-единственный решающий удар, который должен вывести его из строя хотя бы на полминуты...

И вдруг какая-то стремительная тень перемахнула через горящий хворост и прыгнула на палача, повалив его прямо в огонь. Сорвавшийся с его уст крик перешел в предсмертный хрип, и палач остался лежать в разложенном им же костре.

Здоровенный пес подскочил к Уссве, встал на задние лапы, передние положил охотнику на плечи и, радостно поскуливая, лизнул его в лицо.

Уссва с трудом узнал своего верного пса, так как тот от ушей до кончика хвоста был измазан в грязи и шерсть его торчала во все стороны, как у бродячей собаки.

— Варр, молодчина! Только хватит лизаться, лучше развяжи веревки!

Пес опустился на землю и, забежав за спину хозяина, зубами вцепился в веревки. Он злобно рычал, так как они были для него сейчас врагом номер один.

— Слушай, а чего ты такой грязный? — спросил Уссва, заглянув себе за спину и с трудом удерживаясь на ногах, потому что дергавший веревки пес вместе с ними дергал и хозяина.

Еще раз взглянув на Варра, охотник понял причину такой «неопрятности», ведь если он сам с трудом узнал собственную собаку, то что говорить о стражниках и гвардейцах, которые наверняка получили от барона приказ не пускать в город большого черного пса. А на лохматую грязную собаку, которая — Уссва в этом не сомневался — еще и хромала, они не обратили ни малейшего внимания.

Варр так дернул за веревки, что Уссва все-таки не удержался на ногах и, чертыхнувшись, свалился на бок. Но, оказавшись на земле, наконец почувствовал, что руки его свободны. Поднявшись, увидел на стертых в кровь запястьях ошметки перегрызенной веревки. Мотая головой, пес пару раз фыркнул и выплюнул ее остатки, после чего радостно завилял хвостом, глядя на хозяина.

Теперь Уссва был уверен в том, что уже никто не помешает ему и его лохматому другу выбраться из города. Фортуна, похоже, вновь повернулась к нему лицом и даже улыбнулась во весь рот.

Позаимствовав у мертвого палача кинжал, охотник еще раз огляделся в поисках наилучшего пути. Взгляд его упал на проступившие за пеленой пыли очертания балкона для знати. Он смог разглядеть на нем несколько человеческих силуэтов. Пока не опомнились гвардейцы, можно проскочить туда и...

Ладонь крепче сжала рукоять кинжала, рядом глухо зарычал Варр. Но Уссва подавил этот порыв, излишняя мстительность могла сейчас только повредить.

...Наилучшим путем для бегства был завал, образованный рухнувшей аркой, что соединяла левое и правое крыло замка. За ним шел крепостной вал и наполненный водой ров, а дальше — пологий склон, что упирался в ремесленные кварталы города, в которых легко можно затеряться в толпе.

Перепрыгнув через набравшее силу пламя, Уссва и Варр быстро достигли завала и стали взбираться по нему. Охотник чуть отстал от своего пса, камни сыпались из-под ног человека, он едва не скатился вниз, успев рассечь себе колено об их острые края. Оказавшись на вершине пятиметрового завала, Варр подождал, пока туда взберется хозяин.

Взобравшись наверх, Уссва последний раз оглядел площадь. Осевшая пыль больше не скрывала потрясенных, испуганных людей, повсюду раздавались стоны раненых. Среди людей были видны каменные глыбы — обломки рухнувших колонн и куски стен. «Костер колдунов» пылал во всю мощь, и столба уже практически не было видно. Оставшуюся часть внутреннего двора занимали остатки упавшей сторожевой башни.

Балкон для знати лишился перил, треснул посередине, и край одной из половинок накренился вниз. На нем по-прежнему находились трое.

Тикам Рикстийский смотрел прямо на него.

Жрец Миррам вдруг яростно замахал руками и что-то закричал. Головы людей внизу повернулись к нему. Жрец указал на пылающий костер, а потом на завал, где находились охотник и пес. До слуха Уссвы долетели слова: «Жив... Его проклятое колдовство... Сбежит... Убейте!» В то время как жрец кричал это толпе, барон повернулся к вождю восточных наемников и отдал ему какой-то приказ, после чего тот скрылся с балкона.

Тем временем толпа, увидев охотника-колдуна, взревела десятками глоток и ринулась за беглецом, напрочь забыв о раненых, в полной уверенности, что именно его колдовство вызвало стихийное бедствие.

Уссва хотел было ринуться вниз по завалу, но тут же передумал, сообразив, что может угодить в западню: с одной стороны, его прижмут восточные наемники, с другой — разъяренная толпа. Поэтому, сделав вид, что спускается, он свистнул псу, который уже проделал половину пути вниз, и запрыгнул в оставшуюся без внешней стены комнату правого крыла замка...

15

Там Уссва впервые задумался над тем, что же все-таки за бедствие обрушилось на замок барона, а может, и на весь город Риксти. Нечто подобное произошло лет пять назад на востоке Боссии. Тогда тоже дрожала земля и рушились строения, правда, каменные замки выдержали подземный удар, а вот сегодня замок не устоял. Тогда что говорить о домах в городе! Похоже, что Риксти превратился в руины. Во всяком случае, так предполагал Уссва, а чтобы убедиться в этом, достаточно было покинуть замок или хотя бы выглянуть в окно.

...С опаской глядя на сеть трещин, покрывших пол комнаты, Уссва дошел до двери и осторожно заглянул в нее.

Узкий полутемный коридор был освещен лишь несколькими слабыми факелами, причем два из них валялись на полу. В стенах виднелись проемы низких дверей, в одном из них была свалена большая куча корзин. Уссва обрадовался, сообразив, что попал в ту часть замка, которую редко посещали барон и знать, а возможно, и не посещали вовсе. Шансы столкнуться здесь с гвардейцами или наемниками были мизерны.

Снаружи послышались приближающиеся крики, и охотник не отказал себе в удовольствии через узкую щель в двери понаблюдать за действиями толпы.

Разъяренные люди штурмовали завал. Камни сыпались из-под их ног, они спотыкались, падали, ломая себе руки, обдирая колени и локти, сбивали друг друга с ног, но упорно карабкались наверх. Купцы не замечали, как рвутся их дорогие одеяния. Ослепленные ненавистью и жаждой крови, они лезли по камням, а добравшись до верха, даже не посмотрев, есть ли поблизости беглец, подгоняемые сзади, ринулись вниз, еще сильнее обдирая колени и локти, так как предательские камни выскакивали у них из-под ног и скатывались к основанию завала вместе с не удержавшими равновесие людьми.

Уссва усмехнулся — и тут увидел, как три гвардейца остановились на вершине завала, осматривая лишившиеся стен комнаты. Это ему не понравилось, тем более что Уссва увидел на пыльном потрескавшемся полу свои собственные следы.

Гвардейцы не решились, видимо, разделиться, и все вместе, оголив сабли, двинулись в соседнюю комнату.

Уссва не терял больше времени, ведь они могли вернуться и увидеть следы на полу... Пробегая мимо кучи корзин, он подхватил горящий светильник и бросил в нее. Настоящий пожар получится вряд ли, ведь в пустом каменном коридоре гореть больше нечему, а вот внимание отвлечь можно.

Уссва на ходу решал, выбраться ли ему через какое-нибудь окно, выходящее наружу, или нагло воспользоваться одним из выходов. Замка он, конечно, не знал, но в общем представлял, где находятся выходы из него.

Коридор упирался в широкую винтовую лестницу, ступени которой были засыпаны битыми камнями. Сверху доносились голоса, и, подняв голову, охотник увидел, что у лестницы недостает пары пролетов, которые обвалились, засыпав своими обломками ее нижнюю часть.

К лестнице выходили еще два коридора, и, выбрав левый, Уссва двинулся по нему, рассматривая большие замки́ на дверях. Факелы здесь не горели, так как коридор освещался дневным светом, что лился через окно в его конце. И окно это, судя по всему, выходило на внешнюю сторону замка.

Широкий подоконник был засыпан осколками разбившегося стекла, и, чтобы встать на него коленом, Уссва вынужден был отодвинуть их рукавом. Окно располагалось на высоте пяти-шести метров над склоном вала, который уходил прямо в воду рва. Прыгать было рискованно не только из-за высоты и крутизны склона, но и из-за того, что весь он был усыпан осколками стекол. Похоже, в замке не осталось ни одного целого окна...

И тут охотник заметил, что толпа, бросившаяся уже было форсировать ров, вдруг повернула назад и снова стала взбираться на крепостной вал. Похоже, гвардейцы обнаружили следы на полу и сообразили, что беглец не покидал замка. Неужели эта толпа сейчас рассыплется по всему замку в его поисках? А интересно, что по этому поводу думает барон? Как он относится к тому, что толпы простолюдинов будут шнырять по его владениям?

Через минуту-другую, когда последний преследователь заберется на вал, путь к бегству будет открыт. Нужно лишь, не сломав себе ног, выпрыгнуть из окна, переплыть ров и помахать барону и жрецу ручкой... Только вот Варру вряд ли под силу такой прыжок, он уж точно переломает все свои четыре лапы! Рискуя быть замеченным, Уссва высунулся наружу. Внизу окон не было.

Придется, видимо, выбираться поодиночке.

Пару раз они так уже делали, ведь там, где может пройти собака, не всегда пройдет человек, и наоборот.

— Послушай, дружище! — сказал Уссва, присев возле пса и потрепав его мохнатую шею. — Думаю, придется разделиться. Ты здесь не прыгнешь. Так что до встречи! Встречаемся снаружи...

Пес тихонько заскулил, выражая сожаление по поводу таких обстоятельств, и, лизнув хозяина в щеку, затрусил по коридору.

Уссва вскочил на подоконник и чертыхнулся, увидев, как по насыпи надо рвом скачут десятка два конных наемников. С другой стороны к ним приближалась такая же группа гвардейцев. Похоже, Тикам, вместо того чтобы заняться ликвидацией ущерба, решил во что бы то ни стало поймать беглеца.

Тихим свистом охотник вернул пса, который выразил свою радость по этому поводу энергичным вилянием хвоста.

Уссва слез с подоконника и обратил внимание на странную вещь: на поваленные в одну сторону, словно сильнейшим ураганом, деревья вдалеке, у разрушенных ремесленных кварталов. Неужели был еще и ураган? А та вспышка молнии без грозовых туч? Тут действительно можно поверить в колдовство!..

Тем временем всадники рассыпались по насыпи надо рвом, отрезая охотнику возможный путь к бегству. Неужели они окружили весь замок? В этом было что-то ирреальное, смешное и горькое одновременно. Вместо того чтобы оказать помощь своим подданным, Тикам устраивает охоту на человека, привлекая к участию чуть ли не всю свою личную гвардию. И таковы почти все боссийские бароны...

Уссва решил покинуть тупиковый коридор, который вскоре мог стать для него и Варра ловушкой. Нужно было срочно найти другой способ покинуть замок.

Корзины в узком коридоре пылали, наполняя его дымом и завыванием огня. За ними был виден дневной свет, лившийся в открытую дверь, через которую сюда проник Уссва. Мелькали силуэты людей, не решавшихся, видимо, ринуться в огонь, который на самом деле был не так уж страшен и скоро должен был сойти на нет.

Сверху, с винтовой лестницы, по-прежнему доносились голоса. Впрочем, из-за обрушившихся пролетов путь наверх был отрезан. Оставались ступени, идущие вниз, и коридор направо, который тоже наверняка являлся тупиковым и оканчивался окном во внутренний двор.

Уссва мрачно усмехнулся. Неужели он ошибся, решив пропустить погоню? Может быть, положившись на свою выносливость, ему следовало сразу покинуть замок и уйти от преследователей в руины ремесленных кварталов?

Куча горящих корзин зашевелилась, расталкиваемая шестами и палками рвущихся в погоню людей...

16

Выйдя из метро, Андрей оглядел Арсенальную площадь и понял, что, как обычно, приехал первым. Не такое жгучее, как в выходные, солнце выглянуло из-за пушистого, словно здоровенный кусок заброшенной в небеса ваты, облака. Надев темные очки, он направился к книжному развалу. Когда до него оставалось шагов двадцать, сзади донесся глухой голос, в котором явственно чувствовались нотки угрозы:

— Продолжай движение! Иди прямо!..

Андрей не понял, к нему ли это обращаются, и хотел было обернуться, но голос сказал:

— Не оборачиваться! Не разговаривать! Продолжать движение!..

Андрею стало немного не по себе. Неужели он влип в какую-то историю? Не хватало еще, чтобы его похитили какие-нибудь спецслужбы или, еще хуже, бандиты. Но чем он мог заинтересовать тех или других? Правда, случается и такое: идет себе обычный, так сказать, среднестатистический, гражданин по улице, никого не трогает — и тут бац: «Не оборачивайтесь! Идите прямо!» У-ух, кошмар! Андрею вспомнился недавно увиденный им фильм «В последний момент», где у героя, обычного американца, похищают дочь и, угрожая убить ее, приказывают отцу в течение полутора часов застрелить губернатора Калифорнии. Похолодев, Андрей представил, что может быть втянутым в подобную историю.

— Подойди к развалу! — приказал голос, и Андрей уловил в нем знакомые нотки.

Слегка повернув голову, периферическим зрением он смог увидеть силуэт человека в темных очках.

— Не оборачиваться!..

Все, Андрей узнал этот голос!

Медленно, словно в замедленной киносъемке, он повернулся, поднимая в руке воображаемый пистолет.

— Это была хорошая шутка, — сказал Андрей загробным голосом, — и я почти поверил...

— Сдаюсь! — улыбнулся Владимир Борисов, разочарованно кивая головой. — В предпоследней фразе: «Подойди к развалу!» — прокол.

— Ага, — согласился Андрей, пожимая руку друга. — Но шутка почти удалась.

— Ты поверил?

— Да я уже подумал: все, влип!.. Никогда не поступай так с человеком, у которого слабое сердце или пистолет под пиджаком. Он сразу умрет или начнет стрелять!

— А-а, класс! — довольно потряс кулаком Владимир.

Такие шутки были для него привычными, и он всегда радовался особенно удачным. Андрею розыгрыш тоже понравился, даже несмотря на то что он оказался в роли пострадавшей стороны. Ему вспомнилась шутка их совместного производства еще школьных времен. Владимир подходил к однокласснику или знакомому из параллельного класса и начинал рассказывать о фильме «Монстр в стенном шкафу». Содержание его вытекало из названия. Жуткое человекоподобное существо обитало в стенных шкафах домов и нападало на ничего не подозревающих жильцов. И вот когда

Владимир говорил: «Полицейский подходит к шкафу...», Андрей оказывался у него за спиной. «Берется за ручку дверцы...» — Андрей просовывал руки под руками друга. «Открывает шкаф — и на него!..» Андрей выбрасывал вперед руки, иногда даже хватая «жертву» за горло. Эффект был потрясающим! Большинство относилось к рассказу о фильме с улыбкой, но вылетающая вперед вторая пара рук рассказчика в самом напряженном месте повествования действовала потрясающе и приводила слушающего в ужас. Но недостаток подобных шуток в том, что буквально в этот же день их начинает проделывать пострадавшая сторона и в течение недели они становятся известны всем. И после вопроса: «Ты видел фильм «Монстр в стенном шкафу»?» — большинство респондентов отскакивало подальше, а затем с улыбочкой отвечало: «Видел, видел...» Впрочем, на третьей встрече выпускников (подумать только, после окончания школы прошло уже три года!) они довольно удачно вернулись к классике, погоняв кровь у многих экс-школьников, а ныне студентов вузов...

— Ну что? — спросил Андрей, поглядывая на часы и на выход из метро. — Валя опаздывает?..

— А, только на пять минут... Это еще мало!

— Чего же ты не отучишь свою девушку от плохой привычки опаздывать? — наставническим тоном поинтересовался Андрей.

— Начнем прямо сейчас! Прячемся!

— Ага! И «продолжать движение, не оборачиваться»?

— Совершенно верно, — кивнул Владимир.

— Смотри, чтобы у нее не оказалось газового баллончика!

Владимир рассмеялся, представив себе эту картину, и серьезно резюмировал:

— Будет не смешно!

...Валя появилась через пять минут. Одетая в белое летнее платье, она вышла из метро, осмотрелась вокруг и, взглянув на часы, направилась в сторону развала.

— Сумочка есть, — заметил Андрей улыбаясь.

— Я в очках. И не буду дышать.

Все складывалось удачно. Валя стояла в тени, в ожидании глядя на выходивших из метро людей. Владимир бесшумно подошел к ней сзади, Андрей за ним.

— Не оборачивайтесь! Не разговаривайте! Внимательно слушайте меня!..

— Привет! — улыбнувшись, развернулась Валя.

Андрей рассмеялся, Владимир огорченно взмахнул руками:

— Ну вот, дважды в одну реку не входят! Андрей, понимаешь, клюнул, подумал, что его похищают...

— Ага, — Валя прищурила голубые глаза, подозрительно глядя на ребят, — выкладывайте, что здесь задумывалось?!

...Они шли по улице Январского восстания, в тени каштанов, ровным рядом высаженных вдоль улицы.

— Ух, какая в выходные жара была! — прервал затянувшееся молчание Андрей.

— Тебе хорошо, на даче был, — заметил Владимир, — а я в воскресенье, в сорокаградусную жару, ездил в общественном транспорте.

— Что, весь день?! — наигранно округлил глаза Андрей.

— Ай! Полтора часа в сумме!.. Но и их было предостаточно!!!

— О, хорошо, что напомнил о даче! У нас там такая детективная история! Пропал сторож...

— Как пропал? — удивилась Валя.

— Без вести! Со своим дружком! Они в пятницу клали шифер, ну и естественно, после работы приняли энное количество алкоголя. Что было потом, неизвестно... Больше их никто не видел. Пропала еще старая лодка. А в домике сторожа остались только бутылки, да еще Рыжий бегает... Помните, пес такой потешный?

— Это который косточки в картошке ваших соседей закапывал? — уточнила Валя.

— Он самый...

— Лодка, говоришь, пропала... — протянул Владимир.

— Да, это главная версия... Ночь, лодка, вода, два пьяных мужика — опасная смесь. Но самое интересное! Помните, напротив берега есть остров? Той ночью над ним видели сияние...

— Сияние? — заинтересовался Владимир. — Какое?

— Северное... — чуть иронично произнесла Валя.

— Не знаю, — улыбнулся Андрей. — Кто-то видел какое-то сияние... Но теперь начинается комедия! Юрка — мой племянник двенадцати лет — потащил меня поздно вечером на проверку этого слуха. Постояли, поглазели на звезды... Сияния не было. Пошли обратно. Теперь вспомните: когда мы с вами возвращались с Днепра, то слышали такой хриплый басовитый лай...

— Да-да, — закивала Валя, — ты еще сказал: охрипший человек балуется, гавкает...

— Точно! Вот мы с Юркой идем, слышим этот лай. Ну, его слушать — смешно и страшновато одновременно: темно все-таки, где-то там лает-надрывается собака...

— Или человек! — хохотнул Владимир.

— Ну да, причем недружелюбно надрывается. И тут слышу — лай приближается... Вы только представьте: темно, ничего не видно, только эти хриплые «гав-гав!» где-то в кустах, причем все ближе и ближе...

— Ой! — передернула плечами девушка, зачарованно слушая рассказ. — Ай, Вова!.. — вздрогнула она, когда тот схватил ее за руку дрожащими пальцами.

— Юрка замолк, — продолжал Андрей, — мне тоже не по себе. Причем чем ближе лай, тем больше у меня сомнений: собака это или псих какой-то?.. Потом шевельнулись кусты... Значит, собака — человек бы там не поместился. Но мне от этого не легче! Думаю, выбежит сейчас какой-нибудь здоровенный «кавказец», которого хозяева забыли привязать... И выбегает!..

Андрей сделал паузу. Ребята с интересом смотрели на него, ожидая продолжения.

— И выбегает! Маленький, толстенький, криволапенький, сантиметров сорок ростом, но гавкает — ну точно как охрипший дог или кавказская овчарка! Я его даже не сразу заметил! Жду же здоровенную псину, смотрю на уровне так метра от

земли, потом — хоп, что-то внизу замельтешило...
И появляется это чудо!

...Они шли по парку Славы, слева возвышался
обелиск памятника Неизвестному Солдату. На
одной из полукруглых скамеек вдоль дорожки сидел
парень, их ровесник, с длинными спутанными волосами, жидкой бородкой, одетый в невзрачный коричневый плащ поверх не первой свежести футбол-
ки и старых, потрепанных джинсов. Вид его резко
контрастировал с видом Андрея и Владимира: акку-
ратных, подтянутых, с короткими стрижками, оде-
тых в чистые тенниски и летние брюки.

Подняв голову, парень сказал:

— Конец близко! Подумайте над этим! Скоро,
очень скоро...

— Какой конец? Света, что ли?.. — недовольно
проворчал Владимир. — Вроде бы он несколько
позже...

— Конец Света, Мира, Земли... Какая разница? Он близок, не сегодня, так завтра...

Ребята уже прошли мимо, а парень продолжал
бубнить им в спину:

— Реальный, не мифический Конец... Скоро,
я уже видел сияние...

17

Ребята остановились, переглянулись и повернулись к парню.

— Какое сияние ты видел?

— Красивое, но опасное... Конец Света близок! — Парень встал и медленно побрел по до-

рожке, бросив напоследок: — ...Но все равно не спастись!

— Ну и что вы об этом думаете? — после паузы спросил Андрей, глядя на удаляющийся коричневый плащ.

— С ним не все в порядке, это точно, — сказал Владимир, — а вот насчет сияния... Может, совпадение?

— Да и Конец Света уже сто раз предвещали, — заметила Валя, увлекая их за собой. — И будут предвещать!

— Но все равно странный парень... — пробубнил Андрей.

Чтобы как-то развеяться после этой встречи, он решил вспомнить еще одну свою старую шутку, которую Валя не знала.

Проходя мимо троллейбусной остановки, на которой собралось человек семь-восемь потенциальных пассажиров, Андрей негромко сказал себе в руку:

— Третий... Третий! Выхожу на позицию!

Реакция была примерно такой же, что и пару лет назад, когда он произнес эти слова в универмаге. Тогда шедшая впереди женщина, бросив на него настороженный взгляд, резко изменила траекторию движения, приняв Андрея то ли за омоновца, то ли, наоборот, за грабителя.

Сейчас два пассажира с интересом посмотрели на ребят, видимо, приняв двух высоких крепких парней в темных очках за телохранителей симпатичной девушки, по бокам которой те шли. Пожилой мужчина бросил на них неприязненный взгляд, явно решив, что это рэкетиры. А молодой усмехнулся себе в усы, уж точно «расколов» номер Андрея.

Они прошли мимо остановки с каменными лицами, потом Владимир хохотнул, а Валя покосилась на Андрея:

— Ты видел, как на нас смотрели?

— Ничего, хорошее упражнение против комплекса внимания.

— За кого нас, интересно, приняли?

— Пошли вернемся, узнаем! — предложил Владимир, разворачиваясь, но Валя успела схватить его за руку и потащить за собой. — Ладно, ладно... Могу выдвинуть версию...

— За твоих телохранителей, — опередил его Андрей.

— Точно! — закивал головой его друг. — Мы с тобой абсолютно одинаково мыслим! Будто на одной волне!

— Это уже достоверный и проверенный факт, — важно сказал Андрей. — Вот оцени, Валя... От моего дома идем к трамвайной остановке. Пути там поворачивают, и приближения трамвая не видно. И вот мы в одну и ту же секунду делаем шаг вперед и кричим: «Трамвай!» То есть в одно и то же мгновение мы решили обмануть друг друга и рвануть на несуществующий трамвай...

— Телепатия, однако... — произнес Владимир.

— Ну вы гиганты мысли! — рассмеялась Валя, беря ребят под руки.

Те важно задрали головы и с чувством пожали друг другу руки.

...Проникнув на территорию Киево-Печерской лавры не через главный вход и тем самым обойдя кассы (ведь в планах ребят все равно не было посещения музеев), тройка друзей зашагала по вымощенной булыжниками мостовой, однако вскоре этот старинный участок дороги кончился и они вновь оказались на асфальте.

Справа поднималась в небеса лаврская колокольня. Ее позолоченный купол сверкал в лучах выглянувшего из-за облаков солнца.

— Ой, она, кажется, еще закрыта! — сказал Андрей, не обнаружив на лестничных проходах и смотровых площадках людей.

— А если она сегодня вообще закрыта?..

— Не должна. Просто еще рано, открывается, наверное, в одиннадцать... Пойдем уточним...

Колокольня действительно открывалась в одиннадцать, так что им оставалось погулять всего минут двадцать. Касса ее, правда, была уже открыта, и, купив билеты, ребята, по предложению Андрея, зашагали к смотровой площадке, с которой открывался чудесный вид на Киев. Правда, в основном на левый берег, так как площадка, естественно, была ниже колокольни.

В принципе каждый из них много раз бывал здесь, но все равно от открывшегося вида невозможно было оторвать глаз.

Пушистые облака плыли по небу, сливаясь где-то у его края в единую белую массу. Днепр сверкал тысячью солнечных бликов, и, если бы не темные очки, на него невозможно было бы смотреть. Равнина левого берега уходила куда-то к самому горизонту, скрываясь там в туманной дымке. По мосту Патона маленькими разноцветными букашками ползли машины, под ним, рассекая водную гладь, несся «Метеор», хотя издалека скорость его движения казалась черепашьей. Город гудел, словно огромный деловитый улей. И лишь покрытый зелеными волнами леса холмистый участок правого берега, что был виден со смотровой площадки, хранил спокойствие, и, словно охраняя его, над ним возвышалась громадная скульптура Родины-матери, с щитом и мечом в поднятых руках.

Доставшаяся в наследство от времен развитого социализма, эта скульптура являлась предметом спора киевлян. Нужна ли эта громадина здесь? Украшает ли она холмы правого берега?..

Вдруг что-то ярко и ослепительно сверкнуло. То ли прямо над Днепром, то ли где-то в глубине левого берега.

— Оп! — Владимир поднял вверх указательный палец. — Мне показалось?

— Вспышка? — предположила Валя.

— Ну да... Молния, что ли? Так облака вроде не грозовые.

Небольшая группа китайских туристов на другом краю смотровой площадки тоже задрала головы в небо, пытаясь выяснить причину ослепительной вспышки.

— Начало Конца Света, — шутливо резюмировал Андрей и осекся, сначала с непониманием, а потом с ужасом всматриваясь в глубину равнины левого берега. — Что это?!

18

...Больница устояла, и Широ понял почему.

«Технари» строили ее без согласования с властями города, и многим в Армазе не нравилось это

невзрачное двухэтажное здание, напрочь лишенное какой-либо привлекательности.

Но зато оно устояло под ударом стихии, лишившись только стекол в окнах да небольшого куска крыши.

Широ увидел несколько нужных ему СММ.

Вокруг больницы кипела жизнь: подъезжали и уезжали белые медицинские машины, суетились люди в белых халатах медиков и красных комбинезонах спасателей; во двор, прямо на траву лужайки, заглушив ревом турбин все остальные звуки, сел спасательный глайдер. Из-за шума двигателей полеты подобных машин над городами были запрещены, но в сложившейся ситуации запрет, естественно, аннулировался, так как сейчас из-за завалов на дорогах только на глайдерах можно было добраться до пострадавших.

Подъехав ближе, Широ понял, что больница переполнена. Раненые сидели на скамейках у входа или просто во дворе. Между ними ходили медики, которых, судя по всему, тоже не хватало. Широ заметил, что и небольшой сквер напротив здания заполнен пострадавшими, а спасатели и медики там вообще отсутствуют.

— Стой!

Прямо перед электромобилем возникла фигура в красном комбинезоне спасателя с рацией в руках. Спасатель, молодой парень с озабоченным лицом, подошел к опустившему стекло Широ и с нотками недовольства в голосе спросил:

— Куда едешь?

— В больницу. Со мной раненые и...

— Раненые?! — воскликнул спасатель. — А ты знаешь, сколько здесь раненых? Причем каждый из вас думает, что порез осколком стекла или синяк от свалившегося кирпича — это серьезное ранение. Вот посмотри: целый сквер этих «раненых»! Тут, похоже, все население ближайших кварталов, — горячо продолжал спасатель, и Широ прекрасно понимал его недовольство, — а люди все прибывают. Больница же переполнена теми, кому действительно требуется помощь.

Спасатель вдруг остановился, сообразив, что говорит слишком долго, и, тяжело вздохнув, сказал:

— Показывай своих раненых...

Он быстро осмотрел ногу и плечо извлеченного из-под развалин мужчины и передал по рации:

— Центральная!.. Здесь закрытый перелом ноги... Хорошо, понял.

Затем он обошел машину и осмотрел ногу девушки:

— У вас ничего серьезного... Подождите здесь, во дворе, минут через десять кто-нибудь из медиков к вам обязательно подойдет. Давайте я помогу вам выйти.

— Я не ранен, — сказал владелец электромобиля, когда спасатель подошел к нему, и неуверенно спросил: — Я могу... чем-то помочь вашей работе?

— Поможете выгрузить его, — ответил за него Широ, имея в виду извлеченного из-под завала мужчину.

Спасатель оценивающе посмотрел на Широ и спросил шепотом:

— Что-то я не пойму, ты кто?

— «Духовник», — усмехнувшись, ответил юноша. — Что, незаметно?

— Да уж, на них ты не похож, — ответил тот, указав на людей в сквере. — Вот что, везите раненого к третьему выходу, помогите внести его внутрь, а потом возвращайтесь, найдем вам работу... У нас каждый человек на счету!

— Мне нужна СММ! — сказал Широ, садясь обратно в электромобиль.

— СММ?! — На лице спасателя появилось искреннее изумление. — Зачем?

— Вернее, не мне... Километрах в четырех от города автобус врезался в упавшее дерево... Есть тяжелораненый, с повреждением позвоночника... Женщина, ваша... Ну, из «технарей», просила меня привезти СММ.

— Ладно, потом подъедешь ко мне, что-нибудь придумаем!

Широ медленно поехал к больнице, поглядывая на спасательный глайдер. Это даже лучше, чем СММ! Однако тот покачнулся и, оторвавшись от земли, стал набирать высоту.

До третьего выхода нужно было проехать метров пятьдесят, но это заняло не меньше минуты, так как дорогу перед машиной все время перебегали медики или медленно переходили будто впавшие в транс «духовники».

У распахнутых настежь, покрытых сетью трещин стеклянных дверей, за которыми был виден наполненный людьми коридор, их встретили два спасателя с медицинской тележкой.

— Вы с переломом? — спросил один из них.

— Не я, а он, — не сообразив, что имеет в виду спасатель, ответил Широ.

Он помог пострадавшему перебраться из машины на тележку, и тот, взяв Широ за руку, сказал:

— Спасибо!..

Широ лишь смущенно кивнул и уселся обратно в машину.

— Поехали! — бросил он засмотревшемуся на заполненный людьми коридор владельцу электромобиля.

— Какой ужас! — произнес тот. — А ведь эту больницу хотели строить по другому проекту! Хорошо, что «технари» настояли...

И снова потребовалась целая минута, чтобы добраться до стоящего посреди въезда во двор больницы молодого спасателя.

— Значит, так, — сказал он, — СММ есть, аж три. Но их бригады заняты. Может быть, одна освободится, но не раньше чем через полчаса. Так что смотри: или жди, или бери машину и езжай сам... За полчаса ты как раз успеешь привезти раненого. Справишься?

— Да... но если ему понадобится помощь? Нужны ведь специалисты!

— Послушай, парень... — понизив голос так, чтобы его не слышал владелец машины, произнес спасатель. — Я смотрю, у тебя крепкие нервы. Так вот, дела обстоят очень и очень серьезно... Будет очень хорошо, если мы сможем оказать помощь всем тяжелораненым. Сейчас на каждого медика в больнице приходится пять-шесть раненых, не считая этих, с ушибами и порезами. А вокруг еще есть разрушенные кварталы, куда мы практически не совались, потому что все заняты здесь... Так что давай оставляй эту машину — и бери СММ...

Снова сев за штурвал, Широ услышал, как спасатель сказал в рацию:

— Центральная, тот парень берет СММ... Ждите через полчаса.

— Поедете со мной? — обратился Широ к мужчине.

— Да, да... Конечно, конечно... А что сказал вам спасатель?

— Дела плохи, — коротко ответил юноша, выходя из отогнанного в тупик электромобиля. — Как вас зовут?

— Арше, — ответил тот. — А вас?

— Широ.

...Сев на водительское место в специальной медицинской машине, Широ сначала испугался: приборная панель здесь была значительно сложнее, чем в обычных электромобилях. К тому же эту машину «технари» делали, ориентируясь на себя. Чтобы окончательно не запутаться в множестве индикаторов и стрелок, Широ поскорее завел двигатель и, подождав несколько секунд, пока бортовой компьютер проверял системы автомобиля, осторожно тронулся с места. Он сразу почувствовал, что установленный в СММ газовый двигатель намного мощнее тех, что стояли в электромобилях, поэтому по двору больницы ехал медленно и осторожно, опасаясь, что даже от легкого прикосновения к педали газа машина может рвануться вперед и сбить кого-нибудь.

Говоря что-то в рацию, спасатель помахал им рукой.

Быстро разогнав мощный автомобиль по прямой аллее, Широ хотел было послушать радио, но передумал и включил рацию. В кабину ворвался треск атмосферных помех, но рация тут же автоматически настроилась на какую-то волну.

4*

— ...Говорит газозаправочная станция, пострадавших нет. Рядом — руины автостанции... Уже
извлекли три тела и двух раненых... Полно «духовников», все в глубочайшем шоке...

Широ понял, что это волна спасателей.

— «Духовников» полно везде, — ответил другой, более раздраженный голос, — и почти все в
шоке. Все ждут помощи. А представляешь, что
будет, когда они узнают...

— И представить боюсь!

19

С трудом вписавшись в поворот, Широ надавил
на газ, так как впереди был прямой неповрежден-
ный участок.

— Центр!.. — донесся из рации чей-то голос. — Нужен глайдер к супермаркету... Здесь десять раненых.

— Жертвы?..

— Пока шестеро...

— Около вас есть две СММ и медикомобиль...

— Троих нужно доставить в реанимационный
центр!

— Ребята... — устало проговорил голос диспетчера. — Все глайдеры заняты...

— Отзовите один из районов «духовников»!!!
Там меньше пострадавших!.. — Голос спасателя
срывался на крик.

— Там еще не начинались спасательные работы. Глайдер им нужен как воздух... И так основные
силы работают в наших районах...

Широ выключил рацию и покосился на Арше. Тот сидел, уставившись куда-то вперед и, казалось, ничего вокруг не замечая. Он снова впал в состояние шока, но Широ был даже рад этому, так как не хотел (или боялся?) отвечать на его вопросы.

Только сейчас он заметил, что при появлении на улице ярко-красной машины со множеством мигалок на крыше и сигнальных огней на бампере люди тут же обращали на нее внимание. Сидящие приподнимались, стоящие спиной оборачивались, те, кто бесцельно мерил шагами потрескавшуюся плитку тротуаров, останавливались — и все смотрели на СММ. Широ предположил, что она была первой специальной машиной, появившейся в этом районе, хотя после катастрофы прошло уже больше часа.

— Они еще не начинали здесь спасательных работ... — еле слышно проговорил Арше. — Значит ли это, что «технари» бросили нас?

Широ промолчал.

— Или им просто не хватает сил?

— Да, наверное.

— Ни они, ни мы не рассчитывали на такую катастрофу.

— Да, весь Армаз разрушен. Даже районы «технарей».

Широ ожидал, что его спутник вот-вот задаст вопрос, на который юноша боялся ответить даже самому себе.

Широ затормозил перед упавшей на дорогу «картой» города и объехал ее, как и в первый раз — по газону Клуба музыкантов.

— Чего еще мы не знаем? — четко выговаривая каждое слово, спросил Арше.

— Не понял... — сказал юноша, хотя прекрасно понял вопрос.

— Диспетчер — или как он там называется? — сказал следующее: «Представляешь, что будет, когда они узнают?!» Чего еще мы не знаем?

— Наверное, того, что в наших районах еще не начались спасательные работы, — ответил Широ, подумав, что это вполне может быть правильным ответом на вопрос. И в глубине души он надеялся, что это правильный ответ.

...В сосновом бору Широ вынужден был заметно сбавить скорость и иногда даже ползти по-черепашьи, объезжая по обочине упавшие деревья.

Электромобили стояли на своих местах, правда, водители и пассажиры уже не сидели в терпеливом ожидании, а ходили вокруг, не зная, что делать. Поваленные деревья казались им непреодолимой преградой. При виде ярко-красной машины люди останавливались и провожали ее удаляющийся силуэт недоуменными взглядами.

Покореженные корпуса двух столкнувшихся электромобилей тоже стояли на месте, среди осколков стекла по-прежнему лежало тело погибшего водителя.

Краем глаза Широ заметил какое-то движение слева и, на секунду оторвавшись от дороги, увидел мелькнувшие среди деревьев странные черные силуэты. Он не смог рассмотреть их как следует, ведь нужно было объезжать помятый электромобиль, а когда снова посмотрел в ту сторону, то никого не увидел...

Впереди показался торчащий над упавшим стволом остов автобуса. Зацепив пышную крону,

СММ объехала дерево и остановилась прямо напротив сидящих на обочине людей. Те, видимо, потеряли всякую надежду увидеть спасателей и поэтому изумленно уставились на машину, словно она, как в древних сказках, упала с небес.

Однако Широ не увидел среди них женщины-«технаря» и, лишь высунувшись в окно, заметил ее чуть в стороне от основной группы. Проехав вперед, он остановился прямо напротив нее.

Подняв голову, женщина наконец заметила подъехавшую машину и пару секунд недоуменно смотрела на надпись «Специальная медицинская машина», словно не веря своим глазам.

— Я приехал, — сказал Широ, заметив, как осунулось ее лицо, — правда, без бригады медиков...

— Помогите! — сказала женщина вставая, и Широ увидел раненого.

Тот лежал на животе, на жесткой поверхности перевернутой вниз подушкой спинке автобусного сиденья. Судя по обгорелым краям, ее выкинуло при взрыве. Это был парень лет шестнадцати с бледным как мел лицом. Глаза его были закрыты, скорее всего парень был без сознания.

И тут Широ заметил, что чертами лица он очень походит на женщину. Да, он был удивительно похож на нее...

— Перенесите его в машину! — сказала женщина, обращаясь к замершим на месте Широ и Арше. — Прямо на спинке! Его нельзя трогать!

Арше подошел к раненому, а Широ не мог сдвинуться с места, пораженный догадкой.

— Ну что же ты? — ласково спросила женщина, кладя руку на плечо юноше. — Ты, можно сказать, совершил чудо. Приехал на СММ — и теперь стоишь как парализованный. А нам нужно спешить...

Очнувшись, Широ бросился к раненому, вместе с Арше они осторожно подняли его и поднесли к задним дверям машины, которые, обогнав мужчин, открыла женщина. Она же выдвинула платформу, на которую положили раненого. Платформа медленно задвинулась обратно, и женщина облегченно вздохнула:

— Теперь все будет нормально!.. Мой кузен работает на подобной машине. Он мне все уши прожужжал про нее... Здесь есть система компьютерного контроля за состоянием пострадавшего... — Она сделала паузу и обратилась к Широ: — Иди в кабину, выполняй все инструкции, которые появятся на приборной панели...

Женщина села в машину, но прежде чем закрылись задние двери, Широ спросил:

— Почему вы не сказали, что это... ваш сын?

— Чтобы не шокировать тебя...

— Но почему вы были так уверены, что я приеду?

— Это часть моей профессии — распознавать людей. Я полицейский.

Широ впервые встретился с представителем этой профессии, ведь в районах «духовников» они были нечастыми гостями, так как преступность там отсутствовала. А вот в некоторых районах «технарей» полицейские еще были нужны. Как и многие «духовники», Широ считал, что функция полицейских состоит в том, чтобы насилием пресекать другое насилие, поэтому он полагал, что в полиции работают исключительно мужчины.

Сев в кабину, Широ первым делом обратил внимание на тревожно мигавший сигнал разрядки аккумулятора, поэтому тут же завел двигатель — надо было обеспечить заработавшие медицинские системы достаточным количеством энергии.

Широ ожидал увидеть на информационном табло панели множество инструкций, однако там светилась только одна: «Активировать электромагнитную подвеску!» Найдя нужный переключатель, Широ выполнил команду.

— Молодой человек, а как же мы?

Девушка, его ровесница, с засохшей на голове кровью стояла возле двери, вопросительно глядя на Широ. Юноша заметил, что вся группа пострадавших поднялась на ноги и так же выжидательно смотрела на него.

Что Широ мог ответить этим людям? Что спасатели придут сюда только завтра? Что медики, в том числе и бригады медицинских машин, заняты в переполненных больницах? Что у «технарей» не хватает сил помочь всем?

— Я вернусь... — сказал Широ, медленно трогаясь с места и разворачивая автомобиль.

Он старался не смотреть в сторону беспомощно стоящих у обочины людей.

...Благодаря электромагнитной подвеске машина плавно неслась вперед, не накреняясь на поворотах и не раскачиваясь, когда выезжала на неровности обочины.

Чтобы как-то прервать затянувшееся тягостное молчание, Широ включил рацию.

— ...Пожар локализован, хотя горит пятьдесят квадратных метров.

— Ничего! — раздался знакомый голос диспетчера. — Пусть хоть все сто, лишь бы огонь не распространялся... И будьте там осторожнее! В Веско, вот в таких же кварталах, начались крупные беспорядки...

— Здесь тоже неспокойно. Были случаи мародерства и грабежей...

— Я уже и. слова-то такие забыл... Так, меня вызывают! Свяжись с полицией, если начнется что-то серьезное, пусть действуют жестко, даже против своих. И нельзя допустить, чтобы хоть один грабитель дошел до районов «духовников». Это чревато взрывом...

— В Веско беспорядки? — переспросил Арше у Широ.

— Да, в районах «технарей»...

— Значит, и Веско разрушен? Но до него две с половиной тысячи километров?! Он на другом материке!!!

Арше с нескрываемым ужасом смотрел на Широ, который упорно старался не отрывать взгляда от дороги.

Именно этого еще не знали «духовники».

Катастрофа охватила весь мир!!!

20

...Распихав палками кучу горящих корзин, толпа с криками и завываниями ворвалась в узкий коридор и понеслась по нему, стремясь во что бы то ни стало поймать проклятого колдуна. В середине коридора произошло замешательство: споткнулся и упал бежавший впереди купец. Попадали еще человек десять, по их спинам прошлись ноги напиравших сзади, но большой пробки не образовалось, напор обезумевшей толпы протолкнул нескольких человек к перекрестку коридоров и винтовой лестницы.

— Я убил ее!!! — перекрыл возгласы бежавших чей-то голос. — Убил ее!

Люди остановились, притихли, лишь слегка пошатываясь, словно деревья на сильном ветру, так как оставшиеся в узком коридоре продолжали напирать.

Люди из первых рядов увидели человека в одних штанах, с перепачканными грязью и кровью грудью, руками и лицом, который держал на плечах какое-то грязное мохнатое тело.

— Я убил собаку колдуна!..

Толпа зашевелилась, загудела, новость эта дошла до задних рядов.

— А где он сам?

— Проклятый!.. — взревел человек. — Он чуть не убил меня! Стукнул так, что до сих пор туман перед глазами!..

— Но где же он? — размахивая дубинкой, спросил кто-то из первых рядов.

— Проклятый!.. Он там! — И человек с собакой на плечах кивком указал на лестницу.

Все в замешательстве уставились на нее, вернее, на недостающие пролеты.

— Он прыгнул вверх, как кошка... проклятый колдун! Собака его тоже приготовилась к прыжку, но я опередил ее!!! Пес колдуна, вот он, не ушел от моего кинжала!

Никто не обратил внимания на то, что на кинжале нет ни капли крови. В полутемном помещении это сложно было заметить, тем более Уссва держал его, прижимая к руке и не показывая лезвия.

Толпа приветственно загудела, и охотник понял, что не зря измазался пылью, которой среди обломков пролета было предостаточно. К тому же мало кто видел его с близкого расстояния, а испачканное грязью и кровью с запястий лицо его с трудом узнали бы даже близкие друзья.

Больше всего Уссва боялся за притворившегося мертвым Варра. Вдруг кому-то вздумается ударить «мертвое» тело собаки или еще того хуже — пырнуть его ножом?.. И поэтому Уссва не упускал инициативы.

— Скорее разворачивайтесь!.. — во все горло заорал он и почувствовал, как слегка вздрогнул от громкого крика Варр. — Здесь мы не пройдем! Давайте через другой выход!.. Всем во внутренний двор!!!

Толпа загудела, зашаталась, разворачиваясь в узком пространстве. В коридоре у горящих корзин образовался затор, но вскоре горящую массу частично затоптала, а частично выкинула наружу масса человеческих ног.

К подгонявшему всех Уссве подошли несколько гвардейцев:

— Мы останемся здесь...

— Правильно, чтобы наколоть на сабли этого колдуна!.. — выпалил тот.

— Может, попытаться подняться наверх?..

— Давайте, гоните его к главному выходу!.. Эй, кто хочет помочь гвардейцам?

Часть толпы, согласно закивав, осталась у лестницы, освободив дорогу Уссве.

Он вышел на завал последним. Путь в город по-прежнему был отрезан цепочкой всадников на крепостном валу. Оставалось одно: действовать быстро и нагло.

Вслед за последними «добровольцами» из толпы он стал спускаться по завалу во внутренний двор замка. На втором же шаге из-под ног посыпались камни, Уссва с трудом — ведь на плечах он нес здоровенного пса — удержался на ногах, но затем вновь споткнулся и упал, проклиная все и всех. Но охотник не обратил внимания на боль в рассеченном локте, его волновал Варр. Однако пес, даже если и ударился о камни, то ничем не выдал этого.

— Молодчина! — прошептал Уссва, поднимаясь и взваливая его обратно на плечи.

Толпа растянулась вдоль стены правого крыла замка, что-то крича и на ходу поглядывая на черные квадраты окон. Первые ряды уже были у входа в него. Зараженные рвением толпы, гвардейцы, что находились во дворе, присоединились к ней и скрылись в замке.

Немного отстав от толпы, Уссва облегченно вздохнул, заметив, что балкон для знати пуст.

— Потерпи, дружок! Осталось совсем немного! — прошептал охотник Варру и побежал к главным воротам замка.

Те были открыты. Тикам даже и не предполагал, что беглец может прорваться туда, — и действительно, при более удачном стечении обстоятельств Уссва никогда бы не сунулся сюда, — однако около десятка гвардейцев здесь все же стояли.

— Я убил пса колдуна!.. — заорал охотник, подбегая к ним.

За воротами был широкий мост, который охраняли четыре конных гвардейца. Восточных наемников поблизости видно не было.

— Это пес колдуна! — продолжал орать Уссва, продвигаясь вперед. — Он от меня не ушел! Видали?

Уссва суетился, кричал, энергично продвигаясь вперед, за ворота, и не давая возможности гвардейцам прийти в себя, рассмотреть собаку и державшего ее человека.

— Где барон? — еще громче заорал Уссва, привлекая к себе внимание всадников. — Где великий Тикам Рикстийский? Я преподнесу ему шкуру этого зверя!

Уссва прошел уже треть моста. Ошарашенные и сбитые с толку потоком слов гвардейцы остались у него за спиной.

Два всадника подъехали к охотнику.

— Видали? Пес колдуна!.. Я преподнесу его барону!..

Уссва бросил Варра прямо на всадника. Пес тут же ожил, еще в воздухе глухо зарычал, клацнув клыками, и вместе с перепуганным гвардейцем свалился на мост. Уссва схватил за руку второго всадника и резким рывком выкинул его из седла, а через мгновение сам уже оказался в нем. Точным движением направил вторую лошадь, заставив ее поскакать на оторопевших стражников в воротах, а свою развернул и помчался по мосту.

Один из всадников схватился за саблю, но вид несущегося прямо на него здоровенного лохматого пса с оскаленной пастью поубавил в нем решимости, и он поднял свою лошадь на дыбы, чтобы загородиться от возможной атаки.

Уссва же, не дав второму всаднику опомниться, промчался вплотную к нему, заставив лошадь противника прижаться к перилам. Ударом ноги вышиб гвардейца из седла, и тот, размахивая руками, свалился в ров.

Оказавшись на валу, Уссва не стал тратить время на то, чтобы оглядеться, а, пришпорив коня, понесся в город...

21

— ...Что это?!

Андрей просто не поверил своим глазам. Подумал, что это оптический обман.

По левому берегу шла волна, этакое заблудившееся и возникшее не в океане, а на суше цунами. Со смотровой площадки было видно, как приподнимается и опускается скрытая туманной дымкой земля.

А потом волна вышла из дымки и Андрей увидел, как проседают, рушатся издалека казавшиеся маленькими коробки высотных домов. Накренилась и упала стрелка башенного крана в районе новостроек, за ней вторая, третья... Взметнув тучи пыли, рухнули недостроенные дома, а пыль, словно прилипнув к волне, понеслась вместе с ней, гонимая ураганным ветром.

Где-то далеко, сразу в двух местах, окрасив дымку в оранжевый цвет, взметнулись в небеса огненные столбы взрывов.

Слева, словно карточные домики, рушились целые кварталы жилого массива Троещина. Подкошенные какой-то гигантской косой, они исчезали из поля зрения, превращаясь в клубы пыли, и когда ветер уносил ее, можно было увидеть лишь единичные устоявшие здания и руины.

Приподнялись и опустились трубы ТЭЦ. Одна из них тут же осела, а две оставшиеся, словно привязанные друг к другу, начали крениться в сторону и, еще не коснувшись земли, растворились во взметнувшемся им навстречу огненном шаре взрыва. А потом, пробив огненную оболочку, из шара вырвалось белоснежное облако пара, встретившись, огонь и вода обернулись в клубы рванувшегося в небо серого дыма.

Волна приближалась, теперь она была видна все более и более отчетливо.

Земля приподнималась и опускалась, а все, что стояло на ней, рушилось, не выдерживая такого потрясения.

Словно по чьей-то команде, качнулись дома на набережной левого берега и просели одновременно, этаж за этажом, из шестнадцатиэтажных став пятиэтажными.

Вздрогнуло стоявшее у моста Патона высотное здание отеля «Славутич», накренилось назад, лишившись большинства стекол, которые осыпались вниз сверкающим потоком, — и осталось в этом положении, каким-то чудесным образом удержав равновесие.

Волна тем временем докатилась до Днепра. По его поверхности быстро пошел водяной холм, над ним, на мосту, один за другим подпрыгивали автомобили. Некоторые из них, потеряв управление, пробили ограждения и упали в реку, подняв тучу брызг...

Андрей и его друзья с замершим сердцем смотрели на происходящее, все это просто не укладывалось в сознании. Время замедлило свой бег, и им казалось, что весь этот ужас продолжается бесконечно долго, хотя на самом деле с того момента, как из туманной дымки на горизонте появилась разрушительная волна, прошло не больше десяти секунд.

Сначала на правый берег пришел порыв ветра, который принес с собой оглушительный грохот. Слившиеся воедино звуки тысяч разрушений заставили ребят вздрогнуть и очнуться. Андрей вдруг понял, что они все еще стоят на широком бетонном бортике смотровой площадки высотою метр-полтора, держась за металлические перила.

Он лишь успел подумать об этом, как порыв ураганного ветра, словно удар невидимой силы, сбросил их вниз, на асфальтированную площадку. Падение на спину, казалось, выбило весь воздух из легких, от удара затылком об асфальт перед глазами Андрея заплясали яркие огоньки, и лишь одна мысль продолжала жить в его сознании.

Волна дошла!!!

Земля вздрогнула. Он думал, что подпрыгнет, но вместо этого откуда-то сверху посыпались вдруг ветки и листья, замелькали перед глазами на фоне неба и огоньков, больно хлестнули по лицу. Андрей не понимал, откуда взялся этот дождь из растений, лишь инстинктивно прикрыл лицо рукой, чтобы ветки не выкололи глаза. Совсем рядом с ним упало на землю что-то тяжелое...

И в этот момент земля резко покачнулась. Андрей почувствовал себя так, будто находится на борту летящего самолета, попал в воздушную яму. Его подбросило, и через мгновение он ощутил себя зависшим в воздухе — и снова свалился на асфальт, правда, в этот раз смог уберечься от удара головой.

Спиной почувствовал, как сотрясается крупной дрожью земля. Откуда-то справа, совсем близко, донесся грохот и оборвавшийся человеческий крик. Затем стал слышен звук катящихся, ударяющихся друг о друга камней. Дрожь стала затихать — и тут последовал еще один сильный толчок, и снова справа, но уже издалека, донесся грохот, треск и невыносимый скрежет железа. Вся эта какофония продолжалась довольно долго, пока не завершилась глухим ударом и громким всплеском воды.

Андрей вдруг вспомнил, что в десяти—пятнадцати метрах от смотровой площадки находится старое здание, построенное, наверное, еще в прошлом веке. Чтобы увидеть его, стоило лишь посмотреть назад и вверх...

Однако Андрей не стал этого делать, так как вспомнил о девяноста шести метрах... О девяноста шести метрах колокольни, что возвышалась над лаврой и прилегающими районами. Если она упадет в сторону Днепра, то как раз накроет смотровую площадку.

Андрей вскочил на ноги, вернее попытался вскочить. Голова загудела и закружилась, спину пронзила боль — ведь сколько раз он падал на асфальт; едва он пошевелил руками, как засаднили стертые в кровь локти. В общем, вместо того чтобы вскочить на ноги, Андрей скинул с себя покрывало из веток и листьев и встал на колени. Перед глазами поплыла пелена оранжевого тумана, на секунду он, видно, потерял сознание и не упал только потому, что уперся рукой в землю.

Когда пелена спала, Андрей первым делом увидел присыпанную ветками и листьями Валю. Испуганно-вопросительно она смотрела на него. Бросил мимолетный взгляд на старинный дом, который вроде бы выстоял, впрочем, сеть глубоких трещин на его кирпичных стенах не вызывала доверия.

Владимира Андрей не увидел. Находившаяся буквально в метре за Валей смотровая площадка теперь отсутствовала. Вместе с группой китайских туристов она съехала вниз.

Подскочив к краю, Андрей облегченно вздохнул. Уцепившись за торчащие куски арматуры, Владимир висел на крутом склоне образовавшегося завала метрах в двух от его края. Правая рука его была сильно поцарапана, но при виде друга он улыбнулся, как бы говоря: «Смотри, как я здорово уцепился!»

И тут Андрей услышал звон колоколов. Тихий и немелодичный, будто их привел в движение не звонарь, а какой-то случайный человек. Один из колоколов надрывно звякнул и затих, будто упал, сорвавшись со своего места, куда-то вниз.

Андрей поднял голову и за старинным домом, что закрывал колокольню, увидел только самую вершину ее позолоченного купола. Крест ее на мгновение мелькнул и исчез из виду...

Колокольня падала!!!

И похоже, в сторону Днепра...

Андрей вдруг почувствовал холод. Никакие самые страшные морозы не могли сравниться с этим ледяным дуновением смерти. Он уже видел свое имя, имена двух своих друзей в списке погибших в результате крупнейшего в истории катаклизма... Оставались считанные секунды, и почти стометровая махина колокольни обрушится на них...

Андрей услышал странный звук. Это, наверное, рушилось основание колокольни, подминались, трескались, спрессовывались кирпичи...

И тут он вновь увидел ее мелькнувший купол.

Колокольня действительно падала в направлении Днепра, только не прямо на смотровую площадку, а чуть в сторону от нее.

Еще был шанс спастись!..

Андрей схватил поднявшуюся девушку за руку и притянул к себе, ближе к краю обрыва.

Оглянулся. Старинный дом больше не скрывал вид на падающую колокольню. Это зрелище — нависшая над корпусами лавры колокольня, отблески солнца на ее куполе, летящие рядом с ней доски строительных лесов — навсегда запечатлелось в памяти Андрея.

— Лови! — крикнул он Владимиру и, не отпуская руки девушки, подтолкнул ее за край обрыва.

Она съехала вниз по крутому склону завала, но благодаря поддержке Владимира небыстро и недалеко. Свободной рукой ухватилась за кусок арматуры и остановила свое падение.

— Ниже! — крикнул он оглядываясь.

До зеленой крыши одного из корпусов лавры падающей колокольне оставалось совсем немного — секунда-полторы. Между местом ее падения и остатками смотровой площадки стоял еще один корпус и было метров шестьдесят—семьдесят.

Валя отпустила арматуру, Андрей отпустил ее руку.

Все происходило почти одновременно...

22

Подняв клубы пыли, взметнув вверх и в стороны кучу осколков и целые листы крыши, колокольня рухнула наземь всей своей громадой...

Когда земля в ужасе вздрогнула, Андрей прыгнул вниз и заскользил по разбитым кирпичам, пытаясь за что-нибудь ухватиться...

Ободрав до крови колени, Валя тоже съехала метра на два вниз, едва не распоров себе бок торчащими кусками арматуры. Владимир умудрился схватить ее за руку, приостановив тем самым падение, и теперь она уже смогла найти точку опоры...

Похоронив под собой руины разрушенного еще во время Отечественной войны Успенского собора, колокольня сровняла с землей один из корпусов лавры и разрушила половину соседнего. Над местом падения, разрастаясь во все стороны, поднималось гигантское облако пыли, а по земле катилась настоящая лавина обломков.

Андрей никак не мог остановиться. Проехав метра три по крутому, состоящему из битых кирпичей и кусков бетона склону, каким-то чудом он смог удержаться на ногах и при этом не сломать их. К своему удивлению, Андрей лишь содрал кожу на ладони...

Скрытая пылью лавина обломков разрасталась, заняв всю площадь перед колокольней. Камни бомбардировали стены соседних зданий. Отделявший смотровую площадку от места падения колокольни корпус рухнул, усыпав обломками живописный спуск к пещерам. Туча пыли накрыла остатки смотровой площадки...

Владимир и Валя зажмурились и опустили головы вниз, тысячи маленьких иголочек впились им в лица...

Не удержавшись на ногах, Андрей свалился на спину, но, падая, успел ухватиться за какую-то железную балку, что торчала из завала. Сила инерции развернула его лицом к завалу, и он увидел, как над его краем, клубясь, проносятся облака плотной пыли, опускаются вниз, накрывая висящих на обрыве ребят...

При столкновении колокольни с землей ее купол отделился и покатился по крутому склону холма, на котором стояла лавра, круша на своем пути и без того пострадавшие от урагана деревья. Он прокатился метров двести и замер, попав в частокол более толстых и прочных деревьев...

Дышать в плотном облаке пыли было просто невозможно. Владимир и Валя будто оказались в мутной воде: открой глаза — все равно ничего не увидишь; вдохни — закашляешься от пыли, будто хлебнул воды. Сначала Андрею, находящемуся внизу, было немного легче, так как облако пронеслось сверху, но потом оно стало оседать, накрывая плотной пеленой все вокруг.

Сверху, со смотровой площадки, донесся грохот, и не успели ребята опомниться, как на них посыпались кирпичи.

Андрей понял, что это рухнул, не выдержав еще одного сотрясения, старинный дом, однако от осознания этого ни ему, ни его друзьям легче не стало.

Кирпичи прыгали по склону, норовя ударить распластавшихся на камнях людей. Андрей вовремя прикрыл голову свободной рукой, так как уже в следующую секунду в нее угодил вынырнувший из пыли кирпич. От боли юноша закусил губу, но руки не убрал: лучше уж раздробить ладонь, чем голову!.. Второй кирпич, угодив ему в шею, так и остался лежать на плече. Третий врезался в пальцы, держащиеся за балку, чуть не скинув его вниз. Четвертый, пятый, шестой... Седьмой вновь ударил по ладони, прикрывавшей голову.

Андрей с замершим сердцем ждал, что в следующее мгновение вниз по склону покатится целая стена рухнувшего здания.

Кирпичи продолжали сыпаться, это он слышал по звуку, но больше не ударялись в него. Андрей попытался пошевелить пальцами защищавшей голову руки... Они ему еще понадобятся (если, конечно, не придет еще одна «волна» и весь правый берег не съедет в Днепр). Пальцы шевелились, хотя ладонь при этом болела. Болела не только внутренняя сторона ладоней, но и шея, плечо, локти, спина, затылок. Однако все это — мелочи.

...Он не сразу обратил внимание на тишину. Кирпичи больше не катились, ничего не рушилось, лишь откуда-то издалека доносился приглушенный грохот. Пыль оседала — ветер не давал ей долго висеть в воздухе, так что уже можно было дышать, не боясь задохнуться.

— Эй, Андрей! — донесся сверху голос Владимира, в котором слышались явные нотки беспокойства.

— Эй, Володька! — ответил тот, чувствуя неудержимый прилив радости. Висишь?

— Висю!..

— А Валя?

— И я висю! — услышал он голос девушки и глупо заулыбался сам себе, с трудом сдерживая рвущийся наружу смех.

Сквозь ставшую более прозрачной пелену пыли Андрей увидел вверху силуэты друзей.

— У тебя все нормально? — спросила Валя.

— Вроде бы. А у вас?

— Мне разбили губу... — полушутя-полусерьезно произнес Владимир. — Холошо, што не вше субы повылетали!

Андрей расхохотался так, будто услышал великолепную кавээновскую шутку. Он понимал беспричинность этого смеха, но не мог ничего с собой поделать, не мог остановиться. Андрей хохотал до тех пор, пока на глазах не появились слезы. Смахнул их свободной рукой и вдруг обнаружил, что сверху доносится точно такой же хохот.

— Истерика!!! — завопил Андрей истошным голосом, вновь заливаясь диким хохотом и чувствуя, как по щекам катятся слезы. — Истерика, — повторил он через минуту уже более спокойным и даже уставшим голосом.

Пелена стала совсем прозрачной. Андрей смог разглядеть кровь на ногах Вали, ее испачканное и порванное, а всего лишь пять минут назад белоснежно-чистое летнее платье. Она посмотрела вниз, на лице девушки появилось выражение жалости и сочувствия (видимо, вид у него не ахти!), но потом Валя ободряюще подмигнула ему, дескать, все в порядке. На ее перепачканном лице Андрей разглядел следы слез...

— Ну что, будем подниматься? — весело спросил Владимир.

Одной рукой он поддерживал девушку, другой опирался о камни склона.

— Нет, подождите! — остановил его Андрей. — Там вся площадь завалена колокольней, к выходам нужно перебираться через нее. Здесь, внизу, есть выход. Я пойду на разведку...

— Э-э, теперь ты подожди! — уже серьезно сказал Владимир, глядя на крутой склон. — Почему один?

— Мне ближе...

— Всего лишь на пару метров, — не согласилась Валя.

Они были в двух метрах от края, а Андрей — метра на три ниже. Под ним шло еще метра три крутого склона, который дальше становился более пологим и уходил вниз, обтекая угол здания. Этот завал похоронил под собой въезд на территорию посольства Италии и дорогу, ведущую к выходу из этой части лавры. Свободен ли выход? Чтобы ответить на этот вопрос, нужно спуститься по завалу.

Андрей бросил взгляд вниз: нужно продержаться на ногах всего лишь три метра...

Он перевернулся на спину и, оттолкнувшись от склона, отпустил железную балку. Обретя равновесие, заскользил вниз, расставив в стороны руки и согнув в коленях ноги. Мелкими шажками он скатывался вниз по крутому склону вместе с обломками кирпичей.

Наконец Андрей достиг пологой части завала, которая была не такой уж и пологой, как казалось сверху. Скорость спуска возрастала, Андрей сам уже не понимал, как ему удается удерживаться на ногах. Он бежал по этому месиву из осколков кирпичей различной величины, уже изменив свое мнение о том, что перебраться через руины колокольни труднее, нежели спуститься здесь.

Он был уже совсем рядом со стеной здания, когда сразу из нескольких окон ему навстречу вырвались огненные фонтаны взрывов...

23

— ...У нас проблемы! — донесся из рации знакомый голос. — Среди «духовников» начинается волнение...

— С одной стороны, это даже хорошо, — перебил его диспетчер, говоря с нескрываемой иронией, — это значит, «духовники» приходят в себя.

— Да нет, похоже, некоторые из них миновали стадию рационального мышления и из шока сразу перешли в состояние истерической агрессии...

— Истерической агрессии?! Это ты сам придумал? Что-то я такого термина не слышал...

— Вывод из моих наблюдений... Но что нам делать, если «духовники» станут неуправляемыми?

Последовала пауза, которой воспользовался Арше, спросив:

— Неужели такое возможно?! «Духовники» неуправляемы... Агрессия?!

— Не где-то, а в больнице, куда мы следуем. Это голос того спасателя у въезда.

— Я боюсь посылать к вам полицию, — сказал диспетчер, — это может иметь еще более тяжелые последствия... В крайнем случае изолируйте зачинщиков волнения, дайте им успокоительного...

Широ в третий раз медленно и осторожно объехал упавшее панно с картой по газону Клуба музыкантов, на траве которого были отчетливо видны следы его предыдущих проездов. Хорошо зная оставшийся участок дороги, он разогнал машину, вскоре поймав себя на том, что уже не обращает внимания на группы беспомощных людей на тротуарах и во дворах разрушенных домов.

По ведущей к больнице аллее медленно шла группа из двадцати — двадцати пяти «духовников». Свернув, Широ сразу же посигналил, чтобы не притормаживать. Люди обернулись, долго смотрели на мчащуюся прямо на них машину и лишь в самый последний момент уступили ей дорогу, заставив изрядно поволноваться заерзавшего на месте Арше и уже положившего ногу на педаль тормоза Широ.

Но при въезде во двор больницы он все-таки был вынужден затормозить.

За эти полчаса здесь многое изменилось.

Людей стало еще больше. Часть из них, в основном получившие помощь, по-прежнему сидела на траве и на скамейках. А вот половина людей из сквера перекочевала к зданию больницы, перегородив все подъезды к главному входу. Во дворе уже не было видно белых халатов медиков и красных комбинезонов спасателей.

Широ вынужден был остановиться позади толпы. До больницы оставалось метров сорок. В крайнем случае можно довезти раненого на медицинской тележке.

Стекло между кабиной и салоном автомобиля опустилось.

— Что здесь происходит? — спросила сидевшая в салоне женщина, глядя на столпившихся впереди людей.

— Начинаются какие-то волнения...

— Среди «духовников»?! Это что-то новое... Посигналь!

Ближайшие к машине люди оглянулись — и это была вся их реакция. Широ посигналил еще несколько раз, но теперь они даже не оборачивались.

— Может быть, донесем раненого? — предложил Арше.

— Если его случайно толкнут... — Женщина не договорила, но все и так было ясно.

— Ладно! — сказал Широ решительно, осматривая приборную панель. — Ага, вот...

Над толпой взвыла сирена, теперь уже все до единого оглянулись, а ближайшие к машине «духовники» даже вздрогнули от этого пронзительного и тревожного звука. Сверкая ослепительными сигнальными огнями, медицинская машина медленно надвинулась на людей, потеснив их с проезжей части. Ей уступали дорогу, отходили в сторону, пропуская к зданию больницы. СММ проехала метров десять, когда на рации замигал сигнал вызова. Широ еще не освоил эту рацию, ему нужно было просмотреть все кнопки, чтобы найти нужную, но отвлечься от управления машиной, ехавшей среди людей, он боялся: вдруг кто-то попадет под колеса? Тогда здесь начнется такое!.. Юноша прекрасно помнил свой недавний приступ гнева. Страшно было представить, что будет, если подобные эмоции охватят всю толпу.

Сигнал продолжал мигать, и женщина, сообразив, в чем дело, подсказала Широ, какую кнопку необходимо нажать.

— Эй, парень, ты слышишь меня? — раздался голос молодого спасателя.

— Слышу.

— Через главный вход мы вас принять не сможем. Поворачивай направо, поезжай вдоль больницы, сверни за угол и сразу увидишь двери с надписью «Бокс № 2». Мы услышим твою сирену и откроем. — Спасатель продолжал, четко выделяя каждое слово: — Но если люди побегут за тобой, постарайся от них оторваться, чтобы мы успели закрыть двери. Понял?

...Машина стала медленно поворачивать направо. Вой сирены, сверкающие огни да и вся ее надвигающаяся громада по-прежнему заставляли людей отходить в сторону, уступать дорогу. Широ закончил поворот и двинулся вдоль здания больницы. Мельком увидел закрытые стеклянные двери главного входа, красные комбинезоны спасателей за ними. Похоже, «технари» больше не собираются никого впускать в больницу. Значит ли это, что они, как выразился Арше, бросили «духовников»? Ответ ждал их за дверями бокса № 2.

До свободного пространства оставалось метров десять, когда среди людей началось какое-то оживление. Они стали по-другому воспринимать машину, некоторые уступали дорогу лишь в самый последний момент.

Широ заметил, что слева, через толпу, наперерез машине продвигается группа человек десяти. Они что-то кричали, но сирена и поднятые стекла не позволяли услышать их слов, размахивали руками, указывая на СММ.

Какой-то мужчина постучал в водительское стекло, требуя опустить его. Кто-то ударил по борту, а высокая девушка шлепнула ладонью по лобовому стеклу, заставив Арше отпрянуть назад.

— Совсем ваши друзья разошлись, — констатировала женщина.

— Но ведь их не пускают в больницу! — оправдывался Арше.

— Будем судить, когда узнаем, в чем дело! — оборвал спор Широ, с опаской глядя на приближающуюся группу.

До цели оставалось метра четыре, но если толпа успеет оказаться на пути, то вполне может не пустить машину дальше. Широ уже собрался надавить на газ, но тут какой-то толстяк уперся руками в капот, видимо, намереваясь таким образом остановить автомобиль.

Широ почувствовал новую волну гнева. Глядя на упиравшегося толстяка, он покрутил пальцем у виска. Тот ответил ему криками и ударами кулака по капоту.

— Ну, точно, истерическая агрессия! — сквозь зубы процедил Широ.

Впереди была свободная от людей дорога. А слева приближалась группа решительно настроенных «духовников». Ей оставалось пройти метра три. Широ уже видел возбужденные лица, гнев в их глазах...

Да, катастрофа разрушила весь мир, все его устои.

И похоже, вернула в него насилие...

— Он пролезет под днищем? — спросил Широ и, не дождавшись ответа, надавил на газ.

24

Гнев в глазах толстяка сменился страхом, когда медленно ползущая машина рванулась вперед. От толчка он не удержался на ногах и исчез под капотом.

Арше весь съежился, будто ожидая услышать предсмертный крик или почувствовать толчок, когда колеса переедут через тело.

Женщина пристально смотрела на Широ, но на лице ее невозможно было прочесть никаких эмоций.

Широ вцепился в штурвал, стараясь убедить себя в том, что поступил правильно. Для того СММ и была покрашена в красный цвет, для того на ней стояли сигнальные огни и сирена, чтобы водители и пешеходы уступали ей дорогу. А толстяк препятствовал продвижению машины, препятствовал спасению человека. Да и под колеса он не попал, так как машина продолжала плавно ехать вперед.

В зеркале заднего вида Широ увидел, что несколько человек бросились ему вдогонку, они что-то кричат и размахивают руками, поэтому вдавил педаль газа в пол, и машина рванулась вперед, легко оторвавшись от погони. Благодаря вовремя начатому торможению и электромагнитной подвеске Широ плавно вписался в поворот, пройдя буквально в нескольких сантиметрах от угла здания, и увидел впереди металлические двери бокса № 2, которые стали медленно подниматься вверх. Широ позволил машине свободно катиться к ним и рассчитал все почти точно: СММ въехала в бокс, лишь немного зацепив мигалками не до конца поднявшуюся дверь, которая, впустив машину, тут же стала опускаться.

У стен просторного помещения Широ увидел сидящих на стульях людей с перевязанными руками и ногами, здесь стояли также три койки с тяжелоранеными. К СММ сразу подошла бригада медиков со специальной тележкой на электромагнитной подвеске, которая обеспечивала абсолютную плавность хода. К машине подбежал и знакомый Широ молодой спасатель, поморщившись, он указал куда-то наверх. Широ, сообразив в чем дело, выключил сирену и огни и выбрался из кабины.

Едва он это сделал, в металлическую дверь бокса забарабанили кулаки и за ней раздались неразборчивые крики.

— Явно нарушено духовное равновесие, — усмехнулся Широ.

— Да уж, — спасатель бросил на него странный взгляд, — после того, что ты там натворил...

— Другого выхода не было... — начал оправдываться Широ и заметил, что к машине направляются еще два спасателя. — Он перегородил дорогу, а там приближалась...

Молодой спасатель заглянул под машину и выпрямился, глядя куда-то на ее борт и задумчиво потирая подбородок.

— ...приближалась группа решительно настроенных... — продолжал Широ и вдруг осекся, пораженный догадкой.

Он опустился на колено и заглянул под машину.

— Больница Южного округа, — сказал спасатель в рацию. — У нас назревает крупная проблема. СММ, продираясь через толпу, сбила «духовника»...

Широ резко распрямился, кровь сразу отлила от лица, превратив его в белую маску.

— ...Вышлите сюда хотя бы одну полицейскую машину!

— Хорошо! — донесся из рации короткий ответ.

— Он под задним мостом, — сказал молодой спасатель, обращаясь к двум подошедшим коллегам. — Подождите, пока из машины вынесут раненого, и вытащите его...

Спасатели кивнули, тоже заглянули под СММ, и один из них тихонько присвистнул.

— Меня зовут Мино, — сказал молодой спасатель, подойдя к Широ. — А тебя?

Тот ничего не ответил. Широ еле держался на ногах, ладони его похолодели и дрожали, перед глазами стояло лицо толстяка в тот момент, когда оно исчезло под капотом.

— Я все видел, — продолжал Мино. — Если б ты остановился, то не доехал бы сюда...

Мимо них быстро прошли медики и проехала тележка с раненым. Он по-прежнему лежал на животе, но глаза его уже были открыты. Рядом с ним, держа юношу за руку, шла его мать. Взглянув на

Широ, женщина ободряюще улыбнулась ему, казалось, не заметив состояния юноши.

Мино вдруг схватил Широ за плечи и хорошенько встряхнул:

— Эй, парень, очнись! Ты спас человека! Сохранил матери сына...

СММ отъехала чуть назад, два спасателя забрались под нее. Никто, казалось, не обращал внимания на удары кулаков в металлическую дверь. Из-под машины показался один из спасателей, он что-то тащил за собой.

— Давай-ка отойдем!.. — предложил Мино.

— Нет, я хочу увидеть, жив ли он!

— Тогда съешь это. Здесь глюкоза и витамины... Ты, того и гляди, в обморок свалишься!

Из-под машины извлекли тело толстяка. На его забрызганном кровью лице выделялись широко открытые глаза, которые невидящим взором смотрели куда-то в потолок.

Широ смотрел на него, пытаясь разобраться в своих эмоциях. Убийство!.. Он совершил убийство! Теперь он — убийца!!! Полицейские, что приедут сюда, должны будут арестовать его.

Но Широ был абсолютно уверен в том, что этого не произойдет. «Технари» считают, что он прав. Но легче ли ему от этого?

— Несчастный случай, — сказал один из спасателей, когда тело толстяка увезли. — Не пролез под днищем машины... Не повезло.

Широ понимал, что во многом отличается от «технарей». Часть сознания соглашалась с ними, а другая упорно твердила: «Убийца!» Ему вспомнились глаза на мертвом лице и благодарная улыбка женщины, сына которой он спас. Первые будут являться ему в кошмарных снах, от которых его не избавит даже психологическая реабилитация, а улыбка будет вспоминаться в минуты покоя, если они когда-нибудь настанут.

— На твоем месте я поступил бы так же! — словно издалека услышал он голос Мино. — О, перестали стучать!..

Действительно, гулкие удары в металлическую дверь стихли, и в помещении повисла непривычная тишина, которую нарушил голос, донесшийся из рации:

— Всему свободному персоналу срочно явиться к главному входу! «Духовники» явно собираются прорваться в больницу! Повторяю...

— Пошли! — бросил Мино, потащив Широ за собой.

Не сказавший за это время ни слова Арше остался в боксе.

...Они шли по заполненным людьми коридорам, где пахло причудливой смесью лекарств и освежителя воздуха. Некоторые из раненых провожали шагавшего рядом со спасателем Широ удивленными взглядами, узнавая в нем своего, то есть «духовника». Но хотя испачканная сажей и порванная в нескольких местах одежда выдавала в Широ пострадавшего, шел он слишком быстро и решительно, так что люди терялись в догадках: кто же этот молодой человек?

Видимо, тоже обратив внимание на его одежду, Мино спросил:

— Имел дело с огнем?

— И с водой, — кивнул Широ. — Ведь весь мир охвачен катастрофой? — тихо, чтобы никто не услышал, спросил он.

5*

— Весь, — тяжело вздохнул Мино, — и никто толком не может сказать, что это вообще было. Ты видел ее?

— Кого?

— Волну!

— Волну?! — переспросил Широ.

— Значит, не видел. Представь, по суше шла настоящая волна. Земля поднималась и опускалась. И все рушилось! В районах «духовников» стопроцентное разрушение! В наших — восемьдесят процентов! И это — по всему миру!!! Никто и представить себе такого не мог. Ладно, землетрясение... Но волна!..

— И ураган, — добавил Широ.

— Да... Даже не хочется думать о последствиях.

Они вышли в холл больницы. Здесь уже было человек пятнадцать спасателей, шестеро медиков в белых халатах, несколько «технарей», видимо, из обслуживающего персонала и два охранника с тонкими длинными дубинками в руках. Возле придвинутых к двери столов зачем-то стояли огнетушители.

А за стеклянными дверьми, в первых рядах волнующейся толпы, Широ сразу разглядел своего отца...

25

...Восточные наемники опомнились раньше, чем предполагал Уссва, и, когда он достиг города, они были метрах в двухстах от него. А тут еще конь, въехав на мостовую, стал спотыкаться, чуть не выкинул его из седла и вконец замедлил движение. Уссва выскочил из седла и сразу понял, в чем дело. Некогда ровная мостовая богатых купеческих кварталов вздыбилась, камни, которыми она была выложена, торчали в разные стороны, превратив улицы в непроходимое для лошадей место. Бегло осмотревшись, охотник увидел осколки стекол под домами, глубокие трещины в их каменной кладке и пару рухнувших балконов. Люди на улице пока не обратили на него никакого внимания.

А со стороны замка стремительно приближались десять всадников, вслед за ними неслись, похоже, все вышедшие на охоту за беглецом наемники.

Сняв с седла арбалет и колчан со стрелами, Уссва нырнул в первый попавшийся переулок. Варр следовал за ним по пятам.

Переулок был засыпан всяческим хламом. Перепрыгивая через корзины и пустые бочки, они неслись меж стен домов и вскоре выскочили на другую улицу. Уссва был уверен, что наемники видели, как он нырнул в переулок, и поэтому сейчас необходимо было петлять по городу, чтобы оторваться от погони.

Здесь людей было больше, и причиной тому был пожар, охвативший сразу несколько домов по разным сторонам улицы. Ревущее, как голодный зверь, пламя вырывалось из всех окон, выбрасывая свои языки на многие метры. Столб черного дыма поднялся в небеса, погрузив улицу, по которой гулял горячий ветер, в полумрак. Люди суетились. Потушить сразу несколько горящих домов они не могли и поэтому делали все возможное, чтобы огонь не перекинулся на соседние здания. Подвезли две огромные бочки воды и стали из ведер поливать их стены и ставни, от которых сразу пошел пар.

Оглянувшись, Уссва увидел, что на улицу медленно въехали пятеро всадников. Они не рисковали гнать лошадей по вздыбившейся мостовой. Заметив беглеца, двое из всадников выпрыгнули из седел и кинулись к нему, понимая, что в таких условиях кони не дают им преимущества.

Вступить в бой Уссва не решился, так как на помощь этим двоим подоспеют еще трое всадников, а потом здесь окажутся десятки преследователей.

Охотник посмотрел на языки пламени, что вырывались из расположенных друг напротив друга домов и иногда смыкались на середине улицы. Изредка можно было видеть, как горят два или три соседних здания.

Это был, конечно, не единственный, но самый лучший способ оторваться от погони. Конечно, перспектива вновь оказаться среди огня не радовала охотника, ведь уже в тридцати метрах от пожара стоял невыносимый жар, а что будет дальше?.. Но не далее чем в ста метрах от него находились преследователи, и расстояние это с каждой секундой сокращалось.

Уссва схватил валявшееся на земле ведро и подбежал к бочке. С ног до головы окатил себя двумя ведрами и набрал третье для Варра.

— Эй, ты что, с ума сошел?! — услышал охотник хриплый крик подбежавшего к нему человека с красным, разгоряченным лицом. — Туда собираешься?!

— Ага, — ответил Уссва, глянув в сторону приближающихся наемников, и вылил воду на пса, который даже не шелохнулся и не стал отряхиваться.

Человек с открытым от изумления ртом уставился на них.

Набрав еще одно ведро воды, Уссва бросился к горящим домам, слыша доносящиеся ему вслед предостерегающие крики. Он с радостью их послушал бы...

Рев огня перекрыл все другие звуки. Нестерпимый жар ударил в лицо. Прежде чем прикрыть глаза рукой, Уссва увидел, как впереди, под огненной завесой, скрылся его пес. Охотник пригнулся, чтобы поднырнуть под языки пламени, и они сошлись над его спиной. Уссве показалось, что от обливания водой нет никакого толку, хотя, конечно, на самом деле это было не так: вода предохраняла его от ожогов.

Уссва споткнулся о торчащий камень мостовой и с трудом удержался от падения прямо среди бушующего огня. Не хватало еще распластаться на раскаленных камнях!

Впереди, метрах в двадцати, за расступившейся стеной огня, показался просвет. Уссва вылил на себя воду, отшвырнул ведро и бросился прочь...

Люди на другой стороне улицы с изумлением и ужасом уставились на огромного черного пса с дымящейся шерстью, что выскочил прямо из-под огня и, отбежав немного, остановился, в ожидании глядя на пылающие дома. Они приняли его за демона.

А когда вслед за псом из огня выскочил полуобнаженный человек с дымящимися штанами и арбалетом за спиной, некоторые из горожан, побросав ведра, отскочили в стороны и прижались к горячим стенам — лишь бы оказаться подальше от этих демонов.

Подхватив одно из ведер, Уссва вылил половину воды на себя, а оставшуюся часть на радостно фыркнувшего пса.

Не обращая внимания на изумленные взгляды, Уссва продолжал бежать, на ходу обдумывая свои действия. Благодаря огненной завесе преследователи на время потеряли его из виду. Правда, глазеющие сейчас на него люди подскажут наемникам, куда направился беглец, поэтому главное теперь — окончательно запутать следы...

26

...Сверху, где находились Владимир и Валя, все выглядело еще страшнее. Вырвавшиеся из окон огненные фонтаны поглотили Андрея, он исчез за пеленой огня, дыма и летящих во все стороны осколков. Пламя лизнуло склоны завала, дохнуло на ребят обжигающей волной, заставив их зажмуриться и задержать дыхание. Когда волна жара отошла, они с замершим сердцем открыли глаза — и не увидели Андрея.

Упиравшийся в здание склон потемнел от огня и дыма, и он был пуст.

— О черт!.. — пробормотал Владимир, глядя вниз. — Держись, я пойду!

— Я с тобой!..

Владимир отрицательно покачал головой и отпустил сначала руку девушки, а потом — кусок арматуры, за который держался.

Он выбрал другую тактику спуска, нежели Андрей. Не вставая с земли, полулежа на спине, он съезжал вниз и при этом упирался ногами в склон, не давая себе развить большую скорость. Перед ним образовалась несшаяся вниз миниатюрная лавина из осколков кирпичей и бетона.

Чем ниже по склону, тем сильнее становился жар, что шел от горящих окон. Когда Владимир оказался прямо напротив них, у него перехватило дыхание и сами собой, инстинктивно закрылись глаза. На какое-то мгновение он утратил контроль над ситуацией, потерял шаткое равновесие и последние несколько метров катился, не контролируя свое движение. Остановила его стена здания.

В двух метрах над Владимиром ревело пламя, из окна вырывались клубы черного дыма, поэтому, не поднимаясь, на четвереньках, он дополз до угла здания, где буквально лоб в лоб столкнулся с выглянувшим оттуда Андреем.

— Нормально?! — воскликнул тот, потирая ушибленный лоб и на мгновение закрыв глаза от боли.

В ту же секунду он увидел спускающуюся по крутому склону Валю. Казалось, она вот-вот должна споткнуться, упасть, покатиться вниз по острым камням... Напротив горящих окон с ней произошло то же самое, что и с Владимиром. Жаркое дыхание огня испугало девушку, заставив ее утратить контроль над движением, а так как скорость Вали была больше, то и последствия могли быть хуже. При наихудшем стечении обстоятельств она могла разбиться о стену...

Но за секунду до того, как Валя должна была врезаться в здание, на пути девушки оказался Андрей, смягчив ее удар о стену. Девушка упала в его объятия, и если бы не жесткие кирпичи, врезавшиеся в спину, момент не был бы лишен приятности.

— Ой!.. — выдохнула Валя, еще не придя в себя после головокружительного спуска, и тут же заставила Андрея пригнуться, так как буквально в метре над его головой бушевало пламя.

Они забежали за угол, где Андрей тяжело опустился на неровный ковер завала.

— Тайм-аут! — проговорил он, осторожно облокачиваясь на стену здания и чувствуя, как боль от множества ссадин и ушибов растекается по телу, заполняя собой все: от пальцев ног до самой макушки.

С беспокойством глядя на него, Валя придвинулась ближе.

— Ты как?

— Минутка — и пойдем дальше! — ответил Андрей, не желая показывать своей слабости, но, как он ни храбрился, было видно, что с ним не все в порядке.

— Признавайся, что болит? — с улыбкой на губах, но с тем же беспокойством в глазах спросила девушка.

— Легче сказать, что не болит...

— И что же?

— Зубы!

Стоявший над ними Владимир хохотнул и сказал:

— Я пойду на разведку...

— Пойдем вместе... — произнес Андрей и хотел было подняться, но Валя не позволила ему сделать этого.

— Нам лучше не разделяться!.. — запротестовал было юноша, но девушка покачала головой, всем видом показывая, что спорить с ней бесполезно.

Владимир осторожно зашагал по завалу в сторону арки, пройдя через которую можно было оказаться за высокой крепостной стеной лавры, а потом или подняться вверх, на улицу Январского восстания, или спуститься вниз, на набережную Днепра. Шагая по битым кирпичам и кускам бетона, Владимир размышлял над тем, куда им лучше двинуться: вверх или вниз? До улицы Январского восстания было намного ближе, метров двести—триста, но вряд ли там ходит транспорт, а им нужно перебраться на левый берег, ведь все трое живут там. То есть придется шагать вниз, к набережной, и там уже решать вопрос: каким мостом воспользоваться, чтобы оказаться на левом берегу?

Тем временем Валя не сводила с Андрея обеспокоенного взгляда.

— Я что, действительно так плохо выгляжу? — улыбнувшись, с веселыми нотками в голосе спросил тот.

— Как Брюс Уиллис в конце «Крепкого орешка»!

— Есть одно существенное отличие, — улыбнулся Андрей, — я не бегал босиком по битому стеклу!

Послышались шаги возвращающегося Владимира. По лицу его невозможно было узнать: завален выход или нет?

— Все нормально. Арка рухнула или часть стены, непонятно... Так что выход плотненько забит кирпичами, будто его специально заделали. Расскажи мне кто-то — не поверил бы!

— Перебраться никак нельзя? — спросила Валя.

— Нужно быть опытным скалолазом, обвешанным альпинистским снаряжением... Придется возвращаться. Или здесь есть еще выход?

Андрей с сомнением покачал головой. Все выходы в этой части лавры завалены.

— Ладно, пошли наверх!

Андрей поднялся на ноги, но все вокруг вдруг закружилось, перед глазами поплыли разноцветные круги. Он зашатался и, возможно, упал бы, если бы Валя не поддержала его. Наклонив голову, Андрей постоял секунду и распрямился:

— Все нормально! Просто кровь от головы отошла...

Девушка так пристально смотрела на него, что Андрей не выдержал и усмехнулся:

— Да все хорошо! Это я засиделся... Вперед, на штурм!

Однако посмотрев на крутой склон, тут же поморщился и перевел взгляд на заваленный кирпичами проход между внешней стеной лавры и основанием смотровой площадки. Подняться здесь будет намного легче, правда, неизвестно, что ждет их за поворотом. Возможно, точно такой же завал с крытыми непроходимыми склонами.

Они двинулись по неровному ковру из битых кирпичей, стараясь не оступиться и не подвернуть себе ноги. Сзади ревел огонь, бросая им в спины волны жара.

Ребята шли прямо под нависшей над ними на высоте десяти метров смотровой площадкой, и Андрей отгонял упорно лезшую в голову мысль о том, что сейчас остатки площадки рухнут и погребут их под собой, как сделали это с группой китайских туристов. А ведь вполне может быть, что кто-то из китайцев остался жив и, заваленный камнями, беспомощно лежит в ожидании помощи, которая, судя по масштабам катаклизма, придет не скоро.

От этих мыслей по спине Андрея пробежали мурашки, и он непроизвольно прибавил шаг. Его друзья думали, наверное, о чем-то похожем, потому что тоже пошли быстрее.

Сразу за поворотом их ждали крутые склоны завала, образованные рухнувшими стенами и арками, что еще совсем недавно нависали над проходом, составляя великолепный ансамбль, который можно было увидеть во всех фотоальбомах, посвященных лавре.

27

Завал представлял собой гору битых кирпичей, из которой торчали куски бетона, арматуры и железной кровли. В принципе преодолеть его не составляло особенного труда, но ребята были не в лучшей форме, к тому же они испытывали некоторый страх, ведь друзья уже имели опыт общения с крутыми склонами завалов. Хотя, как известно, подниматься намного легче, чем спускаться, но ребята боялись сделать неправильный шаг, движение — и скатиться вниз. А на этом ощетинившемся острыми кусками арматуры и железной кровли склоне простыми ссадинами и ушибами уже не отделаешься.

— Ну, кто первый? — спросил Владимир, изучая завал в поисках наиболее удобного места для подъема.

— Нет, друг за другом лучше не идти, — рассуждал вслух Андрей, — а то может получиться эффект домино. Идем параллельным курсом!

Когда они без особого труда преодолели треть подъема, где-то совсем рядом громыхнуло, земля, словно в испуге, вздрогнула, и по склону скатились несколько камешков.

Ребята замерли в ожидании того, что сейчас весь склон уйдет вниз по проходу...

На середине пути из-под опорной ноги у поднимавшейся между ребятами девушки выскочил прочный на вид кусок бетона. Андрей даже не успел среагировать, только екнуло сердце. Владимир схватил Валю за руку, и она сама успела крепко ухватиться за кусок арматуры, предотвратив падение...

Буквально через пять-шесть секунд то же самое произошло с Владимиром, с тем лишь отличием, что точку опоры утратила рука. Арматура, за которую он ухватился, предательским образом выскочила из завала и оказалась зажатой в его ладони. Тут же из-под ноги его полетел камень, и Владимир повис на одной руке, прижавшись к склону, с немой просьбой глядя на друзей, которые, в свою очередь, смотрели на него. Это продолжалось несколько долгих секунд, после чего опомнившаяся Валя схватила юношу за руку и удерживала его, пока Владимир не нашел опору для ног.

— Выпусти арматуру-то! — посоветовал Андрей, глядя на зажатую в руке Владимира железяку.

Арматурина запрыгала по склону, увлекая за собой несколько камней...

До вершины завала оставалось метра три-четыре.

Андрей удвоил осторожность, так как он остался единственным, чей подъем не сопровождался происшествиями. Он пробовал на прочность куски арматуры, за которые собирался ухватиться; не ставил ногу на мелкие осколки кирпичей, выбирая для этого более-менее крупные куски бетона, твердо засевшие в завале. Подобно рою навязчивых мух, его преследовали картины возможного падения. В лучшем случае это обойдется парой глубоких ссадин да синяков. А в худшем...

Страх сковывал движения, руки и ноги становились непослушными, отказывались быстро и точно выполнять команды мозга.

Андрею вспомнилось, как он в детстве отдыхал с родителями за городом, на Днепре. Особенно его привлекало упавшее в воду дерево. Упираясь ветвями в дно, оно выступало над водой на высоте трех-четырех метров. Андрей, а ему тогда было лет десять-одиннадцать, решил пройтись по бревну, тем более что ствол казался достаточно широким. Первые шаги дались ему легко, но потом, когда он оказался над водой на высоте двух своих ростов, сохранять равновесие стало намного сложнее, хотя ствол ни на миллиметр не сузился. Ноги словно прилипли к дереву и не хотели двигаться ни вперед, ни назад; глаза то и дело косились на воду и виднеющееся дно. Если б это дерево лежало на высоте полуметра, он спокойно прошел бы по нему, даже пробежал...

Вот и сейчас Андрей чувствовал то же самое. Всего лишь завал, не Эверест, а нельзя сказать, что подъем давался ему легко.

Оказавшись на вершине, все трое облегченно вздохнули и осмотрелись вокруг.

Справа лежали руины лаврской колокольни — холм длиною в сотню метров, из больших и малых обломков, над которым, словно могильные кресты, торчали куски железных конструкций. Кое-где сверкали на солнце позолоченные листы кровли.

От здания, в которое врезался купол башни, остался лишь завал, который они только что преодолели, да кусок стены размером с футбольные ворота.

В принципе вся площадь, окруженная лаврскими корусами, в центре которой лежали руины разрушенного во время войны Успенского собора, представляла сейчас один большой завал. Глубина его колебалась от одного метра у стен корпусов до примерно десятка метров в руинах колокольни.

Выстоявшие корпуса тоже пострадали, в основном от падения башни. В окнах не было видно ни одного целого стекла, а некогда белые стены были испещрены следами от ударов осколков и трещинами, вызванными колебаниями земли...

Такой знакомый ландшафт теперь, без взметнувшейся в небеса колокольни, казался непривычно пустым. Как ни странно, но пустота давила, можно сказать, резала глаза в еще большей степени, нежели картина разрушений.

Андрей полез в карман, достал кошелек, а оттуда — три билета. Оставалось каких-то десять минут до того времени, как эти билеты были бы использованы, и они поднялись бы на лаврскую колокольню, чтобы полюбоваться оттуда красотами Киева, потом увидеть приближающуюся «волну», ощутить, как вздрогнула колокольня, и почувствовать, что она падает...

— Что будем с ними делать? — спросил Андрей, глядя на билеты.

Казалось, для него это был вопрос первостепенной важности, и ответ на него следовало найти сейчас же, немедленно.

Его друзья долго не отводили глаз от этих маленьких листочков бумаги. Их, наверное, посетили те же мысли: о десяти минутах, о приближающейся издалека «волне», о падающей колокольне...

— Давайте сохраним их! — предложила Валя.

— Как амулет, — добавил Владимир, то ли шутя, то ли вполне серьезно.

Андрей дал каждому из ребят по билету, и в этот момент снова громыхнуло. За руинами колокольни и, видимо, вообще за пределами лавры к облакам дыма прибавилась большая клубящаяся черная туча, которая, словно грозное предупреждение, стала подниматься в небеса.

Группа монахов и старушек, стоявшая у дверей одного из корпусов, повернула головы в сторону взрыва, и все как один в страхе перекрестились.

— Что будем делать? — спросил Владимир, глядя на поднимающееся в небо дымное облако.

— Может, попробуем перебраться на левый берег? — после затянувшейся паузы предложила Валя. — Так сказать, поближе к дому...

Андрей посмотрел налево. Каменный забор, отделявший смотровую площадку и старинный дом от площади, был наполовину скрыт под завалом, а сохранившаяся его часть лишилась множества фрагментов. Старинный дом лежал в руинах, представлявших собой большой пологий курган. Андрей хотел попасть на смотровую площадку, но так как ее уже не существовало, он решил забраться на этот курган.

Ребята последовали за ним.

После штурма крутых склонов завала этот подъем показался легкой прогулкой, и уже через пару минут друзья стояли на вершине кургана.

Каждый из них думал, что внутренне готов увидеть картину разрушений, но открывшийся с высоты правого берега вид поверг их в шок...

28

...За стеклянными дверьми больницы гудела и волновалась толпа «духовников». Кто-то ограничивался гневными взглядами, кто-то кричал и размахивал руками, а несколько человек, подбежав к дверям, барабанили в них кулаками.

Среди этих людей был и отец Широ.

Последний раз они виделись полтора месяца назад, в парке у спорткомплекса. Обсудили увлечение Широ физической культурой (отец не хотел, чтобы он забывал о духовном развитии), понаблюдали за катающимися на старинных лодках детьми — и разошлись, чтобы снова зажить каждый своей жизнью.

И вот они встретились...

Стеклянные двери дрожали под ударами кулаков, и казалось, еще немного — они осыплются звенящим потоком, и, давя осколки стекла, в холл ворвется толпа «духовников». После всего увиденного и пережитого Широ вроде бы не должна была волновать проблема насилия. Но при одной мысли о том, что, возможно, сейчас люди начнут бить друг друга и он сам будет участвовать в драке, юноша почувствовал, как по его спине пробежал холодок.

На периферии сознания мелькнула мысль о том, как резко меняется его настроение. Еще совсем недавно Широ готов был ударить человека, потом стоял в шоке, узнав, что ранен не кто иной, как сын женщины-«технаря», и в довершение всего несколько минут назад он задавил несчастного толстяка...

Перед мысленным взором Широ мелькнули полные ужаса глаза задавленного им человека, и он даже встряхнул головой, чтобы прогнать жуткое видение.

— Почему начались волнения? — спросил он у Мино.

— Мы удалили из больницы всех псевдораненых, чтобы освободить места действительно пострадавшим, — ответил молодой спасатель. — Вот эти... «раненые» в первых рядах! Что-то уж очень много сил для серьезно пострадавших!

Широ стало стыдно за своего отца, да и за всех столпившихся за дверьми «духовников». Похоже, их высокие принципы не выдержали удара стихии, и в данный момент они вели себя, как древние люди: злобно и агрессивно, отдав себя в руки первобытных инстинктов.

— Я могу поговорить с ними? — спросил Широ.

— В смысле?.. Ты хочешь выйти туда?!

Широ кивнул, надеясь, что Мино не станет медлить, иначе его собственная решимость могла иссякнуть.

— Ты хорошенько подумал?

— Да!

— Ну ладно... Только не отходи от дверей, чтобы мы могли затащить тебя обратно.

Широ кивнул, и они вдвоем направились к дверям.

Люди за ними перестали работать кулаками, взгляды их устремились на приближающихся к выходу Широ и спасателя.

И Широ наконец поймал взгляд отца. По лицу его было видно, что он узнал своего сына.

На полпути Мино свернул в сторону и направился к столику дежурного, где находился пульт управления дверьми.

Широ остался один, в двух шагах от толпы, их разделяла лишь тонкая стена из прозрачного стеклопластика. Широ остался один: он ушел от «духовников», но еще не стал «технарем». Юноша чувствовал, что этот мир, казавшийся ему таким стройным и правильным, рушится, как дома Армаза под ударами стихии; все, чем он жил два десятка лет, стало вдруг для него абсолютно чужим...

Двери с тихим шипением раздвинулись, Широ проскользнул в образовавшуюся щель, а створки за его спиной вновь слились в единое целое, отделив его от холла и оставив наедине с толпой.

В толпе «духовников» прошел ропот, и Широ почувствовал на себе взгляды десятков глаз. Но он не утратил решимости, а, наоборот, воодушевился.

— Чего вы хотите? Чего добиваетесь? — спросил он громко, чуть ли не крича.

Вопрос, похоже, застал «духовников» врасплох. Каждый из них туманно представлял цель этой акции, поддавшись общему настроению.

— Вы, наверное, ждете помощи? — продолжал наступление Широ. — Но оглянитесь вокруг, оцените масштабы катастрофы — и вы поймете, что «технари» делают все возможное, даже больше...

— Они выгнали из больницы раненых! — донесся из толпы чей-то голос.

— Раненых?! Покажите мне этих раненых! Вот эти? — Широ указал на первые ряды, в том числе на своего отца. — Да я ранен серьезнее их, но не лезу за помощью! Мне и им она не нужна. Мы сами должны оказать помощь действительно пострадавшим! Кто-нибудь из вас пытался разобрать руины соседнего дома? Нет! Я сам видел, как десять мужчин стояли возле руин, из которых торчала рука человека. И этот человек мог умереть, а все вокруг бездействовали.

Люди в ужасе вздохнули, представив себе эту картину, а Широ продолжал:

— Больница уже переполнена, на каждого медика — по пять пострадавших, раненые лежат в коридорах. А тут еще рветесь вы! Ну неужели царапина или синяк — это повод рваться в больницу?! Неужели нельзя самому перебороть шок и начать помогать другим?! Тогда мы хоть немного освободим «технарей» и быстрее справимся с последствиями...

— А он ведь «технарь»!!!

Какой-то мужчина вплотную приблизился к Широ, сверля его взглядом прищуренных глаз:

— Он просто заговаривает нам зубы, тянет время...

— Спросите у моего отца, «технарь» ли я!

Широ посмотрел на отца, взгляды стоящих поблизости «духовников» тоже обратились к нему.

— Он не «технарь»... — произнес тот охрипшим голосом. Его истерическая агрессия сменилась шоком, депрессией.

Но одновременно со словами отца Широ над толпой разнесся полный гнева крик:

— Убийца!!!

— Убийца!!! — крикнула пробравшаяся в первые ряды высокая девушка.

Широ узнал ее. Именно она ударила ладонью по лобовому стеклу СММ, препятствуя ее проезду к больнице.

— Ты специально задавил человека!..

— Это был несчастный случай! — прокричал Широ. — Разве он не видел, что это медицинская машина, что у нее включены сигнальные огни?! Не слышал сирены?! Ведь ясно, что СММ везет тяжелораненого...

— Но ты ведь наехал на человека!.. — произнес мужчина, который обвинил юношу в принадлежности к «технарям».

— Он сам лез под колеса... — пытался оправдаться Широ, но понял, что слова его произвели еще худший эффект, нежели если бы он закричал, что специально наехал на толстяка. Тогда люди просто испугались бы, оправдания же Широ только разожгли в них гнев.

Дальше все происходило необычайно стремительно. Широ тут же утратил контроль и над ситуацией, и над собой. Он лишь успел подумать, что в мир «духовников» вернулось открытое насилие.

Обличавший юношу мужчина ударил его. Ладонью, наотмашь, по лицу...

Широ не остался в долгу и вернул ему удар с лихвой. Ударил кулаком. Мужчина не удержался на ногах и отлетел назад.

На Широ бросились сразу двое, толкнули в грудь. Он тоже не удержался на ногах, вскочил, сделал шаг назад, надеясь, что сейчас упрется в дверь, стараясь не упасть, думая над тем, как лучше сопротивляться, как не быть растоптанным...

Но дверей за спиной не оказалось, чьи-то руки подхватили его и не дали упасть. Слева Широ увидел охранника, оттолкнувшего одного из мужчин, да так, что он, падая, повалил еще нескольких «духовников».

Справа же Широ увидел знакомую женщину-«технаря». Она встала на пути кинувшихся к юноше людей. Резко ударила дубинкой в живот зачинщика, а когда тот согнулся — ударом по колену повалила его на землю, прямо под ноги другим нападавшим.

Широ уже обрел равновесие. Теперь между ним и толпой была эта женщина-полицейский. Она сделала шаг назад, потеснив Широ в холл. Быстро оглянулась, произнесла: «Назад!» — и ударом дубинки охладила пыл одного из нападавших «духовников».

Широ не мог оторвать от женщины взгляда, ее движения были точны и выверены, он почувствовал, что за спиной такого полицейского ему не страшна никакая толпа...

— Осторожно! — произнес выступивший вперед второй охранник.

В руках он держал два углеродных огнетушителя.

Не оборачиваясь, женщина отступила назад, в холл, и встала рядом с Широ.

Охранник активировал огнетушители, и Широ понял, зачем в холле стояли эти ярко-красные баллончики.

Две плотные струи белого пара ударили в первые, самые агрессивные ряды толпы. Люди отпрянули назад, некоторые спотыкались, падали. Струи огнетушителей окончательно образумили разбушевавшуюся толпу. Двери закрылись, вновь отделив холл больницы от толпы «духовников» прозрачной стеной стеклопластика. Один из охранников, засунув дубинку за пояс, взял два огнетушителя и присоединился к своему напарнику. Они словно предупреждали тех, кто попытается разбить двери...

29

— ...Бокс № 2 открыт, туда направляется группа «духовников»...

Широ не знал, кому принадлежат эти слова, но прекрасно понял их смысл.

Вместе с несколькими спасателями, среди которых был и Мино, он рванулся в коридор и побежал по нему, не обращая внимания на удивленные и немного испуганные взгляды раненых. Пробегая мимо большого окна, мельком заметил нескольких «духовников», мчащихся вдоль стены больницы параллельным курсом, и почувствовал себя участником странной игры, правила и финал которой были никому не известны.

Они влетели во второй бокс.

Дверь была поднята, в нее один за другим вбегали люди. Несколько медиков, появившихся здесь чуть ранее, видимо, пытались закрыть дверь, но были оттеснены «духовниками». Трое из них стояли у пульта управления дверью явно для того, чтобы воспрепятствовать ее закрытию.

Впрочем, среди «духовников» произошла заминка. В боксе их было человек десять, и они стояли посреди него, не зная, что предпринять, ибо никто из них не мог ответить на вопрос, зачем они ворвались сюда. Вид сидящих вдоль стен раненых, которые непонимающе смотрели на бунтовщиков, поубавил их решимость. Ворвавшиеся бесцельно озирались по сторонам, и Широ понял, что заминка будет продолжаться до тех пор, пока сюда не прибежит кто-нибудь из «лидеров».

Поэтому нужно было как можно быстрее закрыть двери бокса.

Оглянувшись, Широ увидел на одной из стен два огнетушителя, но еще раньше возле них оказался Мино. Он сорвал огнетушители, бросил один оказавшемуся поблизости спасателю и кинулся к дверям.

«Духовников» уже было человек пятнадцать, но так как большинство из них пребывало в замешательстве, то добраться до пульта управления спасателям труда не составляло. Однако видя, что нападавшие теряют преимущество, один из «духовников», охранявших пульт, схватил первый попавшийся под руку предмет (а им оказалась небольшая пустая тележка для лекарств) и со всего размаху ударил по пульту. Посыпались искры, поднятые двери опустились немного и замерли, оставив вход в бокс открытым.

Еще несколько «духовников» вбежали внутрь помещения.

Расталкивая людей, Мино с огнетушителем в руках продирался к пульту, за ним следовали еще два спасателя. Широ не знал, как они собираются опустить дверь при разбитом пульте, возможно, где-то есть дублирующая система. Но пока двери были открыты, и в каждую следующую секунду в них могли ворваться «лидеры» вместе с парой десятков разъяренных и не знающих толком, чего они хотят, людей.

Необходимо было закрыть вход в бокс, не опуская дверь.

Взгляд Широ упал на самый большой предмет в боксе: увенчанную сигнальными огнями ярко-красную специальную медицинскую машину.

Он бросился к ней, расталкивая попадавшихся на пути «духовников».

Справа зашипел, выбрасывая плотные, похожие на пар, белые струи, огнетушитель Мино, и тройка «духовников» у пульта скрылась в белых клубах. Часть нападавших отшатнулась назад, другие уставились на огнетушитель, совсем не обращая внимания на Широ, который был уже в трех шагах от кабины СММ.

Путь ему преградил полный мужчина, явно разгадавший его намерения.

— Собираешься еще кого-то убить?! — успел спросить он, прежде чем Широ, не останавливаясь, налетел на преследователя и оттолкнул его в сторону.

Мужчина не удержался на ногах и упал, однако слова его юноша услышал, поэтому, усевшись на водительское место и закрыв дверь, он чуть помедлил.

«Убийца!.. Ты специально задавил человека!»

«Собираешься еще кого-то убить?!»

Фразы эти продолжали звучать в его голове, мешая думать и действовать.

Внезапно в зеркале заднего вида мелькнул силуэт еще одного вбежавшего в бокс «духовника».

Подняв глаза, Широ увидел женщину-полицейского. Она быстро и уверенно шла среди «духовников», а поймав взгляд юноши, указала ему на все еще открытую дверь.

Широ решительно завел двигатель и дал задний ход. Сверху донесся скрежет от соприкосновения слегка опущенной железной двери с сигнальными огнями. Юноша почти выехал из бокса, немного свернул в сторону и остановился.

Из-за угла больницы выбежала большая группа «духовников» во главе с мужчиной, который первым ударил Широ. Заметив СММ в дверях бокса, они припустились еще быстрее — видно, сообразили, в чем дело.

Широ медленно завел машину в бокс, поставив ее слегка наискосок и задев внешним зеркалом стену, но зато плотно закрыв автомобилем вход. Получилось, что кабина СММ была внутри помещения, а задняя ее часть — снаружи. В нее тут же забарабанили кулаки подбежавших «духовников», машина зашаталась, но людям не под силу было сдвинуть тяжелый автомобиль, к тому же стоящий на тормозе.

Пока Широ смотрел на финал потасовки, происходящей у пульта, буквально в двух шагах от него, правая дверца открылась и в машину кто-то сел. Широ испугался, что рано позволил себе расслабиться и к нему забрался какой-нибудь агрессивный «духовник», но, повернув голову, увидел женщину-полицейского.

— Молодчина! — сказала она. — Сюда рванула почти вся толпа от главного входа. Ты закрыл бокс у нее под носом...

— Вся толпа? Но ведь они разнесут машину!..

— Думаю, не успеют. Стекла здесь трескаются, но не осыпаются... Дверь скоро опустят. — Поймав вопросительный взгляд Широ, женщина добавила: — Вручную, без пульта.

— А-а!.. — Широ посмотрел на дубинку в ее руках. — Обращаться с нею учат в полиции?

— Да. Могу научить и тебя, тем более что задатки есть.

— Какие задатки?

— Ну, ты отменно врезал тому наглецу!

— А-а... — Широ смутился, ведь он никогда не думал, что будет гордиться тем, что кому-то «врезал». — Я и не хотел, он первый... — Широ потер горящую щеку.

— У него не удар. Так, шлепок... Ты случайно раньше не практиковался в рукопашном бою?

— Нет, я просто видел в Старом городе древние рисунки. Знаете, такие... с изображением драк.

— А ты часто бывал в Старом городе? — поинтересовалась женщина.

— Нет, просто один раз заблудился и пробродил по нему несколько часов...

— Да ты что?! — Во взгляде женщины мелькнуло уважение, смешанное с восхищением. — Я пару лет работала там, и один раз мы искали парня-«духовника», заблудившегося там. Ему было семнадцать, и он с ума чуть не сошел от страха. А тебе сколько было тогда?

— Четырнадцать вроде...

— Да ты что?!

Широ улыбнулся. Такого странного, но приятного разговора у него никогда раньше не было. Машина дрожала от ударов и толчков, он сидел, держа ногу на педали тормоза, краем глаза наблюдая за происходящим в боксе, и в то же время вел непринужденную беседу.

— Я впервые встретила такого «духовника»! — призналась женщина.

— Тогда давайте познакомимся! Широ.

— Алра, — улыбнувшись, представилась его собеседница.

Они пожали друг другу руки, как это делают при знакомстве «технари».

30

— А как вы оказались у главного входа?

Немного помрачнев, Алра сказала:

— Моего сына сразу доставили в операционную, а туда, как ты понимаешь, вход закрыт. В комнате для ожидающих я подошла к окну. Ты как раз выходил. Ну я и решила на всякий случай спуститься. Как видишь, не зря...

— Да, моя миссия провалилась. Может, мне не стоило выходить? Тогда не было бы всего этого...

— Рано или поздно это началось бы... — Алра сделала паузу, было видно, что она о чем-то хочет спросить юношу, но не решается. Наконец женщина сказала: — Я слышала, что тебе кричали у входа...

— Толстяк не прошел под днищем...

— Послушай...

— ...Я приволок его прямо в бокс.

— Послушай! — Она повернула лицо Широ к себе и сказала, глядя ему прямо в глаза: — Я перед тобой в вечном долгу! Если честно, я не надеялась увидеть СММ там, у автобуса, так скоро. И тем более не думала, что его приведешь ты. Ты намного сильнее любого «духовника», сильнее духом! Пусть тебя не мучает совесть за то, что ты сделал. Ты выполнял долг каждого порядочного человека: помогал пострадавшему, спасал... А тот толстяк нарушил закон, и не твоя вина, что он не пролез под днищем...

— Но...

— И никаких «но»! — твердо сказала женщина. — Я не хочу, чтобы тебя мучили кошмары! Ты нужен всем нам, и нужен здоровым, а не клиентом центра психологической реабилитации. И я хочу, чтобы ты стал другом моему сыну!

Широ почувствовал, что у него в горле застрял комок. Таких слов он никогда еще не слышал.

— Ты молодчина! — мягко произнесла женщина.

Широ сглотнул — и в этот момент машину потряс ужасный грохот, юноше показалось, что она даже подпрыгнула. Он попытался определить, что же произошло, но ответ нашла Алра:

— Они высвободили дверь!

Взглянув налево, юноша увидел, что Мино энергично машет ему рукой, как бы говоря: «Давай проезжай!»

Широ отпустил педаль тормоза и двинулся вперед. Когда СММ стала выезжать из-под упавшей ей на крышу двери, Широ и его спутницу оглушил скрежет металла.

Зашипели огнетушители, отгоняя рванувшихся в образовавшуюся щель «духовников».

Дверь срезала сигнальные огни на крыше СММ, соскользнула с нее, разбила фары на бампере и, сорвавшись с него, угодила прямо на свое место в полу.

К водительской дверце подскочил Мино и постучал, чтобы Широ опустил стекло.

— Прижмись к двери, чтобы ее не смогли поднять!

Дав задний ход, Широ задним бампером прижал СММ к поднимаемой двери и заглушил двигатель.

Проникшие в бокс «духовники» больше не буйствовали, видимо, осознав бесцельность своей агрессии, а возможно, просто лишившись «лидеров», которые остались за железной дверью и теперь неистово барабанили в нее, не желая смириться со своим поражением.

В углу бокса Широ заметил Арше. Тот стоял, ссутулившись и прижавшись к стене, будто не хотел, чтобы его заметили. У Широ зародились смутные подозрения.

— Минутку, — сказал он и, выйдя из СММ, направился в угол бокса.

Арше, взрослый солидный мужчина, был подобен провинившемуся мальчугану. По тому, как он замялся на месте и опустил глаза, Широ понял, что его подозрения не напрасны.

— Кто поднял дверь? — спросил он, еще не дойдя до Арше.

Тот бросил на него короткий взгляд и вновь опустил глаза.

— Почему?!

— Я запутался!.. — устало проговорил Арше. — Это просто шок... Когда его извлекли из-под машины... Мертвого! А потом я узнал, что «технари» удалили из больницы раненых...

— Легкораненых! Царапины и синяки — это не раны!

— Да-да, я понимаю, но тогда я был в шоке. Этот убитый... Этот грохот, стук в дверь. Я подумал: «технари» бросают нас. Сам не знаю зачем, но поднял дверь... А они ворвались! Такие обозленные... Никогда не думал, что человек может быть таким! Они, правда, быстро пришли в себя, но появлялись новые... Я запутался!

— Вам нужно успокоиться. — Широ почувствовал жалость к этому человеку. Он мужественно держался, старался действовать, оказать помощь, но эмоциональное напряжение оказалось выше его сил. — У вас просто шок.

— Да, шок...

— Присядьте! — сказал пожилой мужчина с перевязанной рукой, со множеством мелких порезов на лице, подвигаясь к краю широкого кресла. — Не знаю, откуда это кресло сюда принесли, но его занимал явно большой человек. Садитесь, садитесь, мы легко здесь поместимся.

Арше тяжело опустился в кресло, а мужчина, поманив к себе Широ, еле слышным шепотом спросил:

— А правда, здесь кого-то убили? Кого-то задавило машиной?

— Правда...

— Какой ужас! Какая катастрофа!.. А вы не знаете ее масштабов?

— Они велики, — ответил тот, не решившись сказать правду и ввергнуть в состояние шока еще одного человека.

Широ отошел от продолживших разговор мужчин, с каждым шагом чувствуя, как на него наваливается усталость. Начали болеть обожженные ладони, заныла придавленная в руинах спорткомплекса нога. Казалось, что с момента катастрофы минуло несколько трудных дней и бессонных ночей, хотя на самом деле прошло менее двенадцати часов... Несколько длинных-длинных часов.

— Пойдем, — остановила его Алра, — я узнаю, что в операционной, а ты отдохнешь, найду тебе место.

В железную дверь перестали стучать, и вскоре снаружи донесся вой полицейских сирен.

А когда они шли по коридору, на стекла окон упали первые крупные капли дождя.

— Теперь дожди будут идти без расписания, — заметила женщина, — макроклиматического контроля уже не существует... Как и многого другого.

«Да, теперь все будет по-другому!» — то ли сказал, то ли просто подумал Широ, еле переставляя ноги от усталости...

31

Чтобы не привлекать особого внимания к своей персоне, Уссва перешел с бега на быстрый шаг. И так многие горожане в богатых купеческих кварталах провожали удивленными взглядами странного полуобнаженного мужчину с арбалетом за спиной, бегущего по улицам в сопровождении громадного черного пса.

По мере приближения Уссвы к ремесленным кварталам картина разрушений, причиненных стихией, становилась все более впечатляющей. Даже каменные дома и мастерские богатых ремесленников не выдержали ее удара. У некоторых провалилась крыша, а по стенам разошлась паутина трещин, у некоторых — обрушились две стены, а две оставшиеся скорбно возвышались над завалом. Часть домов вообще превратилась в огромные кучи камней и осколков черепицы.

В одном из переулков Уссва нашел старую, потрепанную накидку, которую тут же набросил на плечи, прикрыв арбалет за спиной. Теперь он по-

ходил на бродягу или разорившегося ремесленни-
ка и ничем не выделялся в толпе людей.

Черные дрожащие колонны дыма над ремес-
ленными кварталами были видны издалека. Неудивительно, ведь дома и лагучи бедняков там
были исключительно деревянными.

Эти кварталы лежали в низине, вокруг озера
серповидной формы, и с возвышенности, где кон-
чались богатые районы, были видны большие
очаги пожаров, разрушенные до основания дома
и множество суетящихся на улицах людей.

— Да... — услышал Уссва хриплый старческий
голос и заметил сидящего на скамье под накренившимся деревом седобородого старика, который, подслеповато жмурясь, смотрел на открывшийся сверху вид. — Да... Для многих это конец.
Нет ни одного уцелевшего дома. Огненный зверь
скоро пожрет все руины. Что будет со всеми этими
людьми?..

Уссва согласно покачал головой. Многих из
них ждет голодная смерть, многих — нищенское
существование, а кого-то — разбойничья тропа...

— А что там, в городе? — спросил старик. —
Разрушен ли замок барона, дома знати?..

— В замке рухнули башни да пара балконов, а
дома знати в большинстве своем целы, некоторые,
правда, горят, но большинство...

— Так всегда! — горько вздохнул старик. —
Всегда страдает простой люд! Я подумал было, что
это волна мщения идет к замку барона, чтобы раз-
рушить его до основания, что не тронет она бедные
кварталы, пройдет под ними... А вышло наоборот!

— Что это за волна мщения?! — удивился Уссва.

— Большая, гигантская волна шла по суше. Земля поднималась и опускалась, будто поверхность воды... Ты, наверное, не видел, раз спрашиваешь?

— Не видел...

— Демоны послали ее, только непонятно для чего!

Старик замолчал, все так же глядя на картину страшных разрушений, на закрывший небеса дым, на яркие пятна пожарищ.

Уссва хотел было двинуться дальше, но, сделав пару шагов, остановился и спросил:

— А слышал ли ты что-нибудь о «черных балахонах»?

— Слышал, но только то же, что и все.

...Уссва шел по краю низины, особо не углубляясь в разрушенные кварталы. Сердце его сжималось при виде людского горя, но он ничем не мог помочь людям. Однако увидев, как какой-то оборванец отнял у женщины узел с последним скарбом и бросился наутек, не выдержал и дал команду Варру. Тот без труда настиг грабителя, повалил его на землю и прокусил руку, сжимавшую узелок. Оборванец заорал от боли и выпустил добычу, а пес, подхватив ее, принес узел прямо к ногам еще не успевшей опомниться женщины.

...Вскоре Уссва вынужден был обойти очаг пожарища, охватившего сразу десяток домов. Нестерпимо жаркий ветер гулял по прилегающим улицам, от него слезились глаза, горели щеки, перехватывало дыхание. Озаряемый оранжевым светом пламени полумрак опустился на землю, так как густые облака черного дыма не пропускали света. Не было слышно ничего, кроме яростного гудения огня да потрескивания горящего дерева. Люди уже не старались затушить пожары и даже оставили попытки воспрепятствовать их продвижению. К вечеру, если не раньше, пламя охватит всю низину, а старик под накренившимся деревом все так же будет ждать, что пламя перекинется на кварталы купцов и доберется до замка ненавистного барона. Но вряд ли его надежды сбудутся! Даже если и запылают дома знати, то до замка огонь не дойдет, и он по-прежнему будет возвышаться над пепелищами Риксти.

Большинство людей, захватив свои немногочисленные пожитки, со скорбно опущенными головами шли прочь из города, понимая, что в нем им делать нечего.

Уссва и Варр шли вместе с ними. Никто не обращал на них внимания. Охотник давно уже понял, что оторвался от преследователей и погоня ему теперь не грозит. Он решил покинуть владения Тикама Рикстийского и уже потом решить, что делать дальше.

Он шел быстрее остальных беженцев и вскоре обогнал даже их первые группы.

Повсюду были видны следы бедствия, этой — как сказал старик — волны. Старые деревья лежали на земле, и даже молодые деревья накренились, будто под действием урагана. Похоже, кроме разрушительной волны, был еще и ураган. Плотная глина дороги была покрыта сетью трещин.

Уссва еще издалека заметил, что деревянный мост через реку разрушен, лишь пара опор торчала над водой, и поэтому заранее свернул, чтобы перейти реку вброд.

Во многих местах поднимались в небеса черные облака дыма. А когда стало темнеть, зарево пожаров от края до края окрасило горизонт в красноватые тона, и чем больше темнело, тем ярче становилось небо.

— Будто горит весь мир! — произнес Уссва, и Варр тихонько заскулил, соглашаясь с ним...

32

...Они стояли на вершине пологого кургана, на кирпичах, некогда составлявших стены старинного дома. Молчали. Смотрели. И отказывались верить своим глазам. Такое им не снилось даже в самых страшных снах.

Отсюда был виден практически весь левобережный Киев.

Вернее то, что от него осталось...

Слева возвышались утратившие прежнюю стройность жилые массивы Троещины. Домов было намного меньше, чем тридцать—сорок минут назад, когда они обозревали город со смотровой площадки. Часть их накренилась, и Троещина представляла собой какое-то ирреальное, жутковато-беспорядочное нагромождение бетонных коробок, над которыми поднимались черные столбы дыма.

Метромост был запружен людьми и автомобилями. В самом его центре, в ограждении, зияла большая дыра, а под ней, на воде, расходились огромные маслянистые пятна. На рельсах замерли кажущиеся издалека игрушечными синие вагончики метро, выбравшиеся из них пассажиры шли по путям или просто стояли, не зная, что делать. На проезжей части в беспорядке стояли автомобили, некоторые — уткнувшись друг в друга бамперами.

Прямо напротив смотровой площадки, где находился Гидропарк, не было никаких разрушений — там просто нечему было рушиться. Лишь попадали в воду старые деревья, а молоденькие деревца пригнули свои кроны под давлением пронесшегося урагана.

А за Гидропарком, на левом берегу, клубился дым. Там находился еще один жилой массив — Русановка. Справа были видны некоторые его кварталы: нагромождение накренившихся, обвалившихся и все же выстоявших зданий. Лишившийся большинства стекол отель «Славутич» по-прежнему стоял криво и, казалось, вот-вот при первом же дуновении ветра должен был упасть.

Дальше шли жилые массивы... Березняки, Дарница, Осокорки, Позняки, Харьковский район... Накренившиеся стрелки башенных кранов в новостройках, руины, остатки зданий, целые дома, огонь, дым...

От всего этого у Андрея перехватило дыхание.

Этого просто не могло быть!

Эта разрушительная «волна» — всего лишь сон!

Но он не мог ущипнуть себя — болели ссадины и ушибы, подтверждая, что этот кошмар — не сон!..

Но это было не все! На правом берегу он увидел еще более жуткую картину.

Здесь отсутствовал ставший привычной частью ландшафта монумент Родины-матери. Андрею был виден развороченный холм, где еще совсем недавно стоял монумент, да часть щита, что лежала прямо на мосте Патона, подмяв под себя проезжавшие там автомобили. Андрею не надо было быть свидетелем падения монумента, картина происшедшего сама по себе возникла у него в голове.

«Родина-мать» медленно кренится в сторону Днепра. Движущиеся по мосту в сторону правого берега водители с ужасом жмут на тормоза, машины сталкиваются друг с другом. Люди у моста в испуге поднимают головы. Кто-то кричит, кто-то бежит, кто-то парализован ужасом.

Монумент падает, земля вздрагивает, как спички ломаются деревья, автомобили превращаются в лепешку... Щит, похоже, падает прямо на мост Патона (этот звук Андрей слышал, лежа на асфальте смотровой площадки), мост вздрагивает, деформируется, рушится... Меч падает в воду, брызги летят на десятки, сотни метров (этот звук Андрей тоже слышал). Сама скульптура, может быть, раскалывается, а может, целиком тяжело катится по склону. Гигантский щит вспахивает асфальтное покрытие моста, гнет, как соломку, трамвайные рельсы, скрежещет по железным конструкциям (и это слышал Андрей), пока наконец не останавливается; перед ним тотчас образуется большущая куча покореженных автомобилей, они врезаются в монумент, друг в друга, в ограждение...

На все это и смотрел сейчас Андрей, и прежде всего на маленькие беспомощные фигурки выживших людей. В горле у него пересохло, сердце гулко стучало в груди, а по телу растекался неприятный холодок ужаса.

И снова та же картина.

Подкошенный «волной» стометровый тысяче-тонный монумент кренится к Днепру. Слышен визг шин, глухие удары сталкивающихся автомобилей, крики ужаса... А монумент падает: глухой, бездушный, невидящий — он не ведает, что сейчас произойдет. Визг шин, удары, крики — все вмиг обрывается, тонет в жутком грохоте.

Щит падает на мост, на сгрудившиеся автомобили. Меч — в воду, возможно, задев расположенную у моста заправку. Гигантское туловище — на площадь Отечественной войны...

Земля в ужасе вздрагивает, водяные брызги скорбным фейерверком летят на сотни метров...

Земля стонет, когда монумент тяжело скатывается по склону, оставляя за собой рваную колею и спрессованные деревья. Щит вспахивает асфальт дрожащего моста, гнет рельсы, ломает и сбрасывает в воду ограждения, вслед за ними летят автомобили. Перед щитом — большая куча покореженного металла. Она растет, скрежещет, меняет форму, и наконец движение прекращается.

Монумент замирает...

Андрей не мог оторвать взгляда от покореженных машин перед щитом, от миниатюрных фигурок людей на мосту...

И вновь все та же картина...

Падающий монумент Родины-матери...

Андрей встряхнул головой и глубоко, шумно вздохнул, словно человек, вынырнувший из воды. Только он вынырнул из плена ужасных видений.

Вынырнул — и оказался в еще более ужасной реальности.

...Ребята переглянулись, прочли на лицах друг друга ужас, растерянность, потрясение от того, что они видят.

— Тот, ненормальный... в парке, — сказал Владимир негромко, почти шепотом, — неужели он прав... насчет... Конца Света?!

Андрей уставился на маленький уцелевший кусочек смотровой площадки, что был присыпан принесенными ураганом листьями и ветками. На потрескавшемся асфальте лежало здоровенное бревно с острыми сучьями. «Еще немного, — подумал Андрей, — и оно свалилось бы на меня, когда я там лежал!»

Металлические перила площадки были погнуты и искорежены в том месте, где она обрывалась. К склонам завала по-прежнему тянулись языки пламени, что вырывались из окон расположенного внизу здания.

— Не верил я ни в Бога... ни в Конец Света, — произнес Владимир.

— Чепуха! — сказал Андрей. — У Конца Света не тот сценарий!

— Думаешь, это землетрясение? — спросила Валя. — А как же эта... «волна»?!

— Давайте не будем пока думать об этом! — предложил Андрей, сам несколько удивившись своей рассудительности. — Есть более важные вещи...

— Да-да, — согласно закивал Владимир. — И главный вопрос: как нам добраться туда? — И он указал в сторону левого берега, в сторону Дарницы, где все они жили.

Ребята посмотрели туда — и тут же отвели глаза в сторону. Слишком тяжело было смотреть на руины

и дым, слишком страшные мысли лезли в голову.
Отсюда можно было разглядеть Валин дом, но она
боялась не увидеть его, и не по причине плохой видимости, а потому, что его больше не существовало.
Лучше уж обманывать себя надеждой...

Каждый в этот момент подумал о своих близких...

— Так, надо уходить отсюда! — резко произнес
Андрей, разворачиваясь и увлекая за собой друзей.

Те поняли его. Еще немного — и их дух был
бы сломлен окончательно.

Ребята быстро, чуть ли не падая, поддерживая
друг друга, спустились с кургана, оставив за спиной руины лавры.

— Не отступать и не сдаваться! — сказал вдруг
Владимир. Переглянувшись, ребята хоть и через
силу, но улыбнулись, впервые, может быть, почувствовав, как важно плечо друга в трудную минуту.

— Один за всех... — произнес Андрей.

— И все за одного!!! — хором закончили Владимир и Валя.

Монахи и старушки, все так же стоящие у входа
в один из корпусов лавры, с изумлением посмотрели на них, на их улыбающиеся, испачканные
лица, на огонь в глазах.

— Это не Конец Света! — сказал Андрей, проходя мимо этих людей, на лицах которых застыло
выражение бессилия и покорности судьбе.

...Друзья не пали духом, когда увидели, что главный вход лавры завален. Они обошли руины колокольни и оказались на улочке, что вела к выходу,
через который они попали на территорию лавры.

Выход был свободен.

За ним на небольшом пространстве между заборами каких-то хозяйственных организаций (такими крепкими, что они выдержали удар стихии) стояло несколько машин. У открытой водительской дверцы одной из них склонились двое мужчин. Подойдя ближе, ребята увидели, что они пытаются настроить радио.

— Что передают? — спросил Владимир.

Мужчины оглянулись, несколько секунд молча смотрели на них, а потом один из них сказал:

— Киев молчит, Москва молчит, Би-би-си молчит, «Голос Америки» замолчал минут десять назад... Все молчат!

Другой распрямился и натянуто улыбнулся:

— Похоже на Конец Света, а?..

Часть вторая

ЗЕМЛЯ НА КОЛЕНЯХ

33

Аллея, что вела к больнице, была буквально запружена людьми, которые медленно шли, еле переставляя ноги и опустив головы. Многие были ранены, одежда их пропиталась кровью. Кровь капала и на асфальт, вся дорога была помечена багровыми пятнами.

Над аллеей, не пропуская солнечных лучей, вились облака дыма, отчего кругом царил тревожный полумрак. Деревья хищно склонили вниз свои ветви-щупальца, словно хотели схватить идущих людей.

Те шли медленно, очень медленно, и Широ нетерпеливо ерзал на водительском месте, не зная, что предпринять. Он заглянул назад, в салон автомобиля, где лежал тяжелораненый юноша. Он встретился с ним взглядом, прочитал на его лице боль и страдание, не выдержал и отвел глаза в сторону.

И тут же увидел обращенное к нему лицо женщины.

— В твоих руках его жизнь! — тихо, почти шепотом, произнесла Алра, но голос ее разнесся по автомобилю, словно крик.

Крик матери, полный мольбы, отчаяния и надежды. Эхо этого крика-шепота долго еще звучало в ушах Широ.

Через лобовое стекло ему были видны спины медленно бредущих людей.

— Ну что же вы, быстрее! — сказал он, будто те могли его услышать.

Сзади тревожно запищал какой-то прибор, и, даже не оборачиваясь, Широ понял, что состояние юноши ухудшается.

А ведь до больницы осталось совсем немного! Вот она, видна за деревьями...

Широ включил дальний свет, сигнальные огни, сирену и прибавил газу. Разгоняя полумрак ослепительным светом фар, красными и синими вспышками мигалок, разрывая тишину надрывным воем сирены, машина стала продвигаться по аллее.

Люди оборачивались на этот вой, щурились от света фар. Некоторые тут же шарахались в сторону, уступая машине дорогу; другие делали это нехотя, отходя в последний момент, чуть не касаясь бампера автомобиля.

Расстояние между СММ и больницей стало постепенно сокращаться. Но это происходило слишком медленно. Широ спиной чувствовал боль юноши и нараставшую тревогу его матери. А впереди, в свете фар, он видел бледные лица шедших вдоль дороги людей.

Но один из мужчин явно не реагировал ни на мигалку, ни на надрывавшуюся сирену. Он упрямо шел по середине дороги, и Широ вынужден был притормозить буквально в метре от него. До конца аллеи оставалось не больше десяти метров, и теперь она была совершенно пуста. Только этот вот мужчина...

— Может, он глухой? — предположил сидящий в кабине Арше.

— И слепой?! — недовольно спросил Широ, помигав дальним светом и вновь не увидев никакой реакции.

Юноша почувствовал, как в нем закипает злоба. Ощущение, которого он никогда раньше не испытывал. Глаза Широ сузились, губы сжались в одну линию, руки крепче сжали штурвал, на педали газа напряглась нога. Он уперся взглядом в спину мужчины...

Посмотрев на водителя, шедший слева человек в ужасе отшатнулся от машины. Широ заметил это и улыбнулся: «Вспомните, вы вспомните, что такое насилие!»

Он хотел было надавить на педаль газа, рвануться вперед, но тут женщина сказала:

— Объезжай его по обочине!

Широ удивился, что не додумался до этого сам, и, крутанув штурвал, объехал мужчину.

Посмотрев на наглеца сбоку, узнал в нем своего отца.

Холодный пот прошиб Широ, неприятная слабость растеклась по телу. Он только что чуть не задавил своего отца!!! Что делает с человеком злоба!..

Но этот эпизод быстро вылетел из его головы, когда управляемая им СММ выехала из аллеи и оказалась почти у самой больницы, до которой оставалось уже метров двадцать — двадцать пять.

Вот только этот короткий участок дороги был забит людьми. Они стояли даже на траве, спиной к больнице, и смотрели на приближающуюся машину. Свет ее фар и мигание огней, казалось, не слепили их, не вызывал никакой реакции и вой сирены.

В их глазах Широ прочел решимость не пропустить машину к больнице, но по-прежнему продолжал движение, надвигаясь на толпу. Люди только теснее прижались друг к другу.

— Что же вы?! — закричал Арше, опустив стекло. — Здесь же раненый!..

Люди молчали, упрямо уставившись на надвигающуюся машину. До них осталось два метра, полтора, метр, полметра...

Широ надавил на тормоз. Повернулся назад. Женщина держала своего сына за руку, он, похоже, был без сознания. Посмотрев вперед, над головами людей увидел, как поднимаются двери с надписью «Бокс № 2». За ними стояла бригада медиков, готовая принять тяжелораненого, спасти ему жизнь.

Но пока его жизнь была в руках Широ.

Несколько человек уперлись руками в капот машины и попытались сдвинуть ее с места. Если бы Широ отпустил педаль тормоза, им бы это удалось. Но люди не сдавались, машина закачалась от их толчков. Какая-то девушка ударила ладонью по лобовому стеклу. Какой-то толстяк забарабанил кулаками по капоту.

И от каждого его удара, от каждого нового толчка внутри Широ закипала неведомая ему прежде злость и распространяла по телу свои волны. Эти волны становились все больше и больше, пока не превратились в настоящее цунами и не разбили преграды, которые выставило на их пути сознание.

Широ убрал ногу с педали тормоза. Под напором десяти человек машина медленно покатилась назад. Люди толкали ее, что-то крича. Больше всех надрывался толстяк, лицо его уже покраснело от напряжения.

Позволив оттолкнуть себя метров на двадцать, Широ надавил на тормоз. Люди стукнулись лбами о капот машины. Толстяк поднял голову и что-то гневно заорал.

— Он пролезет под днищем? — спросил Широ и вдавил педаль газа в пол.

Лицо толстяка исказилось от ужаса, и он исчез где-то под капотом.

Отлетели в сторону несколько опрокинутых машиной человек. Передние, а потом и задние колеса СММ подпрыгнули, переезжая чье-то тело. В зеркале заднего вида Широ увидел, что толстяк все же не пролез под днищем. Злорадно улыбаясь и вдавливая в пол педаль газа, Широ понесся прямо на толпу.

Та дрогнула, люди в ужасе заметались, но их было слишком много, чтобы быстро убраться с дороги.

Набирая скорость, машина влетела в немного поредевшую толпу. Через полуоткрытое окно ворвались крики и звуки глухих ударов, когда она бампером сбивала не успевших увернуться людей. Пару раз подпрыгнула, переезжая через попавших под колеса.

Арше в шоке замер, Широ упрямо давил на газ.

Люди больше не возникали на пути машины, они отпрыгивали в стороны, валя друг друга с ног, но все же успевая убраться с дороги.

СММ влетела в бокс и, визжа шинами, затормозила.

Широ подождал, пока медики выгрузят раненого, и только после этого медленно выбрался из кабины. Руки его не дрожали, сердце билось почти ровно. Юноша чувствовал себя победителем, а вид потерявшей стройность толпы, через которую он прорвался, только увеличил это чувство.

Он обошел автомобиль, рассматривая вмятины от ударов на бампере, и пятна крови на борту не вызывали в нем ужаса.

Широ заглянул под машину и увидел тело толстяка. Тот слабо пошевелил окровавленной рукой, тихий стон сорвался с его губ.

— Странно, — пробормотал Широ, поднимаясь с корточек. — Жив...

Он вновь сел в кабину и завел двигатель.

— Что ты собираешься делать? — с ужасом спросил Арше.

— Освободить бокс...

— Но ведь под нами человек?!

— «Духовник»! — брезгливо бросил Широ, включил задний ход и ударил по педали газа...

Мир вдруг зашатался, расплылся. Его заполнил тихий женский голос:

— Широ, проснись...

А машина мчалась назад, в толпу, а под ней кричал толстяк...

— Широ...

— Нет! — в ужасе кричал Арше, а толстяк уже не мог кричать...

— ...Тебе снится плохой сон, проснись!

Чья-то рука тронула его за плечо, и Широ окончательно проснулся.

34

...Сердце его гулко стучало, во рту пересохло, лоб покрылся испариной. А перед глазами все еще стояли картины из сна: окровавленная рука толстяка, следы от ударов на бампере, разбегающаяся толпа в ярких лучах фар...

Но страшнее всего было не это!

— Успокойся, ты уже проснулся, — услышал Широ мягкий женский голос, а затем почувствовал руку на своем плече.

Было темно, он с трудом разглядел силуэт сидящей рядом Алры, увидел более светлый прямоугольник окна, капли на стекле и полосы дождя за ним. Он вспомнил, что находится в комнате для ожидающих, возле операционной. Широ с трудом дошел до этой комнаты и тут же уснул на небольшом диване. Проспал, видимо, долго, раз уже стемнело.

— Приснится же такое! — сказал он слегка охрипшим голосом, но Алра приложила к его губам палец:

— Тс-с! Здесь отдыхают медики.

Широ вытер лоб, почмокал сухими губами и сел на диване:

— Пить!

Давая ему возможность подняться, Алра встала, и они вдвоем, на цыпочках, покинули комнату.

В коридоре горел мягкий больничный свет, царила тишина, которую не нарушал даже шум дождя.

Вдоль стен стояли четыре кровати с тяжелоранеными, рядом сидела медсестра и читала какую-то книгу.

Проходя мимо двери с надписью «Операционная-3», Широ шепотом спросил:

— Как ваш сын?

— Будет жить! — улыбнулась женщина, и в улыбке ее Широ прочитал и радость, и облегчение, и еще не погасшую тревогу. — Мальчика ждет еще несколько операций, но жизнь его уже вне опасности... И во многом благодаря тебе!

Широ понял, почему Алра снова говорит об этом.

Чтобы избавить его от чувства вины. Дать понять, что тот несчастный случай, то непреднамеренное (непреднамеренное ли?!) убийство произошло во имя спасения человека. Чтобы избавить его от ночных кошмаров.

Они подошли к автомату, и Широ жадно приник к стакану с холодной минеральной водой.

— Пойдем, расскажешь, — все так же шепотом сказала Алра, направляясь к лестнице.

— О чем?

— О сне...

Они встали на площадке между пролетами, где не было раненых и где можно было говорить чуть громче, не боясь никого разбудить.

По стеклу, оставляя извилистые следы, ползли капли воды, отчего пейзаж за окном искривлялся и дрожал. Одинокий фонарь освещал пустую заасфальтированную площадку перед больницей, мокрую траву и темную шеренгу деревьев. Окно выходило в сторону главного входа, хотя самого его отсюда видно не было.

— А где «духовники»? — спросил Широ.

— Часть в холле, часть в гараже, самые агрессивные там, в лесу. Полиция не пустила их в больницу. Думаю, дождь уже остудил их.

Широ приоткрыл окно и подставил разгоряченное лицо холодным каплям. Закрыв глаза, он наслаждался свежим воздухом и успокаивающим шепотом дождя.

— Расскажи мне сон, — мягко сказала Алра, — не прячь свои страхи в себе. Вот увидишь, станет легче.

Будто собираясь глубоко нырнуть, Широ набрал полные легкие воздуха и начал. Он боялся, что, рассказывая, заново переживет страшные для него события. И разбудит свои тогдашние эмоции.

Но вспоминая о запруженной ранеными аллее, о своих попытках прорваться сквозь их ряды, о том, как чуть не задавил собственного отца, как бросил автомобиль прямо в толпу, Широ отнюдь не возвратился в свой кошмарный сон: он говорил так, будто пересказывал какую-то историю.

Однако, рассказывая о том, как он, протаранив толпу, въехал в бокс и вышел из кабины, Широ почувствовал пробежавший по спине неприятный холодок. Он скомкал концовку своего рассказа, но женщина со свойственной ей проницательностью заметила:

— Чего ты не договорил?

Прежде чем ответить, Широ еще раз глубоко вздохнул:

— Во сне, протаранив толпу и задавив толстяка, я не испытывал шока, не почувствовал страха. Наоборот... почувствовал... удовлетворение. Почувствовал себя победителем. Потом заглянул под машину, увидел, что толстяк еще жив... Сел обратно... И дал задний ход! Чтобы убить, добить его!..

— Это всего лишь сон...

— Но сон — это работа мозга! А во сне я был убийцей, которому нравилось убивать!!! Я прекрасно помню те эмоции, ту злобу... то... хладнокровие, с которым я давил людей...

— Не ты...

— Нет, я, ведь это мой сон, работа моего мозга!!!

— Это бессознательная работа! В реальности, задавив толстяка, ты не испытывал удовлетворения. Нет, только шок, страх... Поэтому тебя и мучают кошмары.

— Но эти эмоции! Откуда они у меня?

— Первобытные инстинкты, скрытые в подсознании. А сны всегда подсознательны.

— А что вы испытывали там, у главного входа, когда... началась стычка? — неожиданно спросил Широ, но вопрос этот не застал Алру врасплох.

— Я выполняла свой долг. Это часть моей работы, — она усмехнулась, — применять, если необходимо, силу, попросту — бить людей. Я понимаю тебя. Ты хочешь знать, что я, что другие полицейские чувствуют при этом. Я как-нибудь расскажу тебе о своей работе, чуть позже, когда ты успокоишься, переосмыслишь все. Тебе нужно выйти за рамки философии «духовников», их мировоззрения...

— Стать «технарем»?

— Нет, просто узнать мир во всех его обличьях.

Широ согласно кивнул. День катастрофы открыл для него много новых страниц в книге под названием «жизнь», показал, что она во многом отлична от той, к которой он привык. И для многих «духовников» это само по себе стало катастрофой.

Так что ему было чем гордиться. Он оказался сильнее духом многих из них, даже своего отца...

В отражении на стекле Широ увидел какой-то свет. Женщина тоже посмотрела в окно и удивленно подняла брови.

Они распахнули створки окна и высунулись наружу, чтобы лучше видеть разлившееся над лесом сияние...

35

В эту ночь Уссва долго не мог заснуть. Когда уже совсем стемнело, он наткнулся на большой стог сена. О лучшем месте для ночлега можно было и не мечтать. Закинув наверх Варра, он забрался туда сам и распластался на мягком благоухающем ложе. Закрыл глаза, думая, что сразу же окажется в объятиях сна.

Но сон все не шел.

Уссва резко сел — Варр при этом беспокойно поднял голову и навострил уши, думая, что хозяин заметил какую-то опасность, — и уставился на горизонт.

Края черного неба были окрашены заревом пожарищ. Это страшное зарево приковывало к себе взгляд, невозможно было отвести глаз от красной колышущейся полосы, что протянулась вдоль всего горизонта и поднималась на разную высоту, иногда заполняя половину небосклона. А ветер по-прежнему приносил запах дыма.

Чтобы не чувствовать его, Уссва уткнулся лицом в душистое сено. К нему прижался Варр — видимо, ему передалось беспокойство хозяина.

...С первыми лучами солнца они двинулись в путь. На север, в земли вольных киннерийских племен.

После часа ходьбы Уссва увидел пасущееся на лугу без присмотра стадо лошадей. Выбрав крупного гнедого жеребца, охотник отвел его в сторону и, убедившись, что он подкован и не ранен, запрыгнул ему на спину и продолжил путь уже верхом.

Мимо проплывали боссийские степи с большими темно-зелеными островами лесов. Разрушений здесь практически не было, лишь изредка попадались поваленные деревья, не выдержавшие удара стихии разве что из-за старости.

Уссва ехал по торговому пути, однако за полдня ему встретился только один купеческий караван, в конце которого, понуро опустив головы, шла группа беженцев.

И конечно же, о вчерашнем бедствии напоминали разрушенные деревни. Он объезжал их стороной, так как не хотел нарываться на мелкие неприятности в виде встреч с отрядом гвардейцев или просто с озлобленными местными жителями, которые сейчас в каждом одиноком путнике видели разведчика разбойничьей банды, тем более что Уссва в своих порванных штанах и старой, потрепанной накидке явно походил на него. Да и потребности заезжать в деревни не было: кормила и поила их с Варром сама природа.

Вскоре впереди показались руины заставы, что стояла на границе владений барона Тикама Рикстийского. Уссва еще раз подивился тому, что земля, с ее лугами, лесами, озерами, зверьем и птицей, может принадлежать одному человеку. И почему, чтобы поселиться на ней, нужно испрашивать у барона разрешения да еще платить за это? Неужели барону мало своего замка и целого города? Все равно он выезжает в свои владения только для охоты и никогда не бывает в их отдаленных уголках. Но людей, оказавшихся на его территории без разрешения на то самого барона, беспощадно наказывает. С этого и начался несколько дней назад их конфликт.

И Уссва был уверен, что он еще не исчерпан.

Объехав стороной развалины заставы, Уссва покинул владения Тикама, правда, тут же оказался во владениях другого барона. Еще несколько дней ему предстояло ехать вот так — попадая из одних владений в другие, — прежде чем он окажется на просторах вольной Киннерии.

...Ближе к вечеру Уссва проезжал мимо деревушки, где, похоже, побывали разбойники. Пылали соломенные крыши уцелевших после вчерашнего домов, на улицах лежали убитые, а возле раненых мужчин суетились женщины. Видимо, жители этой деревушки оказали разбойникам сопротивление, и в отместку те подожгли дома.

Да, сейчас в Боссии появится множество самых различных банд, которые долго еще будут терроризировать деревни и даже города. Кое-кто из баронов возьмет наиболее крепкие банды под свое крыло и будет тайком натравливать их на владения соседей, обезопасив таким образом свои земли, да еще и пополняя казну. А если в тайне это сохранить не удастся, начнется открытая вражда между баронами. Они станут объединяться для захвата соседних владений, драться между собой за добычу — и вскоре вся Боссия окажется объятой пламенем войны. А потом еще воинственные восточные племена, улучив момент, вторгнутся в эти земли, и обессиленные бароны вряд ли смогут оказать им серьезное сопротивление, тем более что наемники, естественно, перейдут на сторону своих собратьев.

Наступят смутные времена, лихолетье, которого Боссия еще не знала.

Уссва даже покачал головой, представив, в какую пропасть может упасть эта страна. Ему обязательно нужно посетить совет старейшин киннерийских племен, чтобы поделиться своими соображениями, предупредить о возможной угрозе.

...Опускавшееся в туманной (или вызванной пожарами?) дымке солнце слабо пригревало землю. Конь устало трусил по вьющейся между рощами тропинке. Рядом, высунув розовый язык, бежал Варр.

Вдалеке, на вершине невысокого холма, Уссва увидел силуэты двух всадников. На таком расстоянии невозможно было рассмотреть их подробно, но охотник предположил, что это разведчики какой-нибудь банды, возможно, даже той, что сожгла деревушку.

Ему самому встреча с бандой не грозила, вряд ли ее заинтересует одинокий путник. Хотя разведчики могли позариться на его лошадь...

Всадники исчезли за холмом, а Уссва продолжил свой путь, стараясь избегать открытых мест на тот случай, если за ним следят.

...Когда над горизонтом оставался уже краешек солнца, Уссва нашел хорошее место для ночлега — густую рощу на склоне пологого холма, через которую, журча, бежал ручей. У подножия холма расположилась маленькая деревушка из шести домиков, пять из которых уцелели. Во дворах деловито прохаживались куры, слышалось хрюканье поросят и блеянье коз, однако людей почему-то видно не было. Уссва минут пять наблюдал за деревушкой и уже решил было, что жители покинули ее, когда в одном из домов мигнул свет. Видимо, люди так устали после тяжелого дня, что уже не выходили во двор или таким образом хотели обмануть разбойников, заставив их поверить, что деревня пуста. Но тогда нужно было попрятать всю живность!

Уссва пожал плечами и, поужинав остатками подстреленного вчера зайца, стреножил коня и последний раз взглянул на деревню.

Уже совсем стемнело, и в окне одного из домов по-прежнему была видна узкая полоска ровного света. Он проникал наружу через узкую щель в ставнях. Уссву показались странными и этот свет, и сами жители деревушки, но он слишком устал, чтобы задумываться об этом.

Охотник лег на траву, положил рядом заряженный арбалет и, потрепав улегшегося возле него
пса, сразу же окунулся в сон.

...Проснулся Уссва оттого, что чей-то холодный
мокрый нос ткнулся ему в лицо. Он ничего толком
не увидел в кромешной тьме, лишь сверкнувшие
глаза Варра, чья морда находилась у самого его лица.

Но уже через секунду сон прошел — Уссва услышал глухой стук копыт по земле и увидел отблески света факелов на деревьях.

Он тут же понял, что происходит.

На деревушку напали разбойники...

36

Тени метались по лесу, словно осколки нару-
шенного ночного спокойствия. Желтый прыгающий свет десятка факелов разгонял темноту. Глухо
стучали по земле копыта лошадей.

Пятеро разбойников — пять желтых огоньков
и неясных силуэтов — во весь опор мчались по дороге, атакуя деревушку в лоб. Еще столько же приближались к ней лесом, лавируя между деревьями,
уклоняясь от хлеставших по лицу веток.

Один из разбойников пронесся совсем близко
от места ночлега охотника. Прыгающий свет факела упал на стреноженную лошадь, выхватил из
темноты силуэт притаившегося человека и блеснул
в глазах настороженно замершего пса. Однако в
пылу «атаки» разбойник не заметил их и этим, возможно, спас себе жизнь, ибо заряженный арбалет

Уссвы уже следовал за его продвижением, а палец охотника готов был нажать на спусковой крючок при первых же признаках обнаружения.

Уссва колебался: вступать ли ему в стычку — десять разбойников это не так уж и много, — или все-таки остаться в роли свидетеля — ведь десять противников это не так уж и мало! Так и не решив, охотник перекинул через плечо колчан с десятью (вот совпадение!) стрелами и бесшумно, словно призрак, двинулся по роще. Вслед за ним так же тихо крался Варр.

Разбойники действовали довольно слаженно. Первая пятерка ворвалась в деревню как раз тогда, когда их товарищи, преодолев рощу, перемахнули через низенький забор и оказались во дворах.

Тишину ночи разорвали воинственные крики и улюлюканье, испуганно заблеяли козы. Замелькали факелы, заметались тени.

Уссва был уже в пятидесяти шагах от домов и за невысокими деревьями прекрасно видел все, что происходило в деревне. Он заметил все ту же полоску света в крайнем доме, будто его жители и не заметили нападения...

Лихо спрыгнув на ходу с лошадей, два разбойника бросились к первому от дороги дому, два других — ко второму. Свет блеснул на стали кривых сабель, которые, похоже, были куплены у восточных наемников. Ударом ног разбойники выбивали двери и врывались в дом. В темных окнах запрыгали тени — бандиты стали рыскать по комнатам.

Стараясь не упускать ничего из виду, Уссва быстро пересек безлюдное пространство между рощей и деревней и притаился у забора.

Из ближайшего к нему дома выскочили оба разбойника и бросились к хлеву. Охотник понял, что в доме они никого не нашли. Из хлева донесся радостный вопль, громкий поросячий визг и недовольный голос:

— Да оставь ты его, все равно никуда не убежит!..

Воспользовавшись моментом, Уссва с Варром перемахнули через забор и притаились за кустами. Охотник даже успел оборвать пару ягод и отправить их в рот, но при этом не спускал глаз с дверей хлева.

Оттуда выбежали разбойники — факелы осветили довольные, улыбающиеся лица — и бросились на улицу, к другому дому. Оставаясь в тени, Уссва и пес последовали за ними и притаились у выходящего к улице забора.

— Там пусто! Людей нет!

— У нас тоже!

— И у нас! Только поросята в хлеву...

— Похоже, деревню оставили...

Уссва мысленно согласился с разбойником. Похоже, жители действительно покинули свои дома. Только почему они оставили живность?..

А еще был свет в крайнем доме.

Справедливо полагая, что главные события произойдут именно там, Уссва дворами стал приближаться к дому с узкой полоской света, которая все так же пробивалась через щель в ставнях.

Разбойники уже заметили ее и впятером осторожно подбирались к дому.

— Эй, ты видел?

Уссва замер, понимая, что речь идет о нем, и стараясь слиться с тонким стволом груши. Варр распластался по земле, прижав к голове уши. Охотник не видел его даже с трех шагов.

— Там кто-то есть!..

Двое разбойников напряженно всматривались в том направлении, где притаились Уссва и Варр, но пляшущий свет факелов не доставал до них, и темнота надежно скрывала беглецов от вражеских глаз.

— Там точно кто-то был... — не унимался один из разбойников, высокий, худой, с копной торчащих во все стороны рыжеватых волос.

— Так сходи и проверь! — недовольно проворчал второй — точная его копия, видимо, брат, только с обритой наголо головой.

Пока они спорили, Уссва наблюдал, как пятерка подкрадывается к дому со светом. Им оставалось пройти метров пять-шесть, но они осторожничали, словно опасались какой-то ловушки. Словно боялись, что из дома выскочат все жители деревни, причем вооруженные не вилами и косами, а добротными мечами и арбалетами.

Тем временем «братья», не отрывая пристального взгляда от того места, где, по мнению одного из них, кто-то притаился, перелезли через забор и, держа сабли наготове, двинулись по огороду.

Уссва имел большое преимущество в виде арбалета. Хоть сейчас он мог уложить одного из «братьев», да и второй не сумел бы добраться до охотника — тот вполне успевал перезарядить арбалет и выпустить новую стрелу. К тому же были еще клыки Варра. Но охотнику было жаль этих явных несмышленышей, вставших ради легкой наживы на дорогу разбоя. Они и саблей-то, наверное, владели так, что Уссва справился бы с ними голыми руками.

Лохматый шел первым, выставив вперед руку с факелом, Лысый — за ним, слегка подталкивая «брата».

Уссва еще раз подивился их беспечности. Они явно не ожидали встретить здесь никого, кроме перепуганных крестьян.

Пятерка тем временем добралась до освещенного дома и разделилась: бандиты встали с разных сторон двери по двое, а один разместился напротив нее, готовый по команде вышибить деревянную панель. К ним подтягивались еще трое, и только два разбойника — два брата — оставались в стороне.

Теперь Уссва понимал настороженность грабителей. Уж больно странно вели себя жители этого дома: не погасили света, не выскочили на крики. Или они что-то задумали, или попросту там никого не было.

Краем глаза Уссва видел, как приближается к нему колеблющаяся граница круга света от факела в руках Лохматого. Еще два шага, один...

Братья замерли, увидев два светящихся в ночи глаза какого-то зверя и выглянувший из-за дерева арбалет с направленной на них стрелой.

— Тихо, братцы, или продырявлю кому-то горло! — угрожающим шепотом произнес Уссва. — Бросайте сабли!

Лохматый замер, с ужасом глядя на светящиеся точки звериных глаз, решив, видимо, что они принадлежат здоровенному волку. Лысый оказался более решительным. Он рванулся было в сторону, но проследивший за его движением острый наконечник стрелы заставил бандита повиноваться.

Уссва бросил взгляд на дом со светом.

Разбойник, стоявший напротив двери, сделал шаг к ней...

Словно от удара гигантского молота, дверь вдруг разлетелась на щепки. То же самое произошло со ставнями одного из окон. Куски дерева разлетелись на многие метры. Вместе с ними, отброшенное какой-то неведомой силой, отлетело с крыльца тело разбойника, что стоял напротив двери. Остальные отпрянули в стороны, защищая руками лица.

Тело отброшенного упало на землю метрах в пяти от дома и больше не шевелилось.

А в дыму, в проеме лишившегося ставен окна, появился темный силуэт.

Уссва тут же узнал в нем «черного балахона»...

37

...В это трудно было поверить, это невозможно было осознать. Все крупнейшие радиостанции мира одна за другой прекратили вещание.

Почему?!

Потому что наступил Конец Света?!

Потому что разрушительная «волна» прошла по всему миру?!

Но разве такое возможно?!

Андрей чувствовал, что мысли путаются у него в голове, что в ней стремительно проносится множество вопросов, на которые нет ответов...

Какой вселенский катаклизм мог вызвать эту «волну», идущую не по воде, а прямо по суше? Или «волна» — не последствие катаклизма, а он сам?

Расширение ядра Земли? Смещение земной коры? Изменение скорости вращения планеты? Резкое изменение орбиты?

А может быть, по всей Земле прошла ударная волна от столкновения планеты с крупным астероидом? Ведь действительно, орбиту Земли за год пересекают сотни космических тел диаметром больше километра!

Андрей сначала уцепился за эту версию, но тут же отбросил ее. Не мог же пусть и двухкилометровый астероид вызвать такую волну и тем более не мог свалиться так неожиданно, что ученые не заметили его приближения.

Но тогда что же представляет собой «волна»?

Этот вопрос набатом звенел у него в голове, но так как ответа не было, один за другим стали возникать новые вопросы.

И главный из них: какие последствия ждут Землю и человечество?

Страшный ответ на этот вопрос он получил минут десять назад, стоя на руинах дома над остатками смотровой площадки и с ужасом глядя на левобережный Киев.

И такое произошло с каждым городом на планете?!

«Не верю!!!» — истошно кричало сознание и в то же время рисовало жуткие картины.

Рухнула статуя Свободы и вместе с ней все нью-йоркские небоскребы. В Париже упала Эйфелева башня, в Москве — Останкинская.

И еще сотни, тысячи, миллионы зданий и сооружений по всему миру. Не выдержали даже самые сейсмостойкие...

И словно насмешка над всем, по-прежнему возвышался на своем месте высокий кирпичный забор какого-то хозяйственного учреждения. Лишь трещины прошли по его поверхности, осыпались куски штукатурки и выпало несколько рядов кирпичей.

Андрей уставился на этот забор. Почему он выстоял, а все остальное рухнуло? Он, конечно, не был уверен в том, что упали Эйфелева башня и статуя Свободы, но лаврская колокольня рухнула у него на глазах, и монумент Родины-матери тоже лежал на земле. Забор меньше и ниже их, но значит ли это, что он более сейсмоустойчив...

— Эй, Андрей! Ты что там увидел?

Андрей словно очнулся и взглянул на своих друзей, которые, в свою очередь, смотрели на него. Он вдруг сообразил, что они медленно идут к улице Январского восстания, до которой оставалось метров сорок. То есть прошли уже более ста метров, а он этого и не заметил.

— Ты чего так на забор уставился? — повторил свой вопрос Владимир.

— Тебе не кажется странным, что он выстоял, а колокольня упала?

— Сейчас мне все кажется странным! — глубокомысленно заметил тот.

— А мне кажется странным другое, — вмешалась Валя. — Почему колокольня упала, как... Как спиленное дерево? Набок?

— Точно! — закивал головой Андрей. — Родина-мать — ладно... Она стояла на холме, и при строительстве проблемы были. Но колокольня должна была в крайнем случае осесть, а не рухнуть набок... У нее ведь широкое основание!

— Это все проклятая «волна»! — произнес Владимир и, по мнению Андрея, попал в самую точку.

Ведь не было землетрясения! Была совсем другой, непонятной природы «волна», и даже самые сейсмостойкие здания не выдержали такого движения почвы...

Они вышли на улицу Январского восстания.

Недавно выложенный асфальт был покрыт паутиной трещин. Прямо около остановки из-за отсутствия электричества беспомощно стоял троллейбус. В двух метрах от него, перегородив половину проезжей части, лежал упавший столб. Пассажирам повезло. Не повезло водителю легковушки, чей «опель» врезался в этот столб, перевернулся и на крыше проехал метров двадцать, пока не врезался во встречную машину. Пострадавшего извлекли из груды покореженного металла, и он лежал на тротуаре в окружении нескольких склонившихся над ним человек.

А буквально в тридцати метрах от разбитого «опеля» стоял помятый шестисотый «мерседес». Он, видимо, вылетел с дороги, снес половину троллейбусной остановки и замер, уткнувшись капотом в треснувшее от удара дерево. Благодаря надежности этого автомобиля пассажиры отделались легким испугом.

Дома, расположенные на противоположной стороне улицы, в основном выдержали удар «волны». Только половина одного из них превратилась в громадную груду кирпичей. Там суетились несколько человек, слышались крики и чьи-то рыдания, от которых сжималось сердце.

Их заглушила сирена «скорой помощи», что ехала со стороны площади Славы по середине улицы. Она промчалась мимо руин и перестроилась в другой ряд, чтобы объехать помятый «опель» и упавший столб. Идущий с другой стороны автомобиль остановился, чтобы уступить ей дорогу.

Но тут из группы людей, окруживших раненого, выскочил мужчина в спортивном костюме и бросился ей наперерез. Завизжали шины «скорой», она пошла юзом и замерла поперек дороги, чуть не сбив выскочившего на проезжую часть мужчину.

Тот бросился к водительской двери, и Андрей увидел, что, кроме водителя, в кабине никого нет. Мужчина распахнул дверцу, а водитель почему-то попытался ее захлопнуть. Они начали кричать, но вой сирены заглушал слова. К ним бросился еще какой-то мужчина.

Вдруг «скорая» под испуганный крик смотревших на эту сцену женщин рванулась назад, и мужчина в спортивном костюме повис на ее двери, пытаясь дотянуться до замка зажигания. Однако водитель не давал ему этого сделать.

«Скорая» резко затормозила — мужчина чуть не слетел с двери — и резко рванула вперед. Она прошла впритирку с лежащим столбом, и если бы висящий не приподнял ноги, то вполне мог бы сломать их.

С повисшим на двери человеком, под возмущенные возгласы людей красно-белый автомобиль стал набирать скорость, но на пути «скорой» то ли случайно, то ли специально оказалась машина, что уступила ей дорогу. Снова взвизгнули шины, водитель «скорой» крутанул руль, но не смог уйти от столкновения. Послышался звук удара, сирена смолкла, человек сорвался с двери и, прокатившись несколько метров, вскочил на ноги. Водитель «скорой» — парень в джинсах и модных кроссовках — бросился было бежать, но мужчина в спортивном костюме догнал его, повалил на асфальт и так заломил ему руки, что тот заорал от боли. В порыве ярости мужчина стукнул водителя лицом об асфальт, прервав его крики и в кровь разбив парню нос. К ним подбежали еще несколько человек.

— Да этот гад угнал «скорую»!.. — услышал Андрей чей-то возмущенный крик и понял причину заварушки.

Парень в джинсах хотел поскорее добраться куда-то и потому угнал «скорую», ведь ее будут пропускать все водители... Точно, гад!

Мужчина в спортивном костюме оставил наконец поверженного противника и, вернувшись к «скорой», сел в кабину. Со второй попытки завел заглохший двигатель и подогнал машину к раненому водителю «опеля». Его положили на носилки и погрузили внутрь «скорой». Машина, развернувшись, умчалась в направлении Арсенальной площади, где находилась ближайшая больница.

Угонщик остался сидеть на дороге, одной рукой пытаясь остановить кровь, лившуюся из разбитого носа, а другую, видимо вывихнутую, прижимая к туловищу.

Рядом с ним стояли два мужчины, видимо, решая, сдать ли его в милицию или устроить «суд Линча».

— Да-а... — протянул Андрей, — то ли еще будет!..

Ему не хотелось думать о будущем. Сесть бы где-нибудь в парке, где не было бы видно разрушений, и просто глазеть на небо. А потом уснуть...

Проснуться и понять, что все это — лишь длинный страшный сон, что никакая «волна» не прошла через Киев, что монумент Родины-матери, к неудовольствию некоторых, по-прежнему возвышается над мостом Патона, что солнце по-прежнему золотит купола Киево-Печерской лавры...

Но по-прежнему теперь уже ничего не будет!

Сама жизнь стала страшным сном, и хоть плачь, хоть бейся головой о стену...

38

И тут произошло нечто чудесное, просто волшебное и невероятное.

Из двора выехала «девятка» и остановилась прямо напротив ребят. Как-то весело мигал сигнал левого поворота.

Водитель — мужчина средних лет, с приятным, открытым лицом, аккуратно причесанными каштановыми волосами, среди которых только-только начала проступать седина, в черном пиджаке при галстуке — взглянул на них через открытое окно и спросил:

— Все в порядке, ребята?

Андрей посмотрел на себя, на своих друзей и понял, что вопрос этот вполне естествен. Вид у них был точно такой, как у Брюса Уиллиса в финале «Крепкого орешка», после схватки с террористами.

— Помощь не нужна? — не дождавшись ответа, спросил он.

Андрей еще раз посмотрел на мигавший сигнал поворота.

— А вы случайно не на левый берег едете?

— Случайно на левый. — И заметив, как встрепенулись ребята, добавил: — Могу подвезти.

— Правда?! — вырвалось у Вали, и она смутилась, осознав всю глупость этого вопроса.

— Давайте садитесь!..

Ребята поспешили в машину, будто боясь, что она растает, словно мираж. Обходя, заметили, что у нее разбито заднее стекло, а когда сели, водитель сразу же ответил на еще не заданный вопрос:

— Балкон обвалился, пара кирпичей прямо на стекло... А ведь обычно ставлю машину в другом месте, но сегодня оно оказалось занятым. И вот на тебе!

— Так всегда бывает! — ответила с заднего сиденья Валя.

— Но зато, — продолжал водитель, выехав на улицу, — сегодня с утра залил полный бак да еще канистру. Собирался днем в Черкассы. Так что, можно сказать, повезло — с бензином будет напряженка... А вы в какой завал попали?

— Мы были на смотровой площадке, — ответил Андрей. — Часть ее обвалилась...

— С вами?! — с некоторым испугом воскликнул водитель.

— Нет, но потом падала колокольня, и мы прыгнули сами.

Мужчина бросил быстрый взгляд налево, где прежде возвышалась колокольня, и молча покачал головой.

А Андрея вдруг озарило. Он понял, что полминуты смотрит на... мобильный телефон.

— Работает?

— Что? А-а!.. Да не понять! Какие-то номера отвечают, какие-то нет... Попробуй!

С тревожно застучавшим сердцем Андрей взял трубку и набрал домашний номер.

— Занято! — сказал и пожал плечами. — Это значит, что говорят или что телефон отключен?

— Говорят, говорят! — ободряюще произнес водитель.

Андрей позвонил на работу матери.

Никто не снимал трубку.

Набрал рабочий номер отца.

— Алло!

Андрей чуть было не подскочил.

— Александра Сергеевича можно? — спросил он.

— Это Андрей, его сын? — поинтересовались в ответ.

— Да!

— Он полчаса как поехал домой... А ты не дома?

— Нет.

— Ну тогда поезжай домой. Только осторожно!

Андрей передал трубку сидевшим сзади друзьям. Дома у них телефонов не было, поэтому Валя позвонила отцу на работу — никто не брал трубку, а Владимир — домой старшей сестре (тот же результат).

На минуту в машине воцарилось тягостное молчание. «Девятка» спускалась к площади Великой Отечественной войны. Впереди образовалась большая автомобильная пробка.

— Почему пробка? — спросил водитель.

— Родина-мать упала, — хмуро ответил Андрей, — на мост Патона...

Словно испугавшись этой новости, машина вильнула.

— На мост?! Но она же стояла далеко от него!!!

— Сейчас увидим, — сказал Андрей, чувствуя, как холодеют руки от одной только мысли об этом. — Может, она упала на площадь, а потом скатилась на мост...

Оказавшись в медленно продвигающемся потоке машин, они смогли как следует рассмотреть место падения монумента.

Гигантская скульптура раскололась на несколько частей. «Туловище» лежало, перегородив половину площади. Впереди и по бокам от него возвышались кучи из земли, кусков асфальта, превращенных в щепки деревьев, изуродованных трамвайных рельсов, искореженных автомобилей. Позади «туловища» был виден след от его скольжения по склону холма. Причем начинался он не с самой вершины, а с середины склона, словно монумент сорвало с места, подбросило, после чего многотонной громадой он свалился на склон и, подобно какому-то сатанинскому бульдозеру, тяжело заскользил вниз, сметая на своем пути все: деревья, столбы, рельсы, асфальт, машины...

Какой же силой, подумал Андрей, должна была обладать «волна», чтобы подбросить такую громаду?! И почему этот чертов забор выстоял, а не разлетелся на сотни метров отдельными кирпичиками?!

Уж не потому ли, что в разных местах «волна» обладала разной силой?! Подбросила монумент, повалила колокольню, но пощадила забор, да и на улице Январского восстания разрушения были сравнительно невелики!

А если «волну» кто-то направлял?!

Волна Люцифера...

От этой мысли Андрея передернуло...

Отломившаяся «рука» со щитом угодила прямо на мост и, проехав по нему не меньше шестидесяти метров, остановилась, образовав перед собой жуткую на вид кучу разбитых автомобилей, кусков асфальта и рельсов.

«Рука» с мечом примяла, словно траву, целую рощу деревьев и, пройдя в нескольких метрах от бензозаправки, замерла, окунув длинное лезвие меча в Днепр.

«Головы» вообще видно не было.

...Все машины плотным потоком шли к повороту на Набережное шоссе, по которому можно было добраться до Южного моста или моста Метро. Но для того чтобы попасть к последнему, нужно было проехать под мостом Патона, на котором сейчас лежала «рука» со щитом. Этот путь был перекрыт двумя милицейскими машинами на тот случай, если пролеты моста вдруг обрушатся.

Поэтому все машины устремились направо, вдоль берега, к видневшемуся вдалеке Южному мосту.

Набережное шоссе практически не пострадало, и скорость движения была приличной — все торопились поскорее добраться к своим домам. На развязке у моста скорость упала, так как тут сливались в единое целое сразу три транспортных потока.

Всегда свободный, не знавший, что такое автомобильные пробки, Южный мост был заполнен машинами, что со скоростью 40—50 километров в час двигались в три ряда.

Проехав треть пути через Днепр, Андрей заметил два самолета, круживших над мостом. Потом увидел хвост другого самолета, торчащий из воды возле правого берега.

И в конце концов увидел совершающий посадку АН-24.

И садился он на воду...

39

...Из глубины леса поднималось в небо мерцающее бледно-голубое сияние. Ровное и монолитное посередине, оно дрожало, как марево, по краям. Из-за него очертания леса стали более четкими и темными. И зловещими.

Широ с удивлением, интересом и небольшой долей какого-то неосознанного страха смотрел на это сияние, не замечая падающих на его лицо прохладных капель дождя. Сияние притягивало к себе взгляд, как магнит притягивает железо. Его холодная красота была сравнима со сверканием искрящегося на свету льда.

— Что это может быть? — спросил юноша и краем глаза увидел, что женщина пожала плечами.

— Легче всего было бы сказать, что это отсвет прожекторов спасателей, начавших работу в городе. Но даже если спасатели действительно пришли, то вряд ли их прожекторы могут вызвать такое сияние...

— Но откуда же оно? — не унимался Широ.

Может, действительно свет прожекторов, каким-то образом преломившийся в насыщенной влагой атмосфере? Зарево пожара? Или какая-то природная аномалия? Может, что-то связанное с катастрофой?

— А вы видели вчера «волну»? — спросил Широ, не отрывая глаз от бледно-голубого света, поднимавшегося над лесом.

— «Волну»?..

— Мино, спасатель, сказал, что по земле шла настоящая волна... Именно она вызвала все эти разрушения...

— Наш автобус действительно подпрыгнул. А потом врезался в дерево...

Алра произнесла это обычным голосом, и увлеченный сиянием Широ не заметил тени, которая пробежала по ее лицу.

— Может, это сияние связано с «волной»? — предположил он. — ...А оно ведь недалеко!

— Тогда не будем терять времени! — сказала Алра и, смахнув с лица капли воды, направилась вниз по лестнице.

Бросив последний взгляд на ровный посередине и дрожащий по краям свет, Широ закрыл окно и поспешил за ней.

В холле они встретили нескольких спасателей, среди которых был Мино, а также двух полицейских, чья машина стояла перед дверьми.

А за стеклом, над частоколом верхушек деревьев, виднелось загадочное сияние.

— Какие-нибудь версии насчет этого есть? — спросил Мино.

— Полно, — ответил Широ, — но все это лишь версии.

— Нужно сходить на разведку, — обратилась к одному из полицейских Алра, которая, судя по приветственному кивку головы, была знакома со стражами порядка, и, улыбнувшись, добавила: — А то мы все умрем от любопытства!

— Мы бы не прочь, — сказал полицейский, взглянув на своего напарника, — но мы вроде как на посту...

— Схожу я, — прервала его женщина, — с Широ.

— И со мной! — вмешался Мино.

Полицейский поднял руку:

— Я, конечно, понимаю, что туда хотят рвануть все, но в лесу эти чертовы «духовники»... — Он запнулся, уставившись на Широ.

— Дождь уже остудил их пыл, — как ни в чем не бывало произнес юноша, а Мино и Алра тут же поддержали его.

— Ну ладно, ладно!.. Только я довезу вас до леса. Так безопасней.

Прежде чем сесть за руль, полицейский слазил в багажник и извлек оттуда два дождевика для Алры и Широ. Мино они были не нужны, так как на нем был надет непромокаемый комбинезон спасателей. Они уселись в машину.

Фары полицейского автомобиля высветили нескольких «духовников», что мокли под дождем в сквере возле больницы. Широ стало жаль их. Еще несколько «духовников», прячась от дождя, сидели под деревьями, прижавшись к их мокрым стволам. Но даже если их истерическая агрессия спала, больница все равно была не в силах принять их всех.

Машина свернула на дорогу, по которой совсем недавно ехал Широ, правда, во сне и в другую сторону. Сияние теперь было справа и чуть впереди.

Оно вдруг мигнуло и стало подрагивать уже по всей площади, яркость упала, и вскоре от него осталось лишь еле различимое световое пятно на фоне черного неба.

— Батарейки кончились! — пошутил Мино.

Проехав еще метров сто, полицейский остановился.

— Так, экипируем вас, — произнес он, давая Мино фонарь, а Алре — портативную рацию. — А это — на всякий случай!

Он извлек из бардачка предмет, который Широ так близко видел в первый раз.

Черный, матово блестящий пистолет.

Алра взяла оружие, отточенным движением извлекла магазин, в котором Широ увидел десяток серебристо блеснувших патронов, и легким ударом ладони вогнала его на место.

— Ну, расскажете, что там светится, — сказал полицейский на прощание.

Они вышли из машины и надели дождевики. Алра спрятала в карман пистолет, рацию отдала Мино, а тот протянул Широ фонарь. Таким образом, никто не остался в обиде.

Полицейская машина, визжа мокрыми шинами, лихо развернулась на узкой дороге, и вскоре огни ее скрылись за поворотом.

— База, база! Говорит поисковая группа, как слышите?

— Кто говорит? — донесся из рации удивленный голос.

— Поисковая группа! Что, не узнал?

— А-а, ты! Мино?..

— Я-я... — улыбнулся спасатель. — Как слышите?

— Хорошо, хватит баловаться!

...В лесу было темно.

Крупные капли падали с листьев, звонко разбиваясь о дождевики. Мелкий дождь практически не пробивался сюда, но в лесу было сыро, и люди надели капюшоны.

Широ включил фонарь. Луч света материализовался во влажном воздухе белой прозрачной колонной и заскользил по мокрой траве, потемневшим от влаги стволам, заставил засверкать лежавшие на листьях капли. Широ как зачарованный смотрел на эту поистине сказочную картину — на прорезавший темноту луч, на блестящие бриллианты воды на листьях...

— Пошли, пошли... — поторопил его Мино, — а то совсем погаснет!

Вспомнив про цель их вылазки, Широ заспешил вперед.

Сияние утратило свою прежнюю силу, став таким слабым, что при свете фонаря, за рядами деревьев его уже не было видно вообще.

Но не успели «исследователи» сделать и десяти шагов, как в лесу стало заметно светлее, словно в ясную ночь, когда на чистом небе висит полная луна.

Однако в эту ночь никакой луны не было, к тому же небо было затянуто низкими тучами.

Светлее стало из-за сияния, вспыхнувшего с новой, еще большей, чем прежде, силой...

40

— Ничего себе!!! — вырвалось у Мино, и слова эти, возможно, наиболее полно выразили мысли всех.

Сияние поднималось над лесом, заняв, казалось, полнеба. Бледно-голубой свет проникал сквозь листву, разгоняя мрак ночи, высвечивая темные силуэты деревьев и наполняя лес множеством причудливых теней, которые двигались и дрожали вместе с самим сиянием.

Широ выключил фонарь, так как в нем уже отпала необходимость.

— База, вы видите? — спросил Мино в рацию.

— Еще бы! Центр уже интересуется, что у нас происходит. Они выслали патрульный глайдер.

— За неблагодарное дело мы взялись. Мокнем под дождем, а ребята в глайдере, в сухой кабине...

— Сами напросились! Как далеко вы от источника сияния?

— Трудно сказать, — уже серьезнее ответил молодой спасатель, — кажется, совсем рядом. Хотя, думаю, еще метров семьсот—восемьсот... А то и километр! Между деревьями сияние еще не видно, только сверху...

— Хорошо, тогда приближайтесь и докладывайте по обстановке!

...Идти по ухоженному, да еще и освещенному лесу было легко: хорошо видные сейчас ветки не хлестали по лицу и не обливали скопившейся на листьях водой, а ноги не проваливались в ямы и не спотыкались о корни, так как ни тех ни других на исключительно ровной земле не было. Даже сухие ветки не валялись на траве.

Все это позволяло сжигаемому любопытством Широ надеяться, что они быстро доберутся до источника сияния.

Правда, кроме любопытства, была и небольшая доля страха. Как сказала бы Алра, страха перед неизвестным, доставшегося от предков и затаенного где-то в темных уголках подсознания. Широ и в самом деле чувствовал, как эти проснувшиеся первобытные инстинкты тихо, но настойчиво звенели у него в голове тонким колокольчиком тревоги.

Ведь он действительно не имел абсолютно никакого представления о том, что их ждет дальше. Широ представилось, что он идет по совершенно темному коридору и где-то впереди его ждет — а может, и не ждет? — скрытая во мраке стена.

Или не стена, а открытый люк в полу!..

Они молча шли вперед, глядя на мерцающий бледно-голубой свет. Пройдя метров пятьсот, уже четко смогли различать его среди деревьев.

Источник сияния находился совсем недалеко. Судя по тому, что лес стал редеть, он был где-то на опушке.

— Мы приближаемся, — сказал Мино в рацию, — осталось метров пятьдесят.

— Глайдер около вас. Они наблюдают квадрат, излучающий яркий свет. Он расположен вертикально к земле, высота квадрата — метров девять-десять...

Так как за лесом шел пологий склон, выходивший к близлежащей улице, то Широ и его спутники могли видеть верхнюю часть этого квадрата. Свет, излучаемый им, был настолько ярок, что смотреть на него, не жмурясь, было невозможно. Но все равно было видно, что квадрат имеет четкие границы, хоть и расплывавшиеся в потоке льющегося из него света. Широ подумал, что его можно было бы сравнить с громадной дверью, за которой поставили не менее громадный и мощный прожектор.

Все последующие события происходили одновременно...

На самой границе леса путешественники увидели силуэты двух человек, то ли в плащах, то ли в дождевиках с капюшонами на головах.

А над светящимся квадратом, мерно гудя двигателями, медленно проплыл на малой высоте глайдер. Казалось, еще немного, и его огни зацепят верхушки деревьев.

Те двое направили на него какой-то неразличимый в темноте предмет, что держали в руках. И сделали это так, будто собирались стрелять по глайдеру. Широ вспомнил одну передачу, увиденную им по стереовизору, в которой рассказывалось об оружии. «Технари» в ней именно так держали автоматическое оружие...

На кончике предметов что-то ярко сверкнуло, но не так, как при стрельбе из пистолета или автомата. К тому же не было звука выстрела. Две еле различимые голубоватые полоски с практически неуловимой для глаза быстротой рванулись к глайдеру. Широ прекрасно видел, как одна из них, зацепив верхушку дерева и испустив сноп искр, срезала пару веток.

А потом обе эти полоски-молнии ударили в воздушную машину.

Широ навсегда запомнил все подробности развернувшегося далее действа.

Первая молния, пробив в еще более ярком снопе искр дно глайдера, прошла сквозь пилотскую кабину и вырвалась наружу. Кабина взорвалась, огненные струи повышибали стекла.

Вторая полоска угодила в центр фюзеляжа. Окутанный фейерверком искр, глайдер вздрогнул, накренился на одно крыло и стал стремительно падать.

И буквально через секунду взорвался.

Этот огненный шар должен был упасть метрах в сорока от застывших Широ, Алры и Мино. Они отшатнулись — ослепленные и пораженные.

Грохот, треск, рев пламени — все это смешалось в один ужасающий звук. Разбрасывая вокруг мелкие детали, объятая пламенем, основная часть глайдера падала вертикально вниз, круша на своем пути ветви деревьев и их стволы...

Все это происходило так близко от людей, что они вздрогнули вместе с развороченной землей, когда, оставив треть корпуса на деревьях, машина рухнула и развалилась окончательно. Широ ощутил волну горячего воздуха, дохнувшую с места падения, — огромного костра из обломков глайдера, в который все еще сыпались объятые пламенем ветки и горящие детали.

А чуть дальше, на фоне излучающего бело-голубой свет квадрата, по-прежнему стояли два человека, и в оранжевом свете пылающих остатков глайдера было видно, что на них действительно надето нечто, напоминающее плащи с капюшонами, которые полностью скрывали их лица.

Запищал сигнал рации, и все вздрогнули от этого тоненького слабого звука. И одновременно присели, чтобы два этих странных и, судя по всему, опасных субъекта не заметили их.

— Что у вас происходит?! — прокричал не на шутку обеспокоенный спасатель.

— Да тут настоящая война!!! — выпалил Мино, но шепотом, будто боясь, что неизвестные могут услышать его, даже несмотря на гул пламени.

Война! Это забытое слово резануло слух. Сначала всемирная катастрофа, теперь еще это...

— Двое неизвестных сбили глайдер... — продолжал Мино.

— Как сбили?!

— Бах-бах — и сбили!!! — сорвался тот.

На фоне светящегося квадрата появились еще два силуэта. Вся четверка выглядела абсолютно одинаковой.

— Мы высылаем к вам машину... — начал было спасатель в больнице, но потом вмешался какой-то треск, шум, и чей-то голос с сильным акцентом, заметно картавя, произнес:

— Можете не высылать, они все равно не вернутся!!!

Широ весь похолодел от услышанного.

Он был уверен, что голос принадлежит кому-то из этой четверки...

41

...«Черный балахон» высунулся из окна, оказавшись как раз над вжавшимися в стену разбойниками. В его руках что-то сверкнуло. Какая-то еле уловимая глазом голубоватая стрела метнулась вниз — и один из разбойников как подкошенный рухнул на землю, словно от удара невиданного молота, а факел, вылетев из его рук, описал высокую дугу и свалился метрах в восьми-девяти от дома.

Второй разбойник только успел поднять голову — и тут же лишился ее. Вторая голубоватая стрела попала ему в шею, снесла голову и в щепки разбила половину крыльца, окатив двух оставшихся в живых разбойников дождем из дымящегося дерева. Обезглавленное тело продолжало стоять, держа в руках саблю и факел, который освещал фонтан крови, бьющий из шеи...

Внутри Уссвы все похолодело.

Ему вспомнились изувеченные тела у полуразрушенного замка, где он прятался от погони.

Вот они — «сатанинские стрелы»!

«Братья», опустив сабли, с ужасом взирали на происходящее у дома. Уссва уже забыл о них, тоже не в силах оторвать взгляда от этого жуткого зрелища.

В дверях дома появился еще один темный силуэт, и охотник понял, что разбойники, продолжавшие стоять у наполовину развороченного и дымящегося крыльца, тоже обречены на смерть: страшную и мгновенную...

Трижды мелькнули «сатанинские стрелы», и оба разбойника, не успев даже вскрикнуть, рухнули наземь. Одна из стрел, видимо, угодила в факел, который разлетелся брызгами из тысяч маленьких искорок.

Обезглавленное тело пошатнулось и упало на спину, заливая потоком крови траву возле дома.

«Черный балахон» ступил на крыльцо. На фоне света, льющегося из двери, он показался Уссве похожим на темного зловещего демона. А когда на него упал свет горящего на земле факела, это впечатление только усилилось.

Факел также осветил и предмет в его руках, видимо, он и пускал «сатанинские стрелы».

Теперь они были нацелены на трех разбойников, что в шоке застыли метрах в двадцати от «черного балахона». Первая же голубоватая, еле различимая и, как показалось Уссве, даже прозрачная стрела сбила одного из них с ног и швырнула на забор. Проломив его, бандит свалился на землю, скрывшись в темноте, но о судьбе его гадать не приходилось.

Следующая стрела угодила в плечо второго разбойника. Несмотря на расстояние, Уссва увидел, как стрела отсекла держащую саблю руку и в брызгах крови продолжила свой путь по саду, где, сталкиваясь с деревьями, высекала из их стволов яркие снопы искр. Рука с саблей упала на землю, а разбойник, повернув голову, уставился на нее.

Но затем «черный балахон» промахнулся. Пущенная им стрела врезалась в забор, и часть его, шириной в метр, растворилась в яркой вспышке и разлетелась во все стороны дымящимися щепками, обдав этим дождем третьего разбойника.

Щепки еще не упали на землю, а он пришел в себя, бросил саблю и факел и прыгнул в образовавшуюся дыру с дымящимися краями.

Вслед за ним полетела «сатанинская стрела». Она попала под забор, взметнув вверх двухметровый фонтан земли и пыли. Другая стрела, пущенная «балахоном», что по-прежнему стоял в окне дома, выбила в заборе еще одну здоровенную дыру, за которой мелькнул силуэт сломя голову бегущего по саду разбойника.

Уссва всем сердцем желал ему удачи.

«Черный балахон» у двери извлек из-под своего одеяния какой-то предмет длиной в половину руки, чем-то напоминающий футляр от большой подзорной трубы, который Уссва видел в караване западных купцов. Он с ужасом представил, сколько «сатанинских стрел» может одновременно вырваться из нее.

«Балахон» направил трубу на сад, где скрылся разбойник.

Уссва представил, как тот бежит, не разбирая дороги, не замечая, что ветки хлещут по его лицу, и чувствуя лишь жуткий страх перед этим неведомым и смертоносным оружием. Представил, как из трубы вырываются десятки прозрачных голубоватых стрел, рассыпаются по саду и наконец находят свою цель...

Но его ожидания не подтвердились.

Труба выплюнула пламя.

А уже через секунду в саду громыхнуло. Огненный фонтан взметнулся вверх, выше деревьев. Земля, ветки, листья, куски дерева полетели в разные стороны. Взрывная волна накрыла лишенного руки разбойника, сбила его с ног и даже дошла до «черного балахона», который наклонил голову, пряча от нее лицо.

Уссва и «братья» инстинктивно присели, почувствовав, как вздрогнула под ними земля.

Нечто подобное этому фонтану из пламени и земли охотник видел, когда те же западные купцы демонстрировали недавно изобретенный черный порошок, который при соприкосновении с огнем взрывался таким же образом, только с куда меньшей силой.

Облако дыма стелилось по земле, в саду виднелись искореженные стволы деревьев и дрожащие точки огня на них. Разбойнику вряд ли удалось уйти.

Похоже, что от «черных балахонов» с их невероятной силы и действенности оружием вообще невозможно уйти живым.

Кто же они: люди или демоны?!

Голубоватая стрела метнулась из дома со светом и угодила прямо в грудь Лысого. Он отлетел назад, с ног до головы забрызгав кровью Лохматого. Тот, глядя на «черных балахонов», заорал не своим голосом.

Уссва понял, что те заметили их: и он, и разбойники присели во время взрыва и этим движением выдали себя. Он трезво оценивал все происходящее, но не мог заставить себя сдвинуться с места.

Упав, факел Лысого погас, а держащий второй факел Лохматый представлял собой великолепную мишень, а кроме того, он еще и освещал охотника.

«Балахон», находившийся у двери, выстрелил по разбойнику, а через секунду другой, стоявший в окне, выпустил стрелу в направлении Уссвы.

Но одновременно с тем, как «сатанинская стрела» оборвала истошный крик Лохматого, Уссва, опомнившись, рухнул на землю. Пущенная в него «голубая молния» прошла прямо над охотником и, врезавшись в дерево, разнесла его в щепки. Повсюду были видны ошметки груш, которые попадали вокруг с противным чмокающим звуком.

Оказавшись на земле, присыпанный листьями и ветками, Уссва почувствовал, как бешено колотится сердце, — он будто ощутил прикосновение смерти. В ушах его все еще стоял нечеловеческий крик залитого кровью Лохматого. Не поднимая головы, охотник посмотрел в его сторону. Различил два неподвижных тела и слабо горящий факел за ними. Сам он в этот круг света не попадал.

Значит, «черные балахоны» не могли его видеть!

Посмотрев в их сторону, Уссва увидел, что «балахон» у дверей поднимает свою смертоносную трубу, направляя оружие прямо на него...

42

— За мной!!! — крикнул Уссва, который хотя и не видел пса, но знал, что он где-то рядом. Охотник рванулся к ближайшему дому, что был шагах в десяти от него.

Первый шаг, второй...

Краем глаза он видел «черных балахонов».

Еще два шага, и дом окажется между ним и этими демонами. А потом он укроется за его стенами...

«Балахоны» выстрелили одновременно: из окна — «сатанинской стрелой», от дверей — из трубы.

Уссва прыгнул вперед, не особо заботясь о том, куда приземлится, успев подумать о том, что «балахоны» заметили его даже в темноте. Или увидели его силуэт, мелькнувший на фоне горящего факела?

Стрела угодила в угол дома. Тысячи ярких искр разлетелись во все стороны, на мгновение осветив летящего Уссву.

А потом стало совсем светло.

За его спиной громыхнул взрыв. Горячая волна обожгла спину. Уссва упал и покатился по земле, подминая какие-то кусты, чувствуя, как вокруг, да и прямо на него, падают комья земли, сбитые листья и ветки. От удара о землю арбалет выстрелил, стрела впилась в стену дома, но Уссва не заметил, где именно. Он замер, сквозь звон в ушах слыша, как падают комья земли и шелестит листва. Ослепленный вспышкой, он ничего не видел, кроме прыгающих перед глазами на фоне кромешной тьмы огоньков.

Слева послышался тихий шорох. Уссва протянул руку и нащупал мягкую шерсть на загривке Варра. Тот тихонько и коротко заскулил. Ему тоже досталось.

Уссва не собирался валяться здесь вечно. Шок прошел, возвратилось желание выжить.

Подняв лежащий рядом арбалет, он встал и в стелившемся над землей дыму пошел к дому. В ушах звенело, перед глазами все еще прыгали огоньки, но Уссва был готов действовать.

Тихонько, чтобы не скрипнули петли, открыл дверь и очень осторожно, вдоль одной из стен, чтобы не натыкаться на невидимые в темноте предметы, двинулся по дому. Пару раз все же стукнулся коленом о стулья, но ничего не опрокинул, ничем не нарушил тишины, никак не выдал себя.

Наконец нашел то, что хотел: выходящее на другую сторону дома окно, которое было прикрыто ставнями. А в щель между ними, толщиной в несколько пальцев, увидел то, что ожидал увидеть.

Один из «черных балахонов» как раз выпрыгнул из окна освещенного дома, а второй, спрятав трубу под одежду, шел в сторону Уссвы — проверял, остался ли кто-нибудь в живых.

— Иди, иди!.. — прошептал Уссва, заряжая арбалет.

Правда, у него возникли сомнения: сможет ли обычная стрела одолеть этого не то человека, не то демона?

«Черный балахон» приближался. Уссва старался не упускать его из виду, он с трудом различал его темный силуэт и видел противника только благодаря лившемуся из окна свету. Один раз он все же вынужден был отвести взгляд, чтобы посмотреть, что делает второй «балахон»: тот, похоже, направлялся к месту предыдущего взрыва, — и потом с трудом нашел в темноте врага. «Балахон» уверенно шагал по саду, и Уссва подумал, не видит ли он в темноте, как филин?

До дома, где у окна притаился Уссва, «черному балахону» оставалось шагов двадцать. Охотник не торопился: если бить, то наверняка.

Темный силуэт приближался, то растворяясь в темноте, то выныривая из нее, отчего походил на призрака, исчезающего в потустороннем мире и появляющегося вновь.

Уссва мягко толкнул створку ставен. Она бесшумно открылась, но «балахон» замер на месте, явно заметив это движение. Он даже успел пустить «сатанинскую стрелу», но Уссва был быстрее.

Голубая стрела в снопе искр врезалась в стену метрах в трех от окна. «Балахон» не успел довести свое оружие до цели, получив невидимую в ночи обычную стрелу, которая вонзилась ему в шею и опрокинула на спину.

Уссва тут же переключил свое внимание на второго противника.

Услышав шум и не увидев напарника, тот настороженно замер. Уссва же продолжал стоять в окне, полагая, что неразличим в темноте... Если, конечно, «черный балахон» не наделен демонической способностью видеть в темноте, как ночной зверь или птица.

Какое-то шестое чувство, а может быть, первобытный инстинкт подсказали охотнику об опасности. Он отскочил от окна как раз в тот момент, когда «балахон» вскинул свой пускатель «сатанинских стрел» и выстрелил. Стрела с треском разнесла створки и часть стены, обдав спину Уссвы дождем щепок.

Отскочив, он указал Варру на дымящееся окно, и тот, мгновенно поняв хозяина, выпрыгнул наружу. Лапы пса еще не коснулись земли, а охотник уже последовал за ним, выбрасывая голову и руки вперед. Приземлившись, кувыркнулся и, сильно оттолкнувшись ногами, прыгнул еще раз.

Позади него прогремел взрыв.

Яростное пламя вырвалось из окна, лизнуло ноги охотника, горячая волна обожгла его тело. Уссва упал на грудь, над ним просвистели куски вырванного взрывом дерева, несколько щепок больно ударили его по спине, впились в кожу голых рук.

Сзади послышался грохот и треск ломающегося дерева: обвалилась крыша дома. В небо взметнулся рой подобных огненным пчелам искр и рванулись языки пламени.

Уссва чувствовал их жар. Он лежал слишком близко к пылающему дому, и это могло плохо кончиться. Но охотник боялся пошевелиться, ведь если эти демоны видят в темноте, то противника, освещенного большим костром, в который сейчас превратился дом, они различат и подавно.

Но взглянув в сторону «черного балахона», Уссва увидел странную картину. Тот отвернулся в сторону, словно огонь невыносимо слепил его, и поднял руки к спрятанному под капюшоном лицу. Что он там делает?

— Давай обходи его! — бросил Уссва лежащему перед ним Варру и кинулся под защиту пылающего дома.

Забежав за угол, зарядил арбалет и, прокравшись мимо окон и двери, через которую вовсю валил дым, оказался у другого угла, из-за которого можно было разглядеть «балахона». Однако тут же обнаружил, что увидеть его мешает забор. Перебежав к нему, через щель между прутьями стал разглядывать пустую, освещенную неровным оранжевым светом улицу.

«Черный балахон» исчез.

Это жутко не понравилось Уссве. Холодок пробежал по его спине от мысли о том, что в любой момент из темноты может вырваться «сатанинская стрела» и пробить ему грудь или голову.

Теперь он оказался в положении и охотника, и добычи одновременно...

43

— Вот это да!!! — вырвалось у Владимира, когда он увидел заходящий на посадку самолет.

Все без исключения пассажиры автомобилей, движущихся по мосту, прильнули к окнам, а водители, разрывая внимание между дорогой и невероятным зрелищем, даже снизили скорость, отчего машины стали двигаться не быстрее 30 километров в час.

— Жуляны, наверное, не могут принять, — предположил Андрей, — полоса разбита «волной»...

— Но ведь есть еще полоса в КБ имени Антонова? — воскликнул мужчина. — Или какие-нибудь грунтовки!..

— Да можно приземляться на Бориспольскую трассу! — добавил Владимир.

— Не знаю, — пожал плечами Андрей, — может, решили, что с землей сейчас связываться опасно, а на воде трещин нет!

Слова о Бориспольской трассе тут же напомнили ему об аэропорте «Борисполь», где совершали посадку более крупные, чем АН-24, самолеты: ТУ-154, ИЛ-62, ИЛ-86, «Боинги», «Аэробусы»... Что делать этим гигантам? Тоже лететь к Днепру? Или рисковать, садиться на землю? Но пара трещин в бетоне — и...

А сколько сейчас самолетов в воздухе по всему миру?!

А сколько поездов двигалось во время прохождения «волны»?!

А французские и японские сверхскоростные?! Что значит искривленный треснувший рельс для поезда, идущего со скоростью 300 километров в час?!

Если бы работало телевидение, то оно целыми днями вынуждено было бы сообщать о крушениях, а сетку вещания полностью заняли бы программы типа «Катастрофы недели».

...Андрей заставил себя больше не думать о последствиях катастрофы в мировом масштабе. Так запросто можно сойти с ума или в лучшем случае впасть в депрессию.

«Взлетно-посадочная полоса в «Борисполе» более прочная, чем в Жулянах, — ведь она способна принимать тяжелые самолеты, — сказал он сам себе, — и могла выдержать «волну»!»

...АН-24, не выпуская шасси, снижался на минимальной скорости, собираясь сесть где-нибудь поближе к левому берегу, где сверкали мигалками машины милиции, пожарные и несколько «скорых». У катеров суетились люди. Видимо, аэропорт смог связаться с аварийными службами и организовать прием самолетов.

АН-24, словно вертолет, казалось, завис в десятке метров над водой, однако, приглядевшись, можно было увидеть, что он хоть и на минимальной скорости, но движется параллельным левому берегу курсом. Андрей даже подумал, не собирается ли самолет десантировать пассажиров в воду?

Тоже ведь выход! Высота небольшая, скорость, правда, все-таки великовата для выпрыгивающего из самолета человека. Но ведь шансов разбиться при таком прыжке примерно столько же, сколько и шансов на то, что при неудачном приводнении самолет просто разлетится на куски.

Андрей не знал, что безопасней: вот такое приводнение или посадка «на брюхо» на какую-нибудь грунтовку. Но наверняка оба эти способа безопасней, чем посадка на потрескавшуюся полосу!

АН-24 тем временем стал снижаться, и издалека уже казалось, что фюзеляжем он касается воды.

Но на самом деле это случилось через несколько секунд.

Пилоты оказались настоящими асами. Самолет мягко коснулся воды и заскользил по ней, а не уткнулся, как боялись наблюдавшие, в нее носом.

Оставляя за собой белую пенящуюся полосу, он проскользил метров пятьдесят, заметно сбавив скорость. Пилотам хватило времени на то, чтобы выключить двигатели и зафлюгировать лопасти винтов.

Поэтому, столкнувшись с водой, те просто подломились и остались позади. А вот если бы они продолжали вращаться, последствия могли быть катастрофическими. Лопасти, словно кинжалы, пробили бы фюзеляж самолета...

Расположенные под крыльями двигатели коснулись воды, и самолет тяжело заскользил на них, как на водных лыжах. Правда, продолжалось это недолго.

Нос самолета коснулся воды — и через пару секунд АН-24 скрылся за фонтаном брызг. И этот взметнувшийся вверх водяной взрыв продолжал двигаться.

От берега, пеня воду, рванулись к месту приводнения катера. Им надо было пройти всего лишь сто — сто пятьдесят метров.

Фонтан брызг, постепенно опадая, все еще не иссякал.

Андрей подумал, что больше не увидит самолета или увидит только его погружающийся под
воду хвост.

Однако водяной взрыв быстро опал, и над за-
груженным машинами Южным мостом явственно
пронесся вздох облегчения.

Наполовину затонув, самолет, словно гигантская
раненая птица, лежал на воде, раскинув крылья и
удерживаясь на ее поверхности за счет площади не-
сущих плоскостей и воздуха внутри фюзеляжа.

Из всех люков один за другим стали выпрыги-
вать пассажиры. Издалека не было видно, толпят-
ся ли они в панике у выходов или же четко и слаженно покидают тонущий самолет. Судя по скорости, с какой маленькие фигурки выпрыгивали
из люков, стюардессы и экипаж за время кружения
над Днепром справились с паникой и проинструк-
тировали пассажиров об их действиях после экс-
тренной посадки.

Покинув самолет, люди быстро расплывались от
него в разные стороны. Спасателям придется пово-
зиться, вылавливая их из воды на такой площади.

Последними заметно погрузившийся под воду
самолет через окна пилотской кабины покинули
летчики.

Один из катеров уже стал подбирать людей.

Ограждения моста закрыли приводнившийся
самолет, и Андрей не увидел момента его погру-
жения вод воду. А может, назло всемирному ка-
таклизму самолет останется на поверхности?!

...Они ехали по проспекту Бажана, три ряда которого были заполнены медленно ползущими
автомобилями. Причиной тому был рухнувший

поперек проспекта мост транспортной развязки. Машины сворачивали направо, заезжали на оставшийся кусок развязки и, переваливаясь через бровки, выезжали на проспект уже по ту сторону рухнувшего моста. Задержка происходила из-за того, что три ряда автомобилей должны были разместиться на дороге шириной в два ряда. Поэтому машины из крайнего левого ряда одним колесом заезжали на тротуар.

Справа и слева от проспекта шли районы новостроек: рухнувшие башенные краны, накренившиеся постройки, дома, от которых остались лишь полуразвалившиеся стены, руины... Но среди всего этого встречались и целые выстоявшие кварталы. Эти острова надежности среди океана разрушения притягивали взгляд, давали надежду...

Андрей заметил три самолета, один за другим движущиеся в направлении Борисполя. Похоже, это те АНы, что кружили над Днепром. Возможно, до сих пор не принимавший самолеты Борисполь дал разрешение на посадку. Почему же тогда только что приводнившийся самолет не дождался этого? Путаница, неразбериха?.. Или у него просто не хватило горючего?

Андрей надеялся на последнее. Тогда не все еще потеряно! Борисполь принимает, спасатели работают, два моста над проспектом выстояли, машины идут ровным потоком, никто не лезет вперед.

Может быть, катастрофа сплотила людей, заставила их стать лучше? И они выйдут победителями из схватки со стихией?

Надежда?..

Иллюзия?..

8*

44

— А вам куда, ребята? — поинтересовался водитель «девятки».

— В Дарницу...

— А мне на Красный Хутор. Это вроде бы рядом?

— Да, недалеко, — кивнул Андрей и, помедлив, спросил: — Скажите, а почему вы взяли нас?

Бросив на него взгляд, водитель улыбнулся.

— Что, думаете, такое понятие, как бескорыстная помощь, больше не существует? Я бы все равно кого-нибудь взял, чего ехать одному! К тому же одному тяжело. Сейчас надо сплотиться, как говорится, всем миром с бедой справляться.

— Да, всем миром... — протянул Андрей.

Теперь это образное выражение воспринималось в самом что ни на есть прямом смысле.

— Я вообще-то жуткий оптимист, — улыбнувшись, признался мужчина.

Андрей смотрел на улыбающегося человека, который спокойно разговаривал, а рядом пылали три этажа недавно заселенного дома. Неподалеку стояла пожарная машина (всего одна!), качавшая воду из расположенного между дорогой и новостройками озера.

— ...Если начать унывать, — продолжал тот, — и жалеть потерянное, то слез не хватит! Я имею в виду материальные потери... Не людские. Возьмем, к примеру, тот обвалившийся балкон. Он прямо-таки в лепешку смял новую «ауди» моего соседа. Тот волосы рвал, локти кусал, чуть ли головой о стену не бился. А ведь радоваться надо!

Ни его самого, ни жены, ни детей в машине в этот момент не было! Чудесно ведь!.. Что, не согласны?

— Правильно, к черту «ауди»! Главное — жена! — заявил не терявший бодрости духа Владимир.

— И дети! — добавила взбодрившаяся Валя.

Андрей чувствовал, что оптимизм водителя заражает и его самого. Нельзя сказать, что он был пессимистом. Когда жизнь, так сказать, била его, а судьба преподносила неприятные сюрпризы, он недолго пребывал в нокдауне. Андрей всегда старался жить по принципу: «Споткнулся, упал, поднялся, стряхнул пыль и пошел дальше».

Он старался, и это у него получалось.

Но сегодняшняя катастрофа выбила его из колеи.

Трудно было оставаться оптимистом, когда вокруг тебя руины, пожары, а за всем этим — чьи-то страдания и безутешное горе.

Но мужчина, казалось, отгородился от всего этого прочной и непробиваемой стеной оптимизма. Или хотел, чтоб так казалось. Возможно, даже ему самому.

— Вот, к примеру, я, — продолжал он, поправив галстук. — Похож ли я на человека, который сегодня потерял свое дело?

— Нет. А какое у вас дело?

— Полгода назад купил мини-пекарню...

— «Дока-хлеб»? — уточнила Валя.

— Нет, есть такое АО «УХЛ-МАШ», здесь, в Киеве. Пекарня не хуже! Начала приносить стабильную прибыль, купил вторую. Она окупилась. Начал думать о расширении дела... А ведь дело-то хорошее, не то что водкой или сигаретами торговать! И тут — бац!..

— Засыпалось дело?

— Точно! — рассмеялся мужчина, поняв игру слов. — Засыпалось толстым слоем кирпичей и перекрытий. Но жертв нет!

...По мере того как они подъезжали к концу проспекта, машин становилось все меньше. Сделали круг по Харьковской площади и свернули на Красный Хутор — район, выражаясь казенным языком, индивидуальных застроек. Частные дома, в основном не отличавшиеся особой роскошью, потому как строились еще в советские времена, утопали в зелени деревьев. Листва скрывала от глаз полученные ими разрушения. Вдоль дороги лежали несколько старых тополей. На конечной 29-го маршрута стояли два трамвая. Обрыв проводов буквально в сорока метрах от круга лишил их энергии.

А интересно, подумал Андрей, не будь обрыва, решились бы вагоновожатые выйти на линию? Появление трамвая среди руин произвело бы потрясающий эффект. Он стал бы еще одним островком надежности среди океана разрушений.

Серьезных разрушений здесь не было. Казалось, что по Красному Хутору прошел ураган и последствия его можно ликвидировать за несколько дней, максимум за неделю.

Но что будет дальше, в Дарнице, где стояли высотные дома? И где жили все трое ребят?!

— Ну вот, приехали! — сказал мужчина, остановив машину напротив ворот симпатичного двухэтажного дома недавней постройки.

— Красивый у вас дом! — заметила Валя.

— Это не мой! — рассмеялся мужчина. — Моих друзей. Видите, гараж обвалился. Естественно, со всеми последствиями для машины. Отвожу к себе на дачу их детей. Мои с женой туда вчера уехали... Повезло!

— Главное — жена! — повторил свою фразу Владимир.

— И дети! — снова добавила Валя.

— Скажу по секрету, — перешел он на заговорщический шепот, — друзья мои не такие оптимисты, как я. Считают, что скоро тут начнется черт-те что, поэтому и отправляют детей на дачу, а завтра-послезавтра едут туда сами. Наши дачи как раз рядом. И мне предлагают. Считают, это единственный выход: на дачу, в деревню, в общем, из города.

— В этом, конечно, что-то есть, — протянул Андрей, думая о собственной даче.

— Смотрели ведь антиутопии? — спросил мужчина. — «Безумный Макс», «Побег из Лос-Анджелеса»? Начнется такое... Покинутые города, где живут крысы и преступники, население, укрывшееся в сельской местности, постепенный отход в XIX век... Мрачно, да?

— Да уж...

— Поэтому нельзя отступать!!! Ну ладно, идите, а то я вас тут заболтал. Родители ведь волнуются...

Друзья вышли из машины, а водитель окликнул их:

— Минутку! С вас семь гривень...

Андрей прямо-таки оторопел. Вот тебе и бескорыстная помощь, добрый оптимист! Хорошо, что не содрал десять, а то и все двадцать в связи с возможными топливно-энергетическими проблемами...

Лицо мужчины расплылось в улыбке:

— Шучу, шучу! Видели бы вы свои физионо-мии!.. Ладно, счастливо вам! Держитесь!

45

...Широ не мог оторвать взгляда от этих четырех зловещих силуэтов, четко выделявшихся на фоне светящегося квадрата. Подсвеченные спереди бьющимся оранжевым пламенем, они выглядели довольно угрожающе.

— Кто это сказал? — воскликнул спасатель в больнице, имея в виду только что прозвучавшую фразу.

Мино же уставился на рацию так, будто это сказала она.

А Широ был уверен, что говоривший с сильным акцентом голос принадлежал кому-то из этой зловещей четверки. «...Они все равно не вернутся!!!» Незнакомец говорил это без какой-либо надменности и превосходства, просто констатировал факт.

Бросив взгляд на пылающие остатки глайдера, Широ вдруг понял, что они действительно могут не вернуться в больницу...

— Не говори ничего! — прошептала женщина Мино.

В руках ее блеснул пистолет.

А в руках одного из четверых незнакомцев появилась какая-то трубка, длиною с полметра и диаметром сантиметров десять. Он достал ее скорее всего из-под одежды, но так быстро и незаметно,

что Широ показалось, будто трубка материализо-
валась у него в руках прямо из воздуха.

— Ложись!!! — крикнула Алра, толкая Широ
на мокрую траву.

Он лишь успел заметить, как из трубки вырвалось короткое пламя.

Через секунду сзади громыхнуло, земля вздрогнула так, что Широ даже подлетел на несколько
сантиметров, почувствовал, как сверху прошла
волна плотного горячего воздуха, и на него стали
сыпаться дымящиеся комья земли, листья и ветви.
Широ ждал, когда на него свалится вырванный
взрывом ствол дерева.

Земляной дождь еще не прекратился, а юноша
уже услышал новую команду Алры:

— За глайдер!!! — И сообразил, что им действительно нужно перебраться за глайдер, чтобы его
горящие обломки скрыли их от четверки.

Широ вскочил и, пригибаясь, бросился вслед
за Мино.

Краем глаза увидел две короткие вспышки, и
прямо перед ним промелькнула голубоватая полоска-молния, после чего врезалась в ствол дерева.

Фонтан искр накрыл Широ с ног до головы,
щепки простучали по дождевику. Он споткнулся
и упал буквально на ровном месте, слыша треск
падающего дерева.

Его заглушили резкие звуки выстрелов.

Став на одно колено, Алра стреляла по четвер-
ке. Короткое пламя вырвалось из ствола пистолета, посылая невидимые пули.

Раз, два, три...

Один силуэт дернулся, смертоносная молния из его рук ушла вверх, срезая верхушки деревьев.

Четыре, пять, шесть...

Вскинув руки, второй незнакомец свалился на землю. Остальные присели, продолжая стрелять из своего страшного оружия.

В двух метрах от Широ, с треском ломая свои и чужие ветви, упало дерево. Оглянувшись, юноша увидел, как Алра отпрыгнула в сторону, а через то место, где она только что находилась, пролетели две полоски-молнии и умчались дальше, в лес, срезая ветви и подкашивая деревья. Женщина перепрыгнула через упавший ствол, и в него тут же ударила молния. Фонтан слепящих искр высотой в два человеческих роста на секунду скрыл Алру, и Широ показалось, что женщина растворилась в нем. Но она появилась и растянулась рядом с ним на земле.

— Их что, пули не берут?! — воскликнула Алра, увидев, что четверка незнакомцев в полном составе, к тому же особо не прячась, начала приближаться к ним, посылая одну молнию за другой.

Лес наполнился вспышками и запахом горящего дерева.

Широ видел спину пригнувшегося Мино, который, сделав последнее усилие, оказался за глайдером.

Алра уперла локоть левой руки в землю, положила на нее правую с пистолетом и, тщательно прицелившись, выстрелила.

Крайний справа упал, остальные присели и прекратили стрельбу.

Воспользовавшись этим, Широ и Алра бросились к глайдеру.

Но тут же две молнии промелькнули мимо них. В лицо Широ брызнули искры. Хорошо, что он успел прикрыться рукой!

Женщина выпрямилась во весь рост и, продолжая бежать, открыла огонь, заставив противников снова пригнуться к земле.

Пистолет в последний раз злобно рявкнул — и затих. Но они как раз успели спрятаться за обломками глайдера.

— Не останавливаться!!! — прокричала женщина, и все трое бросились по направлению к дороге.

Беглецы прекрасно понимали, что у них очень маленький запас времени. Максимум полминуты, пока четверка (именно четверка, ведь раненный прицельным выстрелом противник поднялся и продолжил преследование как ни в чем не бывало) не обойдет глайдер.

Они мчались по лесу, скинув мешавшие капюшоны и не замечая, что ветки хлещут их по лицу. Каждую секунду ждали, что мимо промелькнут молнии.

И каждый чувствовал себя великолепной мишенью.

Впереди уже показалась дорога, яркий свет фар идущей по ней машины, но по ним еще ни разу не выстрелили. Однако скорости никто не сбавил, и, тяжело дыша, беглецы наконец выскочили из леса прямо перед затормозившей полицейской машиной.

Один из полицейских открыл дверцу, чтобы выйти, но Алра закричала:

— Разворачивайтесь!!! И дайте запасную обойму!

Машина круто развернулась, и, пока Широ и Мино, дыша, как загнанные лошади, садились на заднее сиденье, женщина быстро перезарядила пистолет.

Бросив взгляд в сторону преследователей через заднее стекло, Широ увидел два силуэта, возникших среди деревьев на самой опушке леса. Значит, противник молча следил за ними, чтобы уничтожить всех вместе, в машине!..

Вновь загремели выстрелы. Алра стреляла над крышей автомобиля. Широ увидел, как вокруг ставших неясными силуэтов в лесу полетели куски сбитой пулями коры.

— Жми!!! — крикнула женщина, запрыгивая в машину.

Завизжали шины, и автомобиль резко рванулся с места.

Алра замахнулась, чтобы разбить заднее стекло, когда в багажник попала молния.

Машина подпрыгнула и вильнула, крышка багажника подлетела вверх и с грохотом упала ей на крышу, съехала в сторону, заднее стекло осыпалось на плечи пригнувшимся людям.

Широ ожидал взрыва, но вместо него вновь услышал грохот выстрелов.

— Дай пистолет!!! — крикнула Алра полицейскому, продолжая, не целясь, стрелять левой рукой.

И получив второй пистолет, открыла огонь сразу из двух стволов.

От грохота в метре от своей головы у Широ заложило уши. На спину ему сыпались гильзы.

А когда выстрелы стихли, он услышал душераздирающий скрежет металла об асфальт и дикий визг шин на повороте.

— Ушли! — выдохнула женщина. Глаза ее блестели воинственным огнем, в руках дымились пистолеты. — А если бы они еще целились...

46

Сердце Широ бешено колотилось: и от спринтерского бега по лесу, и от нахлынувшего вдруг запоздалого страха. Хватая ртом воздух, он выпрямился, скинув с плеч осколки стекла.

Машина мчалась, дрожа всем корпусом, часть развороченного багажника скрежетала об асфальт.

— Что там произошло? — спросил полицейский, сидевший за рулем.

— Какие-то неизвестные сбили глайдер...

— «Духовники»?

— Нет! — уверенно сказала Алра. — Понятия не имею кто!

— Они что, стреляют не целясь? — спросил второй полицейский, заряжая возвращенный пистолет.

— Они будто развлекались, — ответила женщина. — С таким оружием и при серьезном подходе к делу они уложили бы нас за пару секунд.

— С каким таким оружием?

— Неизвестным! И сверхмощным! Насквозь пробивающим глайдер!

— Но бронебойная пуля тоже...

— Бронебойная пуля не скашивает деревья!

— А гранатомет? — не унимался полицейский.

— Когда увидишь, поймешь, о чем я говорю! — не желая больше спорить, ответила Алра.

...Больница ожила. Свет горел почти во всех окнах. У открытых дверей главного входа стояла группа спасателей, которые оживленно зашевелились при появлении полицейской машины.

И вдруг холл больницы потряс взрыв.

Отброшенные взрывной волной спасатели скрылись под рванувшимся навстречу машине яростным пламенем. По крыше и капоту зазвенели осколки стеклянных дверей, а потом забарабанили куски кирпичей. От удара одного из них рассыпалось лобовое стекло, и внутрь машины, обжигая лица людей, ворвалась волна раскаленного воздуха и едкого дыма.

Открыв сами собой закрывшиеся глаза, Широ увидел горящий развороченный холл, тела спасателей на усыпанном осколками асфальте. Он сразу понял, что произошло.

Неизвестные добрались до больницы.

Широ боялся даже представить, чем это грозит...

Однако размышлять, даже ненадолго задумываться о происходящем просто не было времени. Счет шел на секунды. Широ снова оказался в еще более жутком, чем в лесу, водовороте.

Алра выскользнула из машины, Широ последовал за ней. Едва оказался снаружи, услышал ее резкую команду:

— Беги к больнице!!!

Ни секунды не раздумывая, со всех ног бросился к зданию. Преодолев половину пути, услышал сзади выстрелы. Оглянулся на ходу, чтобы увидеть, как один из полицейских, вскинув руки, перелетел через капот машины, оставляя за собой дымный след; прочел ужас и изумление на лице его напарника. Еще Широ увидел развернувшихся на сто восемьдесят градусов и кинувшихся прочь от автомобиля Алру и Мино.

Юноша уже был у больницы, в паре шагов от приемного бокса № 1, когда машина взорвалась. Объятая пламенем, разбрасывая горящие детали, она подлетела метра на четыре вверх, перевернулась — и тут взорвались газовые баллоны.

Плотное, ярко-желтое клубящееся пламя рванулось во все стороны, накрыло упавших женщину и спасателя и горячей волной обожгло лицо Широ, который вынужден был отвернуться. Он слышал, как машина с лязгом и грохотом упала на асфальт, и боялся смотреть туда, ожидая увидеть своих новых друзей-«технарей» объятыми пламенем. Однако к его секундному облегчению (никакие мысли, чувства, эмоции не длились сейчас дольше секунды), «технари» уже были на ногах и бежали к нему по усыпанному горящими деталями асфальту. Пылающая искореженная машина прикрывала их от нападавших.

Беглецов пустили в бокс и тут же закрыли за ними дверь, хотя Широ прекрасно понимал, что для неизвестной четверки она не преграда.

Юноша вопросительно посмотрел на Алру, абсолютно не представляя, что ему делать дальше. В мокром порванном дождевике, с пистолетом в поцарапанной руке, она выглядела довольно грозно, но в глазах женщины Широ прочитал растерянность.

Этого он боялся больше всего. В событиях последних часов Алра стала для него опорой, всегда указывая правильный путь действий... Только благодаря ей он был еще жив!

Больница вздрогнула, задрожали стекла и стены, со столов и шкафов посыпались вещи, послышались испуганные возгласы и крики. А за окном все покраснело от света полыхнувшего пламени, вслед за этим послышался глухой рокот взрыва.

Все это могло значить только одно: неизвестные взорвали еще какую-то часть больницы.

«Почему?!» — огненными буквами загорелся в мозгу Широ вопрос, но только на секунду.

Нужно действовать! Бежать! Спасаться!!!

— Во второй бокс! Там СММ! — сказал он женщине.

Они бросились по коридору, стараясь не обращать внимания на испуганные взгляды раненых, ищущих поддержки, на охватывающую людей панику.

Спасаться! Бежать!

Снова громыхнуло, задрожали стены, послышался звон бьющегося стекла, раздались крики...

Но Широ бежал.

Вот они, первобытные инстинкты, прорвавшиеся через преграды сознания! И главный из них...

Инстинкт самосохранения!

Животный страх гнал Широ по заполненному людьми коридору. В данный момент их судьба его не интересовала, и это было еще хуже ощущений, испытанных юношей во сне, когда он чувствовал удовольствие от убийства.

Люди смотрели на него, он знал их судьбу. Но бежал, спасался.

И не сразу заметил, что Алра остановилась.

Она стояла возле пожарной лестницы на второй этаж, где находилась операционная.

Где находился ее сын!

Она уже поставила ногу на первую ступень и посмотрела на Широ. Тот смотрел на нее.

Еще раз громыхнуло. Совсем близко. Пол заходил ходуном. Треснули и осыпались окна и стеклянные двери. В коридор ворвался запах гари.

А они смотрели друг другу в глаза.

Долгие три секунды...

Потом женщина бросила ему пистолет и, перепрыгивая через ступеньки, побежала наверх.

Поймав оружие, рукоятка которого хранила ее тепло, Широ уставился на лестницу, которую уже начал заполнять дым.

Он сделал шаг.

И замер...

Лестница вела к смерти...

Инстинкт самосохранения! Будь он проклят! Будь проклята «волна»! Будь прокляты эти неизвестные!

Широ даже не заметил, как закричал.

Проклиная все на свете, он развернулся и побежал к боксу № 2. Он знал, что будет делать. Возьмет СММ, дождется, пока перед разрушенной больницей появятся неизвестные, и будет давить их одного за другим, пока не кончится горючее.

Или пока они не взорвут его машину!

К горлу подкатился комок, оборвавший его крик ненависти, отчаяния и потери. Закусив до крови губу и крепко сжав пистолет, Широ сделал последний рывок.

Перепуганные люди в боксе уставились на него.

Открывать железную дверь некогда, тем более что пульт поврежден. Широ вскочил в кабину

СММ, завел двигатель и рванулся вперед. При резком торможении шины завизжали, бампер ударился о стену. Широ включил задний ход и вдавил педаль газа в пол. Вновь завизжали и задымились шины. Машина рванулась назад.

Когда ее помятый задний бампер врезался в опущенную дверь, прогремел еще один взрыв. Внутренняя стена бокса рухнула. Пламя, дым, пыль ворвались в него. Взрывная волна вышибла железную дверь и выкинула ее вместе с машиной наружу.

Каким-то образом (вот он: инстинкт самосохранения!) Широ успел среагировать и нырнул под защиту приборной панели. Бешеное пламя выбило лобовое стекло и ворвалось в кабину.

В волне огня СММ вылетела из бокса. В полете передняя ее часть приподнялась, и поэтому град осколков ударил в днище. Пролетев метров десять, машина тяжело приземлилась на задние колеса и бампер, лишившись при этом всех стекол. Высекая об асфальт искры, она несколько метров проскользила на бампере, передние колеса СММ коснулись земли и, пару раз подпрыгнув, она замерла.

Рядом рухнула часть стены, и поднявшиеся облака пыли скрыли под собой машину...

47

...Часть улицы и двор были освещены оранжевым пляшущим светом огня. Уссва прекрасно видел тело убитого им «балахона», даже стрелу, торчащую из его горла.

Но куда мог деться второй?

Сквозь щель между прутьями он осмотрел улицу, где, присыпанное землей, лежало тело одного из разбойников, вгляделся в продырявленный забор и задержал свой взгляд на темноте, что черным покрывалом окутала сад, скрыв все следы взрыва и, возможно, второго «балахона».

Уссва понял, что оказался в невыгодной позиции, на освещенной стороне улицы, представляя собой прекрасную мишень. Даже ползти ему было опасно из-за многочисленных щелей между прутьями забора.

Охотник поискал глазами Варра, но тот затаился так, что даже в освещенном дворе его видно не было.

Уссва с опаской посмотрел на крайний дом, из окна и двери которого по-прежнему лился яркий ровный свет. Нет ли там еще «балахонов»? Если есть, то почему они не вышли на помощь своим товарищам? Или же они дьявольски хитры и рассчитывают в случае победы противника заманить его в дом и там расправиться с ним?

Охотник снова перевел взгляд на скрытый темнотой сад на другой стороне улицы. Раз Варр притаился и не перебегает улицу, то каким-то собачьим чутьем чувствует, что «черный балахон» там, в саду.

Уссва набрался терпения, понимая, что поединок будет долгим.

За его спиной гудел огонь, затылок чувствовал тепло, идущее со стороны горящего дома, ноздри улавливали аромат дыма. А глаза впились в забор на той стороне улицы, стараясь уловить малейшее движение, самую незначительную тень.

Охотник не обращал внимания на время. Он мог сидеть так до рассвета, когда солнечные лучи разгонят темноту в саду, где притаился «черный балахон»...

Если он, конечно, все еще там!

А что бы сделал он, Уссва, на месте «черного балахона»? Имея возможность видеть в темноте (а охотник уже не сомневался, что эти люди-демоны видят в темноте), не трудно двинуться по деревне в обход, чтобы подойти к противнику с тыла. Ведь в начавшейся игре в «кошки-мышки» видящий в темноте имеет громадное преимущество.

Свет горящего дома разгонял мрак метров на пятьдесят—шестьдесят, а дальше везде царила непроницаемая для обычного взгляда темнота. Уссва еще раз оценил невыгодность своей позиции. Что такое шестьдесят метров для «сатанинских стрел»? Если «балахон» действительно сразу же пошел в обход, то скоро может оказаться за спиной охотника.

Проклятие, что же делать?

Уссва почувствовал неприятное ощущение страха, пробравшееся в душу. По спине прошел холодок, нервы вытянулись в струну. Жаль, что у него на затылке нет глаз! Он пожалел также, что отпустил Варра и теперь некому прикрывать тыл. Можно было, конечно, позвать пса, но тем самым обречь себя на верную гибель.

Нужно действовать! Нужно сделать первый шаг, заставить «балахона» выдать себя!

И тут Уссва заметил какое-то движение возле крайнего дома. Полминуты смотрел туда и уже решил, что зрение сыграло с ним плохую шутку, когда снова заметил под самой его стеной это движение.

Кто-то вроде бы полз под самым домом.

И этим кем-то был Варр!

Пес дополз до левого угла дома и скрылся за ним. Что бы это значило? Что нужно было Варру за домом? Если только...

Если только там не прятался «балахон»!

До дома иногда долетали отсветы пожара, и в одном из них на какое-то мгновение охотник увидел мелькнувший среди деревьев и вновь растворившийся в темноте силуэт. Но этого было достаточно! Уссва понял, что «балахон», сначала спрятавшись в темном саду, обошел освещенный дом и теперь подбирался к соседнему, горящему строению.

Чтобы не выдать себя прыжком через забор, Уссва ползком добрался до калитки и метров двадцать пробирался уже по другую его сторону, по улице. Найдя широкую щель, приник к ней и не отрываясь вглядывался в ночь минут пять, пока на нечеткой, колеблющейся границе света и темноты не заметил силуэт «черного балахона». Прижавшись к дереву, тот осматривал двор горящего дома. Уссва, не шевелясь, смотрел на него. Между ними метров шестьдесят, можно рискнуть и выстрелить. Но промахнуться значило бы проиграть, ведь «балахон» тут же скрылся бы в темноте. А то и хуже — ответил бы «сатанинской стрелой».

И тут «балахон» сделал то, чего Уссва никак не ожидал.

Он вошел в круг света и двинулся к горящему дому. Правда, шел осторожно, держа свое оружие у плеча, а не у бедра, как раньше, водя им из стороны в сторону, чтобы при появлении противника тут же поразить его.

Уссва по-прежнему не шевелился. Даже перестал моргать, когда «балахон» направил оружие в его сторону. Секунды под прицелом показались охотнику долгими часами. Уссва почувствовал, как лоб его покрылся испариной.

«Балахон» плавно продвигался к горящему дому, водя оружием из стороны в сторону. Расстояние между ним и охотником сокращалось: сорок пять метров, сорок... Но Уссва не мог вскочить и выстрелить — противник только этого и ждал. А стрельба через щель в заборе не гарантировала точности.

Нужен был отвлекающий маневр.

— Где ты, Варр? — одними губами прошептал Уссва. — Где ты, умный пес?

Тридцать пять метров, тридцать...

Освещенный ярким колеблющимся светом, «черный балахон» представлял собой идеальную мишень. Он, похоже, направлялся к своему убитому товарищу.

Слева из темноты донесся отрывистый лай.

«Балахон» крутанулся и выстрелил на звук.

Уссва вскочил над забором и выстрелил в противника.

Стрела попала под левую руку, в бок, в самое сердце.

Тело «балахона» еще не коснулось земли, а Уссва уже перемахнул через забор и кинулся к нему, на ходу заряжая стрелу.

Ему не понравилось, как упало тело «балахона». Мертвые так не падают!

С другой стороны стремительной тенью мчался Варр. Он окажется возле «балахона» первым.

Уссва на мгновение опустил глаза, чтобы проверить, хорошо ли легла стрела в арбалете, а когда поднял их, увидел, что «балахон» поднимается...

48

Да, мертвые так не падают! Он свалился, как человек, поваленный ударом, а не сраженный стрелой, и теперь, оправившись, приподнял верхнюю часть туловища. Стрела торчала в боку. А в руке матово блеснуло оружие.

Уссва резко отпрыгнул в сторону. Совсем рядом промелькнула «сатанинская стрела», взметнув вверх двухметровый фонтан земли.

Упав, Уссва перекатился на спине и оказался в удобном для стрельбы положении. Но его опередил Варр. Подобно урагану налетел он на «балахона», повалил, вцепился в держащую оружие руку. Голубоватая стрела ушла в небеса: не собьет ли она звезду?!

Уссва не мог выстрелить в сплетение тел. Вцепившись в руку врага, пес злобно рычал, умудряясь уворачиваться от ударов его свободной руки. Он кружил вокруг «балахона», не разжимая челюстей, возил его по земле и заставил-таки выпустить смертоносное оружие.

Сделав это, Варр отскочил в сторону.

«Балахон» оказался как раз лицом к Уссве. И охотник не промахнулся. Стрела впилась ему в голову, под капюшон. «Черный балахон» откинулся на спину. Варр подскочил к нему и злобно залаял, шерсть на его загривке встала дыбом.

Уссва только вскочил на ноги — и тут же увидел, как руки все еще живого противника потянулись к голове. Никакой он не человек! Демон!

Варр залился еще более громким лаем, напрыгивая на лежащего, но не решаясь напасть, видимо, тоже чувствуя необычную неуязвимость того.

Демон скинул с головы капюшон, сорвал черную прямоугольную маску, в которой застряла стрела. В маске не было щели для глаз, она закрывала практически все лицо. Но тогда как же он мог видеть?!

А упавший капюшон открыл лицо...

Уссва ожидал увидеть желтые горящие глаза демона, широкий нос с бычьими ноздрями, ощеренную клыками пасть... А увидел лицо мужчины лет тридцати — загорелое, волевое, с блестящими огнем схватки глазами.

Даже Варр замолчал, явно изумившись. Человек, не демон!..

Удивление заставило Уссву потерять драгоценную секунду.

Швырнув в застывшего охотника маску со стрелой, человек запустил руку под черный балахон и извлек оттуда маленькую округло-продолговатую коробочку. Варр ринулся на него, но, получив в морду струю белого пара, жалобно заскулил и отскочил в сторону. Человек направил коробочку на Уссву, но тот вовремя увернулся, и струя ударила ему в спину, не причинив вреда. Только в носу защипало, заслезились глаза. Уссва чихнул и выхватил кинжал.

Ударом ноги под колено «балахон» повалил охотника на землю. Арбалет отлетел в сторону, но кинжал остался в крепко сжимавшей его ладони.

Следующий удар ноги «балахона» был направлен прямо в лицо охотника. Но тот откатился в сторону, избежав удара, и тут же, подобно атакующему леопарду, прыгнул.

«Балахон» явно не ожидал такой атаки. Белая струя прошла мимо Уссвы, он повалил приставшего противника наземь и вонзил кинжал ему в горло. Тот вскрикнул от боли, захрипел, на губах его выступила кровь — и затих.

Уссва хотел подождать, удостовериться, что тот вновь не оживет, однако жалобно скулящему Варру требовалась помощь. Да и самому охотнику трудно было дышать, все еще слезились глаза. Вытащив окровавленный кинжал из бездыханного тела, Уссва подошел к псу. Глаза того тоже слезились, из носа текла слизь.

Что это за белый пар? Как ему противодействовать?

Взгляд Уссвы упал на колодец. Он подбежал к нему, набрал полное ведро воды и окунул в него голову. Стало намного легче. Тогда Уссва стал осторожно лить воду на морду пса. Понадобилось два ведра, чтобы он перестал скулить, но вид у него все-таки был довольно жалкий. Уссва решил, что утром сделает псу настой из лечебных трав, а еще лучше — найдет для Варра знахаря.

Пока же, уложив собаку возле колодца, Уссва подошел к поверженному противнику и в паре шагов от него нашел пускатель «сатанинских стрел». С опаской и благоговением поднял его.

Тот был абсолютно черным, поменьше, но потяжелее арбалета и даже чем-то походил на арбалет, правда, у этого оружия наличествовал пусковой механизм. Правая рука сама собой взялась за удобную рукоятку, левая — легла под небольшой выступ, сделанный из какого-то мягкого и абсолютно нескользкого материала. Сверху над рукояткой мигнул и погас красный огонек. Уссва испугался и чуть не отбросил оружие, но сдержался: ведь «черный балахон» стрелял из него, а почему он не может?

Палец лег на спусковой крючок. Уссва направил «сатанинский арбалет» (так он решил назвать его) на горящий дом и с замершим сердцем надавил на крючок.

Вырвавшаяся стрела, взметнув тучу искр, разнесла половину пожарища, вторая — рассыпалась сама.

— Ух ты!!! — воскликнул Уссва, посмотрев на тревожно поднявшего голову пса. — Получше, чем обычный арбалет! Правда, охотиться с ним нельзя! Что останется от зайца?..

Сняв с убитого балахон, Уссва увидел на его теле то ли рубаху, то ли камзол из странного темно-серого плотного материала, который не смогла пробить стрела арбалета, и такие же штаны. Повсюду было множество больших и малых карманов; на поясе, по бокам, висели какие-то незнакомые предметы, среди которых Уссва узнал только три. Здесь были еще одна округлая коробочка с проклятым белым паром, до которой охотник даже не дотронулся; трубка, «выплевывающая» пламя и осуществляющая взрывы, — ее Уссва повертел в руках, но так и не смог понять принципа действия; и наконец, маленькая копия «сатанинского арбалета». Охотник взял ее двумя руками, но держать его так было очень неудобно, а вот одной правой рукой — в самый раз! Он опробовал «арбалет» на пепелище дома: для зайца, конечно, тоже не подходит, а на медведя в самый раз!

Эта странно прочная, непробиваемая обычными стрелами одежда тоже заинтересовала Уссву, но он не имел привычки без крайней надобности раздевать убитых врагов. Тем более что этот был серьезным противником, требующим уважения. Но если честно, то охотник просто боялся надевать эту одежду: что еще может оказаться во всех этих многочисленных карманах? А ему вполне хватало двух «сатанинских арбалетов». Уссва взял кожаную перевязь для меньшего из них, которая надевалась на плечи таким образом, что «арбалет» оказывался под левой подмышкой и его очень удобно было доставать правой рукой.

Собрав стрелы своего арбалета (еще понадобятся для охоты!), обвешанный смертоносным оружием, охотник вышел на улицу: усталый, но вполне удовлетворенный. Варр плелся за ним.

У охотника не было ни сил, ни желания входить в крайний дом, где все еще горел яркий ровный свет. Что еще ждет его там? Опасность или какие-нибудь новые открытия?

— К черту! — бросил Уссва, поднимая большой «арбалет» и прицеливаясь.

«Сатанинская стрела» угодила в открытое окно. Свет погас, громыхнуло, наружу вырвались обломки дерева и языки пламени. Уссва еще раз нажал на спусковой крючок. Ничего не произошло. Прямо перед его глазами горел красный огонек. Через пару секунд он погас... Еще раз надавив на спуск, Уссва увидел наконец «сатанинскую стрелу», которая в одно мгновение снесла угол дома.

— Ага! — произнес он, без труда сообразив, что, когда горит огонек, стрелять нельзя.

Повесив арбалет на плечо, охотник зашагал прочь из пустой деревни, размышляя над тем, кто же эти безжалостные, обладающие невероятной мощи оружием люди, прячущие свой облик под черными капюшонами? Откуда они взялись? Зачем пришли?

В одном он был уверен точно.

Встретиться с ними ему еще придется...

49

...Никогда раньше Андрей не испытывал такого волнения. Его чуть ли не трясло, во всяком случае, по телу иногда пробегала крупная дрожь, в животе образовалась неприятная пустота.

Ни в какое сравнение с этим не шло, например, волнение перед экзаменом, когда и предмет плохо знаешь, и в придачу не готовишься. А-а, пронесет! Может, попадется билет с вопросами, на которые кое-как сумеешь ответить, или удастся заглянуть в учебник, зажатый между коленом и партой.

В крайнем случае — двойка! «Но что такое двойка?» — думал Андрей. Это же не Конец Света. Только пара отнятых у каникул на подготовку к пересдаче дней. Да, с позиции того времени — это довольно крупная неприятность, но сейчас все это казалось пустяком, не стоившим и выеденного яйца.

Последствия двойки можно свести к минимуму.

Последствия того, что произошло сейчас, свести к минимуму было невозможно.

И потому Андрей испытывал неведомое ему прежде чувство.

Это было не просто волнение.

Это было огромное волнение.

Он приближался к своему дому.

«Главное — жена! И дети!»

Жены у него еще не было. Детей — тоже.

Зато были два других не менее дорогих ему человека.

С каждым шагом он приближался к ответу на вопрос, который боялся задать себе с того времени, как разрушительная «волна» прошла через Киев.

Это не вопрос в экзаменационном билете, и на него не существует «правильного» ответа.

Это вопрос, ответ на который поделит жизнь на две половины: светлую и темную.

Это вопрос, от ответа на который зависело сейчас все!

Живы ли его родители?!!

Андрей чувствовал, как колотится сердце в груди. Ладони заледенели: казалось, вылей на них воду, и она тут же превратится в кристаллики льда.

Точно такое же напряжение охватило и его друзей. За десять минут они не произнесли ни слова. Каждый думал о своем.

Каждый думал об одном и том же!

Живы ли родители?

Через три-четыре минуты Андрей узнает ответ на этот вопрос. Он отгонял всяческие предположения.

Ответом может быть только «да».

Да!

Да!!

Да!!!

Сразу после катастрофы отец выехал домой, и по дороге с ним уже ничего случиться не могло.

И не случилось!!!

(А если сдвиг почвы, пустота под асфальтом? Или просто-напросто старое треснувшее дерево, что не упало с «волной»...)

К черту! Никаких сдвигов почвы, никаких пустот! Никаких деревьев!

Мама работала в двухэтажном здании... Крепком двухэтажном здании. Максимум, там могла осыпаться штукатурка.

(А если не выдержали и рухнули перекрытия? Или само здание выдержало, но на него рухнул соседний дом?)

К черту! Никаких перекрытий! Никаких соседних домов!

...Друзья вышли к не так давно построенной школе. Она встретила их пустыми глазницами больших окон, стекла сверкающей россыпью лежали под ними. Упавшее дерево угодило ветвями прямо в один из классов. Хорошо, что сейчас каникулы! От недостроенного нового корпуса осталась одна стена, к тому же поделенная на две неровные части упавшим краном.

Позади школы возвышался квартал шестнадцатиэтажек. Из окон верхних этажей одного из зданий валил дым, в другом было сразу три очага пожара. Все высотные дома, похоже, не избежали внутренних разрушений. Но выстояли!

Андрей заметил, что на асфальте дороги, по которой они шли, практически не было видно трещин. Похоже, «волна» действительно шла с разной силой и пощадила этот район.

Какова же природа «волны»? Что это — злой каприз природы или же направленное действие? Но кто мог создать такое?!

Разве что Люцифер...

Эти вопросы ненадолго отвлекли Андрея от главного.

Ребята вышли на улицу, что вела прямо к его дому. Он увидел угол своей белой девятиэтажки и поймал себя на том, что считает этажи. Все девять на месте, хорошо!

Андрей обратил внимание на то, что в домах, расположенных перпендикулярно направлению «волны», повреждений меньше, нежели у их соседей, стоящих параллельно ее движению. Даже целых окон в них осталось больше.

...До дома оставалось метров четыреста.

Андрей так плотно сжал зубы, что у него свело скулы. Он чувствовал себя игроком, участвующим в какой-то дьявольской игре...

Люцифер пустил по миру разрушительную «волну» и теперь наблюдал за парой миллиардов выживших игроков. Кому-то повезло больше, кому-то меньше; кто-то выбрался из-под руин, кто-то остался под ними навсегда; чья-то машина врезалась в упавший столб, чья-то миновала его; чей-то самолет приземлился (приводнился), чей-то взорвался при посадке...

Кто-то потерял своих близких, кто-то нет...

Спринт...

Разверните билетик, и вы найдете ответ, узнаете, выиграли вы или проиграли.

Лотерея...

Вы стали ее участником, вне зависимости от того, хотели вы этого или нет!

Колесо фортуны...

Кто узнает, улыбнется она вам или повернется к вам спиной?

Триста метров до дома...

Андрей похолодел еще больше.

Фортуна уже улыбалась ему несколько раз. Он не поднялся на колокольню, она не рухнула ему на голову, нашелся добрый человек, что подвез ребят на левый берег...

А если фортуне надоест улыбаться? Если на этот раз она повернется к нему спиной?

За полосой везения — полоса невезения...

Андрею уже слышался хохот Люцифера.

«Верный признак помешательства!» — неожиданно подумал юноша.

Двести метров до дома...

Последующие сто шагов ему удалось пройти, ни о чем не думая. Андрей шел, уставившись в одну точку и даже не моргая.

Сто метров до дома.

Он увидел окна своей квартиры. Треснувшее стекло на кухне. А так все в порядке.

Намного левее, через подъезд, горели две квартиры, гудел насос пожарной машины...

Во дворе, в небольшом огороженном для автомобилей пространстве, стояли сразу четыре машины. Среди них — белая «четверка» с тонированными стеклами.

Увидев только половину корпуса, Андрей узнал ее.

Значит, отец доехал!

Багажник «четверки» был открыт. Женщина в спортивном костюме ставила туда большую сумку...

Все, он выиграл эту проклятую лотерею!!!

Ответ на главный вопрос: «Да!!!»

Он смахнул выступившую слезу...

50

...Они стояли у входа в лаврскую колокольню. Задрав головы, смотрели вверх, где ее позолоченный купол упирался в голубое небо. Золото сверкало так, что долго смотреть на него было невозможно.

Вокруг царила тишина. Ни один звук не нарушал ее: застыла листва на деревьях, молчали птицы, не было слышно гула машин...

Однако продолжалось это недолго.

Тишину внезапно разорвал звон колокола, а одновременно с ним, чуть скрипнув, распахнулись двери входа. Старушка вахтер улыбнулась ребятам, приглашая их войти.

— Ваши билетики, ребята!

Они одновременно извлекли свои билеты.

От небольших, вполне безобидных кусочков бумаги явственно шел запах дыма и пыли. Этот слабый «аромат» заставил ребят переглянуться.

Они поспешили избавиться от билетов и протянули их вахтерше. С той же радушной улыбкой старушка приняла их, через мгновение протянув корешки обратно.

— Заходите!

Друзья вошли в холодное полутемное помещение с голыми серыми стенами и высоким сводчатым потолком.

Андрей помнил, что в прошлый раз здесь все было по-другому. Но как именно?..

Увидев сделанный в форме цветка лилии мусорный бачок, ребята, не сговариваясь, выбросили в него корешки билетов, от которых по-прежнему исходил тревожный запах дыма.

Справа начиналась каменная лестница наверх. Шедший последним Андрей обернулся и взглянул на вахтершу.

— Добро пожаловать! — сказала она.

Глаза ее светились в полумраке красноватым огнем.

«Странные у нее линзы!» — подумал Андрей, начиная подъем.

Теперь тишину нарушали лишь звуки их шагов, гулко разносившиеся среди пустых каменных стен лестничных пролетов. На ступенях были написаны их номера. Где-то на сороковом Андрей поймал себя на том, что смотрит на стройные ноги поднимавшейся впереди Вали. Он чувствовал приятный аромат ее духов.

Лестница как раз расширилась, и можно было идти вдвоем, поэтому, догнав девушку, Андрей обнял ее за талию и ласково спросил:

— Не устала?

— Еще нет, — улыбнулась она ему.

Шедший первым Владимир обернулся и, ничего не сказав, зашагал дальше.

Прошли еще сорок ступеней.

— Устала! — выдохнула Валя, кокетливо взглянув на Андрея, хотя дыхание ее даже не участилось.

— Понял! — кивнул тот и подхватил ее на руки. Звонко рассмеявшись, девушка обняла его за шею и скомандовала:

— Вперед!

Андрей резво зашагал по ступеням, абсолютно не ощущая ее веса и чувствуя себя рыцарем, супергероем, чемпионом мира по боксу...

Обернувшись, Владимир увидел невероятную картину: его друг несет на руках его девушку, а та нежно опустила голову ему на плечо...

— Дорогу принцессе Йоркской! — прокричал Андрей, проносясь мимо застывшего Владимира.

На одном дыхании, с девушкой на руках, он взлетел на самый верх почти стометровой колокольни и мягко опустил Валю на каменный пол смотровой площадки.

Обнявшись, они замерли у перил, а минут через пять здесь появился запыхавшийся и рассерженный Владимир. Не сказав ни слова, он встал в стороне.

...Голубое небо сливалось на горизонте с темно-зеленой полосой леса. Киев был виден как на ладони.

Однако Андрей сразу обратил внимание на странную вещь.

На мосту Метро и на мосту Патона в несколько рядов выстроились автомобили, а их водители и пассажиры стояли рядом, глядя куда-то в сторону левого берега. Замерли трамваи и вагоны метро, а вышедшие из них люди также рассыпались вокруг, глядя в одну сторону. Даже прохожие на площади под колокольней смотрели туда же, хотя могли видеть только корпуса лавры.

Все они чего-то ждали.

Словно заразившись этим ожиданием, Андрей, Валя и Владимир тоже уставились на левый берег.

Небо озарила ослепительная вспышка, и когда вызванная ею рябь прошла перед глазами ребят, они увидели «волну».

Она уже дошла до Днепра.

Потемневший в одно мгновение мир был озарен красноватым светом взрывов и пожаров, наполнен грохотом и запахом дыма.

Днепр вздыбился, мосты подпрыгнули, сбрасывая в воду людей и машины.

А «волна» прошла дальше, ударила в правый берег...

Словно игрушечная, подпрыгнула тысячетонная громада монумента Родины-матери...

Но Андрей уже не видел, что происходит там дальше.

«Волна» ударила в колокольню.

Ребят выкинуло со смотровой площадки, и они полетели вниз. В ушах свистел ветер, сердце замерло от ужаса, стремительно увеличивалось, приближаясь, темно-серое полотно асфальта...

Андрей открыл глаза, но несколько секунд по-прежнему видел приближающийся с бешеной скоростью асфальт и лишь в тот момент, когда уже, казалось, он должен был разбиться о землю, понял, что все происходит во сне и перед ним не что иное, как белая поверхность потолка.

Сон закончился, а отвратительное ощущение падения осталось.

Андрей сел и уставился в окно, за которым были видны крыши соседних дач да потемневшее вечернее небо.

— Плохой сон! — сказал он себе, протирая глаза. — Прямо-таки жуткий! А если такие будут сниться каждую ночь?!

51

...Окрашенная бликами огня в оранжевый цвет пыль медленно оседала. Проступили силуэты медицинского автомобиля, стали видны детали: помятый задний бампер, покореженная задняя дверь, начисто снесенные сигнальные огни и выбитые стекла, множество вмятин и царапин на бортах.

В кабине, на сиденьях, засыпанный осколками стекла, лежал Широ.

В ушах его по-прежнему стоял незатихающий грохот взрыва, голова гудела, ему слышались испуганные возгласы и полные ужаса крики, он видел неясные очертания бегущих людей и в то же время ощущал, что падает куда-то.

«Сон! Опять сон! — подумал юноша, не делая попыток прекратить падение. — Сейчас Алра разбудит меня...»

Грохот взрыва вдруг смолк, оборвались возгласы и крики, исчезли бегущие люди, мир заполнила темнота. Падение прекратилось.

Пришла боль: горело обожженное лицо, особенно левая щека, гудел затылок, ныла правая нога.

И какая-то невидимая рука ледяным захватом сжала сердце, холод этот распространился по всей груди, не давая юноше свободно вздохнуть.

Но Широ сразу понял, что причиной тому не физическая боль, не ранение или травма. И давно осознал, что это не сон, что он пришел в себя и лежит в кабине разбитой машины.

Но радости по этому поводу не испытал. Казалось бы, он выжил, спасся, но вместо облегчения пришла опустошенность.

Не открывая глаз, юноша увидел все, что произошло, но в обратной последовательности.

Осколки лобового стекла, выбитые ударом яростного пламени. Рухнувшую стену бокса № 2. Коридор с ранеными, их испуганные лица. Лестницу на второй этаж.

И наконец, женщину, стоящую на ее первой ступени.

Как и тогда, он смотрел ей в глаза. Смотрел несколько коротких и бесконечно долгих секунд. И женщина ушла, чтобы встретить смерть рядом с сыном. И она знала, на что идет, так как бросила ему, Широ, пистолет.

Ничего не сказав, Алра приказала ему спастись, выжить!..

Он сделал это!

В который раз избежал верной смерти, вырвался прямо из ее цепких когтей.

Спасся! Выжил...

И что?! Что дальше?

Только пустота.

Ему не надо было поднимать голову для того, чтобы узнать, что осталось от больницы. Ничего! Выжил ли кто-то? Никто!

Он единственный счастливчик, трус и предатель!

Ему вдруг вспомнилась раненая девушка у сгоревшего автобуса, к которой он обещал вернуться. То были пустые слова, о которых он почти сразу же забыл.

Широ чувствовал себя вконец истощенным. У него больше не осталось ни физических, ни тем более душевных сил действовать, сопротивляться. Он не мог побороть ту опустошенность, что захватила его душу и безраздельно господствовала там. Он уподобился тому «духовнику», что сидел на крыше наполовину затопленной лодочной станции и ждал помощи.

Широ захотелось остаться здесь, в автомобиле, и ждать! Просто ждать!! Неизвестно чего!!! Это намного легче, чем самому принимать решения, действовать в разрушенном, перевернутом с ног на голову мире, бороться с самим собой, людьми, со стихией и, наконец, с неизвестными беспощадными убийцами...

Сейчас они не вызывали в нем гнева или ненависти. Тот порыв в коридоре больницы, когда Широ решил давить их, мстить, казался ему сейчас далеким и бессмысленным.

Давить, мстить... Зачем? Этим все равно не воскресишь мертвых!

Не воскресишь Алру!..

Пустота, бессилие...

После того как внешний мир превратился в руины, его собственный микрокосм продержался почти сутки. И вот, лишившись последней опоры, коей была Алра, рухнул и он. Его затопило вязкое море безразличия, бескрайнее, тянущееся от горизонта к горизонту, без единого, даже самого маленького, островка надежды...

Снаружи послышался хруст стекла под чьими-то ногами. Кто-то приближался.

И Широ знал, кто это!

Шаги приблизились. Кто-то остановился у водительской дверцы, послышалось шуршание ткани.

Широ было все равно. Он лежал, не шелохнувшись, ожидая, что смертоносная полоска-молния раз и навсегда оборвет его лишенную теперь всякого смысла жизнь.

— Ты жив? — спросил подошедший.

Из-за окутавшего его безразличия Широ, казалось, никак не отреагировал на этот вопрос.

Но внутри его все вздрогнуло, по морю отрешенности прошла волна.

— Ты жив? — прозвучал все тот же вопрос.

И тут Широ уловил знакомый акцент.

Голос принадлежал врагу, и вспыхнувший было огонек надежды, что кто-то из своих выжил, тотчас погас.

Однако волна в море безразличия превратилась в настоящее цунами! Нужен был лишь толчок. И им послужил вопрос незнакомца.

Если бы Широ ответил ему, то тут же стал бы мертвым! Пару секунд назад он желал этого...

Теперь — нет!!!

Сказав, видимо, по рации, пару непонятных слов, неизвестный отошел от машины, и Широ услышал его удаляющиеся шаги.

Где пистолет?

Широ открыл глаза и сразу увидел его на полу, у пассажирского сиденья. Рука сама потянулась к оружию и взялась за холодную рукоятку.

С плеч Широ упали несколько осколков стекла, он осторожно, стараясь не шуметь, приподнялся и выглянул из-за приборной панели.

Увидел выстоявшую стену с черными глазницами окон, из которых валил дым, зияющую дыру на месте двери в бокс, присыпанную изнутри кучей кирпичей, развалины больницы.

Увидел идущего по усыпанному осколками асфальту неизвестного, облаченного то ли в какой-то черный дождевик, то ли в напоминавшую его странной формы одежду.

Отметил, что больше никого из пришельцев не видно, они, очевидно, за развалинами.

Широ выпрямился и сел на водительское место. Большинство приборов на панели работало. А вдруг машину еще можно завести, и тогда...

Давить, мстить!..

Бессмысленно? Да!

Но другого выхода нет!

Зачем Алра бросила ему пистолет? Чтобы он действовал, не сдавался, боролся! Не умирал, продолжал жить! Чтобы не оставил безнаказанными злодеяния неизвестных!

Бессилие, безразличие исчезло в одно мгновение.

Широ взял пистолет двумя руками и поймал на мушку голову неизвестного. И хоть он никогда раньше не стрелял, сейчас был уверен, что не промахнется.

Ему вспомнилось старое забытое слово, которое, похоже, вернули в их мир эти неизвестные.

Война!

Палец Широ слегка надавил на спусковой крючок. Он объявляет им войну!

— Ты жив? — громко спросил Широ.

52

Неизвестный обернулся — и, получив пулю в голову, мешком повалился на осколки кирпичей, выронив из рук оружие.

Памятуя о неуязвимости противника и потому держа его под прицелом, Широ со второй попытки завел двигатель и подъехал ближе, встав таким образом, чтобы машина оказалась между развалинами и телом.

Широ выскочил из СММ, чувствуя, как ускоряется бег времени, как его вновь затягивает водоворот событий, где важны лишь действие и мгновенная реакция, где на обдумывание ситуации не остается и секунды. Это даже к лучшему! Думать много ему сейчас вредно — слишком мрачные размышления тревожат душу...

Действовать! Бороться!! Нападать!!!

Подбежав к неизвестному, Широ понял, что тот мертв. Капюшон упал с его головы, однако лицо было скрыто под какой-то массивной прямоугольной маской, из-под которой сочилась на асфальт кровь.

Секунда, чтобы оценить все это, чтобы предположить, что маска — это не что иное, как особый прибор ночного видения. Секунда, чтобы поднять и осмотреть черное, блестящее оружие убитого — не то здоровенный пистолет, не то короткий автомат без магазина. Резиновая прокладка оружия удобно разместилась в левой ладони, а правая — взялась за рукоятку. Указательный палец лег на спусковой крючок. На задней части корпуса мигнул красный огонек.

Со стороны развалин послышались шаги.

Широ осторожно, через боковую дверцу и отсутствовавшее лобовое стекло, посмотрел туда.

Двое неизвестных перебирались через завал, причем даже не прячась. До них тридцать шагов. Идельная мишень!

Положив руку на дверцу, Широ быстро прицелился и надавил на спусковой крючок своего нового оружия. Не было никакой отдачи, оно даже не вздрогнуло. Вспышка, мелькнула полоска-молния — и между двумя неизвестными вырос трехметровый фонтан из огня, искр, пыли и кусков кирпичей, отбросивший противников в сторону.

Широ надавил на спуск второй раз, но ничего не произошло. Однако на рукояти вдруг зажегся красный огонек. Это наверняка что-то означало! Огонек погас секунды через три, и оружие вновь заработало.

Вторая полоска угодила в грудь чуть приставшему незнакомцу и пробила его насквозь.

Держа на прицеле оставшегося противника, Широ бросился к завалу. В нем дымилась метровая воронка с расплавленными краями и дном. Словно в нее угодил метеорит...

Оба неизвестных были мертвы.

Широ выглянул над завалом и на несколько секунд замер в удивлении. К нему приближались два противника. Длинные одежды, что касались земли, скрывали способ их передвижения, но Широ показалось, что они просто скользят над самой поверхностью земли, настолько плавным было их движение.

Но загадка столь странного явления рано или поздно будет разгадана, а пока...

Вспышка, полоска-молния, огненный фонтан — и противники, исполняя в воздухе невероятные кульбиты, разлетелись в разные стороны.

А Широ уже перевел прицел и, дождавшись, когда погаснет красный огонек, выстрелил по приземистой, судя по всему, бронированной машине, что стояла напротив места, где когда-то находился главный вход больницы. В ослепительной вспышке полоска-молния пробила ее борт, машина подпрыгнула на метр от земли — и взорвалась.

Да так, что взрывная волна сбила Широ с ног, — хотя от него до машины было метров семьдесят, в тот же момент рухнула часть выстоявшей стены, похоронив под собой одного из противников, а еще два, что находились буквально в двадцати шагах от машины, вообще исчезли в волне яростного пламени, что во все стороны разошлась от эпицентра взрыва на многие десятки метров. Под ее напором пригнулись, треснули, задымились мокрые деревья в сквере. Машина же раскололась на две части, и они, словно кометы, оставляя за собой огненные хвосты, разлетелись по сторонам: одна перемахнула через всю больницу, а другая умчалась куда-то в лес.

Лежа на кирпичах и даже не чувствуя боли от падения на них, Широ с каким-то диким восторгом наблюдал за этим полетом.

— Вы живы? — заорал он, выглянув из-за завала.

Посреди пустой площадки красовалась широкая воронка, на дно которой с краев соскальзывали комья расплавленного асфальта. Уж не маленький ли ядерный взрыв он тут устроил?!

Но Широ не стал долго любоваться последствиями взрыва, а бросился обратно к СММ, по дороге прихватив оружие убитых. Дыра с обожженными краями в груди застреленного им противника ничуть не смутила Широ.

Одна только мысль билась в его голове: нападать, не упускать инициативы, развивать успех.

Заскочив в кабину, Широ дал задний ход. Машина запрыгала по кирпичам, выбрасывая из-под колес осколки. Юноша развернулся и поехал вперед, на дорогу, по которой ездил вчера, сегодня, да и совсем недавно, в полицейской машине, спасаясь от неизвестных.

Теперь он ехал охотиться на них!!!

Одной рукой держа штурвал, а другой — свое новое оружие, Широ улыбался, и улыбка эта была похожа на волчий оскал. Хорошо, что зеркало внутри кабины было разбито, он бы, наверное, испугался выражения своего лица. Эта мысль только прибавила ему сумасшедшего задора.

Безумный убийца!!!

Справа над лесом поднималось ровное голубое сияние...

Но Широ вовремя оторвал от него взгляд и посмотрел вперед: ему навстречу быстро скользили четыре темных силуэта.

Отпустив штурвал, Широ левой рукой схватил второй «пистолет» и выстрелил сразу из двух, как это делала Алра в полицейской машине.

Впереди взметнулись два фонтана из огня, искр и дымящихся кусков асфальта, причем левый был на метр ниже правого, то есть второй «пистолет» обладал меньшей разрушительной силой.

Но как бы там ни было, оба взрыва разбросали четверых незнакомцев в разные стороны.

Огонек на «пистолете» в левой руке погас, и Широ тут же выстрелил. Промахнулся. Погас огонек на другом «пистолете». Выстрел. Один из противников лишился головы.

Машина подпрыгнула на воронках с расплавленными краями. Широ, не выпуская оружия, прижал ладони к штурвалу, удерживая автомобиль на дороге.

Лобового стекла не было, но холодный ночной воздух, что врывался в кабину, не мог остудить разгоряченного лица юноши. Он вновь повернул голову направо, где над лесом растекалось голубое сияние.

Вот она — его цель: загадочно светящийся квадрат!

Вперед: действовать, бороться!

Нападать!..

53

...Стоя под окнами хижины знахаря, Уссва размышлял над тем, почему это место называют проклятым. Днем оно не показалось ему ни зловещим, ни даже просто пугающим.

Руины некогда большого сооружения с круглым фундаментом и толстыми каменными стенами поросли травой. С одной стороны к ним подошло озеро, вода блестела у самой стены, и камни ее потемнели от сырости. С другой стороны сюда подступал лес, хотя деревья, казалось, боялись приближаться к руинам, столпившись полукругом метрах в двадцати от них.

Хижина стояла прямо среди леса, в сотне шагов от развалин, которые сейчас, в вечерних сумерках, преобразились.

Силуэт их темной громады был отчетливо виден за частоколом деревьев на фоне алеющего неба. Этот загадочный неровный силуэт действительно мог показаться зловещим, но только человеку, наслушавшемуся под вечер страшных историй. При желании в нем можно было увидеть даже очертания заснувшего дракона, который просыпается ночью, пожирает заблудившихся путников, а с рассветом вновь обращается в камень.

— Не страшно здесь одному-то? — спросил Уссва, не отрывая взгляда от руин.

— А почему это здесь должно быть страшно? — вопросом на вопрос ответил знахарь — седобородый старичок с паутиной глубоких морщин на лице, облаченный в длинную, неопределенного серо-зеленого цвета рубаху с закатанными рукавами, что открывали сильные, совсем не старческие руки.

— Как-никак проклятое место!

— А ты, видать, не здешний! Так?

— Так...

— Поэтому и не знаешь, что проклятым его назвали давно, когда еще не жил и дед твоего деда. Здесь стоял величественный храм, построенный племенем, что пришло с далекого юга. Здесь приносили в жертву людей, вызывали духов и демонов... Так продолжалось десятки лет, пока местные племена — наши с тобой предки — не объединились и не изгнали кровожадных соседей. В храме этом укрылись жрецы и несколько дней сдерживали осаду, пока как-то ночью половина храма не рухнула, похоронив под собой множество осаждавших его воинов, а в оставшейся половине обнаружили следы жутких ритуалов, что справляли жрецы...

— А ты видел «черных балахонов»? — вдруг перебил его Уссва и пристально посмотрел на старца.

— А ты? — снова вопросом на вопрос ответил тот, и маска равнодушия на лице старца надежно скрыла его эмоции.

— Видел.

— И я.

Знахарь посмотрел на дернувшего ногой во сне Варра, что разлегся на подстилке из душистого сена.

Уссва же не спускал со старца пытливого взгляда, чувствуя, что тот явно чего-то недоговаривает. Так как знахарь больше ничего сообщать не собирался, охотник решил сам развить начатую тему:

— Я видел их несколько раз...

Знахарь наклонился, осматривая глаза спящего пса.

— ...и довольно близко.

Старика, казалось, никак не заинтересовали эти слова. Или он сделал вид, что не заинтересовали.

— Последний раз я встретился с ними сегодня ночью...

Старик распрямился, всем своим видом выражая равнодушие.

— Во время этой встречи пес и пострадал.

Знахарь посмотрел на охотника, ожидая продолжения.

— Они лишили жизней десять разбойников... Но я все же убил двух «балахонов».

Старик так пристально посмотрел на Уссву, что тот подумал: «Еще немнюго — и взгляд его просверлит мне башку!»

— Не верю! — холодно сказал старец, не отводя глаз. — Врешь!

Уссва подошел к столу и откинул мешковину, в которую был замотан черный «сатанинский арбалет».

И тут знахарь выдал себя с головой. Он отшатнулся в сторону, словно увидел гремучую змею, а маска спокойствия и равнодушия слетела с его лица, будто сорванная ураганным ветром. Уссва сделал вывод, что тот знаком и с этим «арбалетом», и с «сатанинскими стрелами».

— Ты действительно... их убил? — перейдя на шепот, спросил знахарь.

— Думаешь, они мне подарили это? — вопросом на вопрос ответил Уссва, кладя руку на гладкую холодную поверхность «арбалета».

— Ты видел, что скрывается под балахоном? — еле слышно спросил старец.

— Видел... — Уссва сделал паузу, подумав, что знахарь, очевидно, считает их демонами, скрывающими свое истинное обличье под балахонами. — Там человек в странной одежде, которую не берут стрелы, в странной маске без прорези для глаз, с помощью которой, похоже, можно видеть в темноте, с диковинным, ужасающей мощи оружием... Ты ведь видел его в действии, не так ли?

— Видел... — Старик сглотнул. — Четыре ночи назад, в часе ходьбы отсюда. Восточные наемники

или случайно столкнулись с двумя «балахонами»,
или специально напали на них. Семеро — на двух...
А никто не ушел! И еще я видел в руинах сияние...

— Сияние? — переспросил заинтригованный
Уссва.

— Сначала я подумал, что проклятое место
ожило. А прошлой ночью я увидел уже не только
сияние, но и двух «балахонов», направляющихся
к моей хижине... Никогда в жизни я так не пугался!
Забрался в подпол и сидел там, пока они ходили
сверху... И точно: свет не зажигали, словно видели
в темноте! Походили минут пять, сказали что-то
друг другу на непонятном языке и ушли. А я за
эти пять минут поседел еще больше!

— Так что же они? — спросил Уссва скорее у
себя, нежели у старца.

— Раз ты говоришь, что не демоны... Смотри!!! — воскликнул вдруг знахарь. Уссва даже
вздрогнул от неожиданности и резко повернулся
к окну, ожидая увидеть в нем зловещий силуэт
«черного балахона».

Однако увидел другое.

Над частоколом деревьев, над развалинами
храма, затмив собой слабое мерцание заходящего
солнца, поднималось сияние. Бледно-голубое, оно
дрожало и расплывалось по краям, но было ровным и монолитным посередине. Прямо на глазах
оно набирало силу, посеребрив поверхность озера
и осветив бледным, мертвенным светом лес.

— Затуши лучину! — сказал Уссва, но знахарь
сделал это за секунду до его приказа.

Сияние разливалось над развалинами, исходя,
казалось, прямо из них...

Уссве надоели загадки. «Балахоны» были людьми, были смертны, уязвимы для стрелы и кинжала и тем более уязвимы для собственного оружия. Но они были всего лишь опасными противниками, а не демоническими существами.

Уссва чувствовал в себе достаточно сил и уверенности, чтобы наконец найти ответ на вопрос: кто такие «черные балахоны»?

А лучше всего ответ этот знали они сами!

54

...Скрипнули доски, и в бледном свете, что вливался в окно, Уссва увидел, как знахарь поднимает крышку подпола и садится на его край.

— Они могут прийти снова! — прошептал он, спрыгивая вниз. Из люка торчала лишь его голова с лихорадочно блестящими глазами. — Куда ты собираешься?

— Прогуляться! — ответил Уссва, беря в руки «сатанинский арбалет», а свой оставляя на скамье. — Прячься и не высовывайся!

Охотник направился к выходу, где его уже ждал Варр. Пес немного оправился после вчерашней схватки, и Уссва после короткого раздумья решил взять его с собой, собираясь пустить его в бой лишь в крайнем случае.

Тяжесть «сатанинского арбалета» в руках придавала Уссве уверенности. Он вооружен не хуже, чем «балахоны». Нет, конечно, трубки, с помощью которой можно устраивать взрывы, но она сейчас и не нужна, а вот коробочка с белым паром могла бы пригодиться, и Уссва пожалел, что не прихватил ее. Но если начать жалеть обо всем, чего не сделал или что сделал неправильно, то скоро можно пожалеть, что вообще появился на свет.

Так учил его отец, советы которого Уссва всегда чтил.

Выйдя из хижины, скрытый ею от развалин и сияния, Уссва на секунду задумался. Притаиться ли здесь, чтобы напасть на «балахонов», когда они будут входить сюда? Но ведь во второй раз противник может и не появиться в хижине! Или же двинуться к развалинам? И заодно узнать о причине сияния!

Выбрав второе, охотник выглянул из-за угла и, убедившись, что на достаточно хорошо освещенном пространстве между хижиной и руинами никого нет, пригнувшись, побежал по направлению к пышным кустам, что стояли шагах в сорока, чуть правее.

Ему оставалось совсем немного, когда на фоне освещенных развалин появились четыре знакомых черных силуэта.

Уссва рухнул на землю, пес замер чуть впереди.

Что-то обсуждая, четверка стояла на первом уровне многоярусных развалин, и охотник посчитал вполне безопасным для себя доползти до кустов, ведь до них оставалось каких-то пять шагов.

Устроившись среди листвы, он увидел, что четверка разделилась, двое ушли куда-то влево и вскоре скрылись из виду, а еще двое двинулись прямо к хижине.

Уссва улыбнулся: теперь его позиция была куда более выгодной, нежели в пустой деревне, за забором. Идея пленить «балахона» была очень рисковой, и он не собирался воплощать ее в жизнь без полной уверенности в успехе.

Словно призраки в голубом свете, два темных силуэта приближались к хижине. Они остановились на полпути к ней, шагах в тридцати от кустов, где притаился Уссва. Извлекли из-под одежды трубки «для взрывов», и через мгновение дом знахаря взлетел на воздух.

Грохот разорвал тишину, рванувшееся во все стороны пламя окрасило лес в оранжевые тона, горящие доски разлетелись, сбивая листву, но не успели они упасть, а Уссва уже сориентировался и выстрелил по дальнему «балахону»: важно было, чтобы, падая, тот не завалил своего напарника.

Удар «сатанинской стрелы», словно удар невидимой гигантской булавы, сбил «балахона» с ног.

Перед глазами Уссвы вспыхнул красный огонек.

Раз... Второй «балахон» еще ничего не понял.

Два... Повернув голову, посмотрел на своего отлетевшего в сторону напарника.

Три... Вот-вот он опомнится и направит трубку «для взрывов» в направлении, откуда стреляли...

Огонек погас.

«Балахон» отлетел вслед за своим товарищем и свалился прямо на него. От их неподвижных тел поднимался дымок...

Опало пламя взрыва, доски разнесенной хижины попадали на землю и теперь лежали вокруг оранжевыми точками, на месте самого дома полыхал огромный костер.

— Хорошо, что я взял тебя с собой! — Уссва потрепал пса, в блестящих глазах которого отражался огонь.

...Уссва пополз, стараясь не упускать из виду тела двух убитых «балахонов» на тот случай, если они вдруг «воскреснут», и держать в поле зрения развалины — на случай, если появятся новые противники. Особенно его волновала вторая пара, ушедшая куда-то в темноту.

Никого не заметив и никем вроде бы не замеченный, Уссва добрался до опушки леса и притаился среди ветвей упавшего дерева.

До развалин и шедшего откуда-то из них сияния оставалось не больше двадцати метров. Здесь было совсем светло и можно было не бояться неожиданного появления «балахонов».

Изначально храм представлял собой круглое многоярусное, сужающееся к вершине сооружение, с толстыми каменными стенами, диаметром сорок—пятьдесят и высотой десять—двенадцать метров. Сейчас два верхних яруса и часть стен, особенно выходящих к озеру, обрушились, однако стены, выходящие к лесу, пострадали в меньшей степени. Они-то и скрывали за собой источник сияния.

Уссва пролежал несколько минут, наблюдая за дрожащим бледно-голубым свечением и раздумывая, не совершить ли ему перебежку к развалинам. Уже совсем было решился на это, когда слева, шагах в пятидесяти, заметил четырех появившихся из лесного полумрака «балахонов». Они стояли и смотрели на развалины. Вскоре появились еще трое. «Балахоны» стояли, глядя на руины и будто чего-то ожидая. Через минуту-две сияние дрогнуло, померкло и вспыхнуло с удвоенной силой. Потом земля вдруг вздрогнула, и часть стены, перпендикулярная берегу озера, с жутким грохотом, словно от невероятной силы взрыва, разлетелась на куски.

Такого Уссва никогда не видел и не мог себе даже представить.

Камни из внешней кладки улетели метров на двести. Падая в воду, этот камнепад вздымал фонтаны высотой не меньше десяти—пятнадцати метров. Плотный поток из осколков почти полутораметровой толщины стены устремился строго в одном направлении, завалив все двести метров берега. Когда в озеро упали раскаленные докрасна камни внутренней кладки, вода забурлила и зашипела, в небо взметнулись брызги и облака пара.

Уссва вовремя вжался в землю, так как через секунду над ним прошла волна раскаленного воздуха и плотная туча пыли. С минуту он ничего не видел и с трудом мог дышать.

Теперь понятно, чего ждали «балахоны» и почему стояли в стороне! Хорошо, что Уссва не рванул к развалинам, а то бы оказался как раз у той стены, что мелкими камешками разлетелась по всему берегу! Конечно, странно, что ее осколки летели в одном направлении... Но это и хорошо! Лети они во все стороны — ему бы не выжить!

Когда пыль немного рассеялась, Уссва первым делом увидел излучавший яркий свет квадрат высотой метров десять, он стоял внутри развалин на месте начисто снесенной стены. Ровные края дыры были раскалены докрасна, от них поднимались струйки пара.

Забыв о «балахонах», Уссва уставился на этот светящийся квадрат. Что это еще такое?

Но охотник не успел сделать ни одного предположения, потому что в то же мгновение произошло еще более невероятное и из ряда вон выходящее событие...

55

— Плохой сон! — повторил Андрей, спускаясь вниз, на первый этаж.

С кухни доносились голоса родителей, ощущался запах готовящегося ужина.

— Ну что, поспал? — спросила мама, поднимая крышку большой сковороды.

К потолку полетело облачко пара, и, взглянув на содержимое сковородки, Андрей вспомнил, что провел сегодняшний день практически без обеда.

— Давай рассказывай! — сказал отец, с хрустом откусив кусок кочерыжки. — О ваших невероятных приключениях!

Андрей улыбнулся: здесь, на кухне их дачи, все было по-прежнему. Родители готовили ужин, он поспал пару часиков, потому что устал и, как бы это лучше сказать, провел весь день в пешей прогулке по окрестностям, — и отец теперь интересуется его впечатлениями.

«Волна», катастрофа — все это осталось далеко позади, хотя на самом деле все произошло сегодня утром. Неужели сегодня?!

Этот день был, пожалуй, самым длинным в жизни Андрея.

— Я уже рассказывал!..

— Давай еще! — махнул рукой отец. — Мы же практически ничего не видели, и я, например, до сих пор не могу понять, что же произошло...

— Я тоже! — признался Андрей. — И больше всего меня волнует колокольня и монумент Родины-матери!

— Их падение? — уточнил отец.

— У колокольни ведь широкое основание! Было бы понятно, если бы она осыпалась: не выдержала такого колебания конструкция... Но колокольня завалилась набок, как спиленное дерево!!! Какой же силы должна быть эта «волна»?.. И какой природы?..

— Ну, по-моему, сила ее была предостаточной! — Отец застыл над салатом с солонкой в руках.

— Хм, в паре сотен метров от колокольни стоит обычный кирпичный забор. От удара «волны», которая повалила колокольню, он должен был бы разлететься на куски. А забор выстоял! Да и корпуса рядом с колокольней остались целы!

— Разрушительная сила «волны» в различных местах была различна? — заключил отец.

— И избирательна!.. — Помолчав немного, Андрей пояснил: — Родина-мать ведь тоже упала! Я только сейчас вспомнил, что она стояла на широком бетонном основании...

— Тебя там в октябрята принимали, — вставила мама, снимая сковороду с плиты. (Пришлось затапливать печку, так как электричества не было и воспользоваться электроплиткой было невозможно.)

— Да... Со стороны площади Отечественной войны я вообще не увидел этого основания! Просто развороченный холм! А на его склоне, где-то на середине, четкий отпечаток от падения монумента. То есть «волна» выбила... или снесла бетонное основание...

— Ого!!!

— ...подбросила сам монумент...

— Ого!!!

— ...и он, упав на середину холма, съехал вниз, расколовшись на несколько частей!

— Прямо верить не хочется! — воскликнул отец, отставляя солонку в сторону. — Этого не может быть, потому что просто не может быть! Я, конечно, не специалист в этой области, но разве возможно такое землетрясение, сила которого на участке в пару километров столь сильно колеблется! А сама «волна» — это ведь не землетрясение?!

— Слушай, пап, если ты начнешь задавать все вопросы сразу, то получится длинный-длинный список! Ты лучше посоли салат... И не пересоли!

— Но от вопросов этих никуда не уйдешь! — не унимался Александр Сергеевич, уставившись на солонку в своих руках.

— Нужны ответы! — возразил Андрей. — А их нет! Есть самые невероятные и неправдоподобные версии: всемирный катаклизм, Конец Света, проделки Люцифера, наконец... Кстати, у меня сложилось мнение, что «волна» управляема.

Его отец спокойно посолил салат и улыбнулся:

— Я думал, что как любитель фантастики ты сразу скажешь: это вторжение пришельцев. Как в этом фильме... Как его?

— «День независимости», — подсказал Андрей и серьезно продолжил: — Что я могу сказать по этому поводу? Возможно, устами младенца глаголет истина!..

— Чего-чего? — Александр Сергеевич сразу сообразил, кого его сын имеет в виду...

Все рассмеялись и сели ужинать.

При свечах. Тушеные кабачки с огорода, поджаренное мясо и салат.

Днем Андрей побывал дома. Войдя в подъезд, он почувствовал холодок страха, так как по стенам растянулась беспорядочная паутина трещин. Трудно было сказать, может ли дом обрушиться в следующее мгновение или трещины эти не так уж страшны, как кажется на первый взгляд.

Подниматься на свой седьмой этаж, естественно, пришлось пешком.

В квартире, за счет того, что стены и потолок были оклеены обоями, трещин видно не было. Самым страшным последствием катастрофы здесь был прыжок самовара со шкафа прямо на полку для сушки посуды, где на момент его приземления находились несколько тарелок и чашек. Кроме этого, в спальне упали на пол (но не разбились) часы и десяток книг с полок, но телевизор в гостиной по-прежнему стоял на месте.

В этом был свой горький юмор. Телевизор-то уцелел, но вот что ему показывать?

Ввиду того, что дом находился в аварийном состоянии, а впереди была неизвестность, возможно, хаос, голод, эпидемии, разбой и т. п., решено было перебраться на дачу.

Содержимое холодильника, а также другие запасы продуктов перекочевали в багажник машины. Туда же добавились домашняя аптечка, все гигиенические и моющие средства, а также одежда. В общем, багажник был забит битком.

По дороге с работы домой отец заправил полный бак и канистру бензина по две гривны за литр, то есть он стоил почти в три раза дороже обычного. А на другой заправке бензин продавали уже по три с половиной. Интересно, куда в случае краха цивилизации эти ребята денут свои деньги? Буржуйки будут ими топить?

...Но прежде чем ехать на дачу, подвезли друзей Андрея. Первым Владимира, до его дома было три минуты езды.

Дом выстоял, однако квартира Владимира была пуста. Это могло означать все что угодно, поэтому никто ничего не говорил.

Владимир решил остаться дома (и каждый на его месте поступил бы так же), а машина двинулась к дому Вали, невзирая на то что она сопротивлялась, говоря, что нечего тратить драгоценный бензин и идти ей полчаса, не более. Отец Андрея согласно кивал в ответ и упрямо ехал вперед.

Валин дом также выстоял, хотя половина соседнего рухнула, но квартира ее тоже была пуста.

Андрей не мог смотреть в глаза девушке: у него все было нормально, а ей и Владимиру предстояли несколько мучительных часов ожидания, а возможно, и бессонная ночь.

Валя тоже решила остаться у себя, и по этому поводу с ней никто не спорил. Договорились, что завтра, в районе одиннадцати, Андрей с отцом подъедут к ней и к Владимиру. На всякий случай.

56

...Андрей не мог уснуть. То ли выспался днем, то ли сказывалось нервное напряжение. Он считал овечек, прыгающих через забор, и на счете четыреста двадцать это занятие ему надоело. Перевернулся на другой бок, уставившись на темную поверхность стены. Почувствовал прохладный поток воздуха, вливавшийся через приоткрытую форточку, прислушался к парящей за окном тишине.

Сон не шел, хоть иди гуляй...

Завтра, часов в десять, они поедут в Киев. Вряд ли родители отпустят его одного, и не потому, что сомневаются в его водительских способностях.

А потому, что прежнего мира больше нет!

Как там его друзья: Валя, Володька?.. Одни, в пустой квартире, тоже, наверное, не могут уснуть; ждут, когда щелкнет замок входной двери, послышатся знакомые шаги...

А если вдруг мародеры, грабители?!

Андрей перевернулся на другой бок, тут же лег на спину. Черт, надо было настоять, чтобы они поехали на дачу! Оставили бы дома записки: «С нами все в порядке, мы на даче у Андрея, завтра будем», — и переночевали бы здесь!

Он заерзал, отгоняя мрачные мысли, но никакие другие в голову просто не шли. Лежал, уставившись на погруженный в темноту потолок, в голове рождались самые невероятные мысли, и сознание, словно испорченный шлюз, не могло остановить их поток.

Всемирный катаклизм? Конец Света? Рука Люцифера?

Рухнувшая, как подпиленное дерево, лаврская колокольня... Выстоявший забор... Подброшенный монумент Родины-матери...

Билеты на колокольню... Обвалившаяся смотровая площадка... Скольжение по склону, взрыв...

Завал... Опасный подъем...

Разрушенный город...

«Один за всех, и все за одного!»

Валя в пустой темной квартире...

Странный парень в парке... Предупреждение о Конце Света... «Я видел сияние...»

Исчезнувший Макарыч... Сияние...

Сияние???

Сияние!!!

Тут-то шлюз и сработал, перекрыв неудержимый поток мыслей.

Сияние над островом!!!

Андрей уселся на диване, поражаясь, как он мог забыть об этом сиянии. (В принципе, ничего удивительного нет, в таком водовороте событий забудешь и свое собственное имя!)

Одеваясь, Андрей лихорадочно соображал.

По идее, с сияния все и началось! И началось здесь, совсем рядом!

Конечно, сияние может не иметь к «волне» никакого отношения. Но, по мнению Андрея, это маловероятно. К тому же что говорил этот странный парень? «Я видел сияние... Конец Света близок, очень близок...» «Он или псих, или очень информированный человек! — подумал Андрей улыбнувшись. — Или очень информированный псих!»

Он включил в коридоре ночник и, ступив на первую ступеньку лестницы, услышал донесшийся из спальни голос матери:

— Все в порядке?

— Да, все хорошо! Просто не спится, пойду прогуляюсь...

— Далеко?

— Нет, в Киев и обратно...

— К завтраку возвращайся! — донесся сонный голос отца.

...На улице было темно: фонари не светили, луны не было, звезды попрятались за слоем высоких облаков.

Пройдя вдоль дома, Андрей подошел к калитке. Выйти за нее — и можно увидеть сияние, если оно, конечно, будет.

Сияния не было.

Улица терялась где-то в темноте, лишь метрах в трехстах, на полпути к Днепру, на чьей-то даче светилось одинокое окно. Кому-то тоже не спалось.

Андрей постоял немного, ругая себя за то, что вышел — не будет же сияние появляться по желанию, — но все же решил пройтись к Днепру. Может, после прогулки удастся заснуть?

Идти одному по темной улице, мимо молчаливых черных домов было неуютно. Поэтому Андрей шел быстро, нарушая тишину ночи шарканьем шагов. Когда до дома со светящимся окном оставалось метров двадцать, свет в нем погас.

Через полминуты он услышал легкие шаги, которые быстро приближались.

Не успел испугаться, как услышал радостное поскуливание: из темноты вынырнул Рыжий. Бешено виляя хвостом, он подпрыгивал, словно хотел взобраться Андрею на руки. Тот присел, гладя довольно фыркающего пса, который потянулся и лизнул его в щеку.

— Привет, рыженький — сказал Андрей вставая. — Будешь меня охранять?

Пёс встал на задние лапы, передними оперся о ногу человека, подсовывая голову под его руку, — требовал ласки.

Андрей сдался, присел, оказавшись спиной к Днепру, и принялся чесать Рыжего за ушами.

В глазах того вдруг зажегся свет.

Андрей с изумлением уставился на это странное явление. Свет в глазах собаки... И лишь через пару секунд сообразил, что это отраженный свет.

Медленно обернулся.

Сияние...

Андрей смотрел на мерцающий бледно-голубой свет, чувствуя, как по всему телу пробежали мурашки. Он будто ощутил ауру страха, что исходила от этого света.

Однако двинулся вперед, словно притягиваемый каким-то магнитом. (Повернуться назад, спиной к загадочному свету, было бы еще страшнее!) Рыжий остался сидеть на дороге, и Андрей долго еще видел собачий силуэт с двумя горящими точками глаз.

...Андрей остановился на берегу, не став спускаться к воде, которая казалась слишком темной и зловещей.

Бледно-голубое сияние поднималось откуда-то с середины острова. Мерцающее и дрожащее по краям, оно было ровным посередине. На его фоне четко выделялась линия деревьев.

— Эй, смотрите, смотрите!.. — донесся откуда-то справа возбужденный неразборчивый голос.

Видимо, кто-то из обитателей прибрежных дач тоже увидел сияние. Метрах в двухстах от берега засветилось окно.

На мгновение отвлекшись, Андрей снова уставился на бледно-голубой свет, разливавшийся над островом.

Отпущенное на волю воображение тут же ухватилось за версию вторжения. Это сияние — Врата, выход из гиперпространства (или нуль-пространства), а может быть, дверь в другое измерение. Или даже Врата Ада. Сейчас оттуда вылетят инопланетяне на боевых машинах, или появятся враждебно настроенные соседи по измерениям, или смертоносным потоком выльется Армия Тьмы...

Чепуха? Бред? Но ведь «волна» — это тоже бред, невозможный и нереальный. А если предположить, что «волна» — это не что иное, как разрушительное оружие, тогда...

Сияние померкло, вздрогнуло — и вспыхнуло с удвоенной силой.

В тот же момент вся правая часть острова озарилась яркой вспышкой, и Андрей увидел (хотя осмыслил происходящее только через пару секунд), как от середины острова к берегу и дальше, в пролив, рванулся поток бешеного огня, пылающих деревьев и земли. Взметнув фонтаны брызг и пара, он занял весь двухсотметровый пролив. Послышались глухой рокот, треск, рев огня и шипение воды.

Когда все кончилось, Андрей увидел край широкой просеки, идущей от берега в глубь острова. Стволы по краям ее пылали, словно облитые бензином. Вода в проливе шипела и бурлила, на ней были видны красные точки горящего дерева.

Андрей поблагодарил судьбу за то, что этот огненный поток, слизавший с острова целый лесной массив, был направлен не в его сторону, а намного правее. Деревья до него, конечно, не долетели бы, но вот раскаленная воздушная волна...

Игра воображения превратилась вдруг в реальность.

Он даже глупо, не к месту, ухмыльнулся и хрипло произнес:

— Вторжение!..

57

Нападать!!!

Однако, выезжая на улицу, Широ притормозил. Здравый смысл взял верх.

Нужно проверить оружие! Почему «пистолет» в левой руке имел меньшую разрушительную силу? Он осмотрел его черную блестящую поверхность и слева, над спусковым крючком, увидел спрятанный в углублении регулятор мощности, вокруг которого была нанесена шкала без каких-либо цифр и значений. Однако и так все было ясно. Сейчас «пистолет» работал на половину мощности, а оружие в правой руке — на полную.

Широ на секунду задумался: в какое положение поставить регуляторы? Ведь чем больше мощность, тем сильнее горит красный огонек, означающий, что оружие не функционирует. Но, с другой стороны, большая мощность означает большую разрушительную силу...

Именно это ему и нужно!

Разрушительная сила!

Широ поставил регулятор на втором «пистолете» в крайнее — максимальное — положение.

Сердце его забилось чаще. Не от страха. От предвкушения! Он почувствовал себя первобытным человеком, выходящим на охоту. В руках его — смертоносное разрушительное оружие, и ему абсолютно все равно, сколько впереди врагов.

Широ с удовольствием вспомнил полет двух частей разлетевшейся пополам машины пришельцев. Он устроит еще несколько таких зрелищ!

Эти убийцы, стрелявшие по больнице, любовались зрелищем рушащихся стен, разлетающихся кирпичей и вздымающихся в небо языков пламени. Пусть теперь полюбуются на летающие, словно кометы, собственные машины!

СММ рванулась вперед. На повороте Широ краем глаза взглянул на освещенные сиянием руины близлежащих домов.

Прежнего мира больше нет! Мелькнули мысли о будущем: что же он станет делать после атаки на неизвестных? Но Широ тут же оборвал раздумья.

Об этом — потом!

Сейчас — другое!

Он вел машину, держа «пистолеты» наготове. Нога вдавливала в пол педаль газа. В ушах свистел ветер, но его холодное дыхание не могло остудить разгоряченного лица юноши.

Улица сделала плавный поворот — и впереди показался светящийся квадрат. Он стоял у дороги, на основании небольшого склона, на котором начинался лес. И отсюда свет его казался еще более ярким и насыщенным.

Из квадрата, прямо из яркого света, одна за другой, с интервалом примерно тридцать—сорок метров, появлялись приземистые, закованные в сталь машины. Они двигались плавно, словно скользили над землей, вовсе не касаясь ее поверхности.

Ряд сверкающих металлическими боками машин стройной колонной уходил куда-то в город, теряясь среди руин.

Поперек улицы, по которой мчался Широ, в сотне метров от квадрата, стояли два точно таких же броневика. Возле них виднелись черные силуэты пришельцев.

СММ оставалось до них метров сто — сто пятьдесят, когда они заметили приближение автомобиля.

Отпустив штурвал, Широ положил оба «пистолета» на приборную панель и выстрелил.

Одна полоска-молния прошла между машинами, другая угодила в одну из них. Машина тут же взорвалась. Рванувшееся во все стороны яростное пламя накрыло собой силуэты неизвестных и стоявший рядом броневик. Прежде чем волна раскаленного воздуха заставила Широ пригнуться под защиту приборной панели, он увидел, как из расползающегося шара пламени, оставляя за собой огненный хвост, вывалилась часть взорванной машины и, пролетев высоко над Широ, упала на дорогу где-то позади него.

Лишенную управления СММ повело вправо, и, съехав с асфальта, она понеслась по обочине. Это Широ и было нужно. Чуть сбросив скорость и прижав левую руку к штурвалу, он осторожно выглянул, но снова вынужден был нырнуть вниз, так как СММ буквально влетела в медленно опадающий огненный шар.

Снаружи злобно загудело пламя, кабина наполнилась его жарким дыханием, и Широ уже подумал, что изжарится в ней, как в духовке, когда машина вылетела на свободное от яростного огня пространство.

Широ не терял времени зря. Вдавив педаль газа, выпрямился и выстрелил сразу из двух «пистолетов».

Обе стрелы попали в одну из машин колонны, что отъехала от квадрата метров на пятьдесят. Броневик взорвался прямо возле дороги.

На мгновение быстро растущий шар огня скрыл за собой все: и дорогу, и колонну, и даже светящийся квадрат. Широ вынужден был снова нырнуть вниз. Машина заметно вздрогнула, когда в нее ударила взрывная волна.

Но зато этот взрыв очистил от противника большое пространство перед квадратом.

Широ решил подъехать поближе и подорвать только что выехавший из него броневик. Вдруг взрыв дойдет туда, откуда появляются эти машины?

И в этот момент СММ вздрогнула, сзади раздался звук удара, резко оборвавшийся скрежет металла, пахнуло дымом.

Не поднимаясь, Широ понял, что произошло. По нему стреляли из леса. Пробили борт... Повезло, что не попали в кабину!

Красные огоньки на «пистолетах» как раз погасли, и юноша выстрелил по лесу наугад.

Прошла секунда, две... По нему больше не стреляли. Неужели попал?!

Две следующие мысли пришли одновременно. СММ все еще мчалась к квадрату, к бушующему огню, до цели оставалось метров сорок—пятьдесят. А короткая передышка могла означать не то, что он попал в стрелявших или стрелявшего, а то, что на их оружии зажегся красный огонек!

Широ выпрямился, посмотрел в сторону леса. И увидел вспышку!

Полоска-молния ударила в заднюю часть автомобиля. Горящее заднее колесо, оставляя дымный след, отлетело на обочину. Машина подпрыгнула и, виляя из стороны в сторону, затряслась на трех колесах, высекая искры и оставляя на асфальте след из расплавленного металла.

Из левой руки Широ выпал «пистолет». Он ухватился за штурвал, пытаясь удержать вышедшую из подчинения машину на дороге. Стремительно приближался опадающий шар пламени, жар которого жег Широ лицо и глаза.

Он надавил на тормоз, машина вильнула еще сильнее, ее занесло.

Из квадрата выехал сверкающий броневик. Широ крутанул руль, чтобы избежать столкновения. Металлические бока мелькнули в паре метров от кабины.

В последний раз взвизгнув шинами, СММ замерла поперек дороги. Двигатель заглох.

Широ зажмурился — в глаза ему ударил яркий свет.

Свет лился из квадрата, напротив которого он остановился.

58

Прищурившись, Широ смотрел на квадрат, до которого было метров двадцать, чувствуя идущее от него тепло.

И почти физически ощутил, как улетают в небытие драгоценные секунды.

В каждый последующий миг из света мог появиться броневик, врезаться в СММ, смять ее, протащить через огонь, уничтожить...

Не отрывая взгляда от квадрата, Широ повернул ключ зажигания. Двигатель вздрогнул, словно проснувшись, но не заработал.

— Давай, давай!.. — прошептал Широ, словно умоляя его.

Сейчас появится броневик и...

Двигатель чихал, но не заводился. На приборной панели тревожно светились несколько красных лампочек, но юноша не мог опустить глаз, чтобы прочитать названия и разобраться в их предназначении.

Время продолжало свой неумолимый бег.

А броневики все не появлялись.

Неужели повезло и вся колонна уже вышла?

Не успел Широ подумать об этом, как из светящегося квадрата выделился черный трапециевидный силуэт. Сердце юноши оборвалось.

Все!!! Да, он взорвал пару машин, уничтожил несколько неизвестных убийц — и на этом все кончится...

Силуэт мелькнул над ним, чуть не задев крышу автомобиля.

Летательный аппарат!

Двигатель кашлянул и завелся, хотя на панели продолжали гореть красные огоньки.

Широ дал задний ход. Двигатель натужно заревел, душераздирающе заскрежетал металл, машина задрожала всем корпусом и стала набирать скорость. Задний бампер высекал об асфальт искры, тормозя движение.

Из светящегося квадрата вырвался еще один аппарат, имевший форму трапеции, которая спереди чуть сужалась. Пролетев над землей на бреющем полете, он скрылся в заметно осевшем пламени, а затем вырвался из него, резко взяв вверх.

Крутанув штурвал влево, Широ продолжал давить на газ. По мере увеличения скорости усиливалась вибрация кузова, громче становились скрежет и лязг.

Впереди был светящийся квадрат и пылающие остатки взорванного броневика. Слева темнел лес, справа лежали мерцающие в дрожащем свете огня и сияния руины.

Краем глаза Широ увидел на темном фоне леса вспышку.

Словно наскочив на какое-то препятствие, автомобиль подпрыгнул, а приземлившись, со скрежетом заскользил по асфальту на дне и подломленном колесе. От него летели куски расплавленного металла, искры и дым.

Прежде чем машина окончательно потеряла управление, Широ еще раз крутанул штурвал влево, поставив ее задом к лесу.

Как только покореженная СММ замерла, справа, рядом с местом пассажира, разлетелась стенка между кабиной и салоном. Куски обшивки ударили Широ по щеке, шее, плечу. Запахло жженым пластиком.

Юноша надавил на кнопку, убирающую штурвал под приборную панель. Лишь бы она работала!

Штурвал плавно и, как показалось Широ, очень-очень медленно опустился вниз.

Поднимать с пола «пистолеты» было некогда. Вот-вот раздастся второй выстрел, и он может пройти через водительское место.

Широ выпрыгнул сквозь проем отсутствовавшего лобового стекла.

Он не видел, как прямо над ним мелькнула смертоносная полоска-молния, только почувствовал ударившие в спину куски обшивки и водительского кресла.

Приземлившись, он больно ударился коленями и поранил левую ладонь, но зато правой рукой сумел удержать «пистолет».

Обращать внимание на боль было некогда. Взгляд налево: сияние, горящий броневик, еще один вылетевший «самолет». Направо...

По дороге прямо к нему двигался броневик и три скользящих над асфальтом черных силуэта. Сзади над ними виднелись очертания двух летательных аппаратов.

Широ уже так привык балансировать на грани жизни и смерти, что даже не успел испугаться. Рефлективно он кинулся вперед, на траву обочины. Краем глаза увидел, что броневик выстрелил.

Широ упал таким образом, что смог увидеть СММ в тот момент, когда в нее попала куда бо́льшая, нежели выпускаемая «пистолетами», полоска-молния.

Она прошила автомобиль насквозь, в клочья разорвав его борта. Машина подскочила, перевернулась в воздухе и взорвалась, рухнув на крышу в трех метрах от Широ и обдав его горячим дыханием огня.

С закрытыми глазами юноша вскочил и бросился бежать во двор ближайшего дома. Он не сразу понял, что за звук доносится справа. Только через несколько секунд сообразил, что слышит треск автоматных очередей.

Огонь велся с двух глайдеров, которые он принял за летательные аппараты пришельцев.

Три черных силуэта рухнули на землю, скошенные длинными очередями. Однако с броневиком дело обстояло хуже. Пули только выбивали искры о его стальную оболочку. Широ как раз подумал о гранатомете, когда рядом с плывущей по дороге машиной вырос столб взрыва, потом другой... Но все было безрезультатно! Похоже, броню этой машины могло пробить только оружие неизвестных.

Озарив окрестности пламенем взрыва, разлетелся на куски один из глайдеров. Второй нырнул вниз и взорвался у самой земли. На фоне этого взрыва Широ увидел четкий силуэт приближающегося к нему неуязвимого броневика.

Неуязвимого?! Сжав зубы, юноша прицелился в него...

Но в этот момент из темноты вынырнул трапециевидный «самолет» и, пройдя над броневиком, открыл непрерывный огонь по обочине дороги. Летящие парами полоски-молнии впивались в землю, вздымая пятиметровые фонтаны. Будь Широ метров на десять ближе к дороге, он оказался бы прямо на линии огня.

Выстрелив по удаляющемуся «самолету», Широ тут же пожалел об этом. Он выдал себя, свое местоположение! Противник теперь знает, что он остался жив. Сейчас последует выстрел из броневика.

Широ бросился к руинам дома, а выстрела все не было. Может, они не стреляют потому, что боятся попасть в своих?

На бегу юноша оглянулся и увидел, что из светящегося квадрата пошла новая колонна броневиков. Нужно держаться поближе к ней, тогда ему даже не страшны «самолеты»!

...Широ бежал вдоль улицы, по которой один за другим проплывали броневики. Он избегал открытых мест и особо не приближался к дороге.

Так продолжалось минут десять, хотя за это время юноша не так уж далеко убежал от светящегося квадрата — этих врат неизвестного. Он вынужден был соблюдать осторожность, так как дважды чуть не нарвался на притаившиеся в темноте перекрестков машины пришельцев. Они, возможно, заметили Широ, но стрелять не решались, так как цель находилась между ними и колонной.

Возможно, его преследовали...

Колонна двигалась строго по прямой. Несмотря ни на что, она продолжала идти вперед, прямо по дворам и даже через руины. Все препятствия на ее пути были заранее убраны, уничтожены, сровнены с землей.

И тут Широ, к своему удивлению, обнаружил конечный пункт движения броневиков.

Это была хорошо освещенная прожекторами площадь, посреди которой когда-то стоял огромный, сверкающий сотнями зеркальных окон Дом

Искусств. От него не осталось даже руин! На его месте теперь возвышались врата. Но не светящиеся, а черные, как бархат. Было еще одно важное отличие: они имели вполне материальную границу в виде обода из серебристого металла шириной метра в полтора.

В этих вратах один за другим исчезали броневики из колонны.

Периметр площади был окружен плотным кольцом боевых машин и пришельцев, в небе кружили «самолеты». Широ понял, что первый же его выстрел будет подавлен таким массированным огнем, что спастись ему уже не удастся. К тому же юноша понял, что его ждали: в том направлении, откуда он должен был появиться, броневиков и пришельцев было намного больше, чем в других местах.

Широ почувствовал неприятный холодок: неужели пришельцы знали о его продвижении, следили за ним?

И тут же получил исчерпывающий ответ.

В шею уперся холодный металл, и голос с сильным акцентом приказал:

— Брось оружие!

Широ не успел даже моргнуть, как у него выхватили «пистолет». От удара по ногам сзади юноша оказался на коленях.

— Руки на голову!

Он выполнил команду, недоумевая, как пришельцы могли столь бесшумно подобраться к нему. Ну да, они же не касаются земли!

Его обыскали, но, естественно, ничего не нашли: пистолет Алры юноша давно потерял...

А сейчас он может потерять жизнь.

Широ стоял на коленях, держа руки за головой, чувствуя холодное прикосновение металла к шее, и ждал приговора...

59

...Уссва даже моргнул от изумления и подумал, не ущипнуть ли себя, чтобы убедиться, что это не сон.

Из расположившегося на месте стены квадрата один за другим появлялись... Он даже не смог найти названия этим странным, движущимся без лошадей, закованным со всех сторон в блестящий металл повозкам. Длиной семь-восемь метров, высотой — около трех, они имели сглаженные углы и какой-то агрессивный вид. Колес Уссва тоже не увидел, хотя они могли быть спрятаны под низкими металлическими бортами. Но уж очень плавно двигались эти «повозки», несмотря на то что земля была усыпана обломками стены.

Похоже, они вообще не касались ее!

Уссве вспомнилось, что «балахоны» тоже могли двигаться плавно, словно не шли, а летели.

Яркий свет, что лился из квадрата, отражался на металлических боках «повозок», которые появлялись из света одна за другой и с интервалом сорок—пятьдесят метров шли вдоль берега, у самой воды.

Пять, десять, пятнадцать...

Появились три особенно крупные «повозки», длиной метров пятнадцать, Потом еще пять обычных.

Квадрат продолжал светиться, словно огромные, неизвестно куда ведущие врата. Но прошло полминуты, минута, а «повозки» больше не появлялись.

Уссва только подумал, что чудеса на сегодня кончились, как вдруг из квадрата вылетела гигантская птица. Ни разу не взмахнув крыльями, она пролетела метров тридцать над самой землей и резко взмыла вверх, растворившись в ночном небе.

И все без единого взмаха крыльев.

Вслед за ней появилась еще одна...

И тут Уссва с еще большим изумлением обнаружил, что птицы эти тоже закованы в металл и являются не живыми существами, а творением рук «балахонов».

Но как такое возможно?! Даже пущенная из самого мощного арбалета стрела всегда падает на землю! И никогда не взмывает вверх. Только птицам подвластно небо... Уссве вспомнился воздушный змей — развлечение, которое показывали дети восточных купцов и которое повергло в шок жреца Миррама. Но эта чудесная игрушка не могла летать без ветра и полностью зависела от человека, держащего в руках нить...

А тут...

Пять «железных птиц» вылетели из квадрата. Полет их сопровождало еле слышное гудение, которое усиливалось в тот момент, когда «птицы» взмывали вверх.

Вновь наступила пауза. Пораженный Уссва лежал, глядя на квадрат, в ожидании появления чего-то еще более невероятного. Но может ли вообще быть что-то еще более странное? Охотник терялся в догадках...

Когда из света возникла уже знакомая «повозка» с гладким блестящим корпусом, Уссва даже разочарованно вздохнул.

И посмотрел по сторонам.

Слева к нему приближались четыре «черных балахона»...

Проклятие! Со всеми этими чудесами он начисто забыл о них. Четверо «балахонов» приближались, а трое вообще исчезли из виду.

Четверка шла по узкому пространству между руинами и лесом. Еще немного, и она окажется прямо напротив упавшего дерева, под которым притаились Уссва и Варр. А при таком освещении, что давал квадрат, да еще с расстояния в десять метров, заметить их очень и очень просто.

Палец охотника лег на спусковой крючок «сатанинского арбалета».

«Балахоны» приближались, до них — тридцать метров... Двадцать пять...

Уссва уже не обращал внимания на появляющиеся из квадрата «повозки».

Двадцать метров...

Охотник краем глаза проследил за вынырнувшей из темноты «железной птицей», которая, блеснув металлическими боками, пронеслась над вратами и стройной колонной «повозок».

Пятнадцать метров...

Уссва, как и его пес, не шевелился. Любое движение может выдать их. Сейчас они — просто неясная тень среди веток старого упавшего дерева, их трудно различить, даже внимательно вглядываясь, но стоит пошевелиться — и все!

Четверо «балахонов» одновременно остановились и посмотрели на догорающие остатки хижины знахаря. Так как никто из них не смотрел в его
сторону, Уссва тоже бросил туда короткий взгляд.

Пары секунд было достаточно, чтобы все понять.

Примерно в том месте, где лежали тела убитых
«балахонов», стояла пропавшая из виду тройка и
внимательно осматривала все вокруг. Потом, словно по команде, они рассыпались по лесу и цепочкой стали осторожно приближаться к догорающей
хижине.

То же самое произошло и с четверкой. Они рас-
средоточились вдоль опушки леса.

Один из «балахонов» оказался прямо напротив
Уссвы, в десяти шагах от него...

60

«Железная птица» пронеслась над опушкой
леса, едва не задевая верхушек деревьев. А Уссва
даже не поднял головы, чтобы взглянуть на нее.
Варр даже не пошевелил ушами. Они были похожи
на две застывшие каменные скульптуры, и лишь
глаза были живыми, их взгляд выдавал внутреннее
напряжение.

Охотнику казалось, что стоящий в десяти метрах «черный балахон» смотрит прямо на него и
только делает вид, что не замечает притаившегося
среди сплетения ветвей противника. Будто играет
в какую-то странную опасную игру. Игру на нервах и выдержке.

На самом деле «балахон», конечно же, не видел охотника. Но сколько это продлится?..

Где-то сзади громыхнуло так, что Уссве показалось, будто взрыв произошел прямо у него за спиной и через секунду на него обрушится град осколков, срезанных веток и вырванных кусков дерна.

Этого не произошло, но взрывы продолжали греметь. Животом Уссва почувствовал, как дрожит земля.

Что же там происходит?

Но он не мог обернуться, не мог пошевелиться...

Лес залил оранжевый свет огня, идущий откуда-то сзади, до слуха долетел гул пламени и треск пожираемого им дерева.

А поведение «балахона» напротив изменилось. Он взял «сатанинский арбалет» двумя руками, хотя до этого держал оружие в одной руке, и... И настороженно стал всматриваться в сплетение ветвей под упавшим деревом.

Уссва понял, что через секунду-другую его заметят, ведь шедший сзади свет озарял уже довольно большую площадь.

Необходимо было атаковать первому.

От попадания в грудь «сатанинской стрелы» «балахон» отлетел метра на три назад. Тело его еще не коснулось земли, а Уссва уже рванулся к руинам.

Однажды отцу Уссвы пришлось преодолеть пятьдесят метров, уворачиваясь от стрел пяти лучников, и он во всех подробностях рассказал и показал сыну, как ему это удалось. Вдруг пригодится?!

Уссве предстояло пробежать всего лишь два десятка метров, и только три противника стреляли по нему. Правда, стрелы их были намного страшней, чем у лучников; отца тогда ранили в руку, а он все же сумел добежать до укрытия, у Уссвы такой возможности не будет: ранение «сатанинской стрелой» равносильно смерти.

Охотник рванулся вперед, сделал два шага и рухнул на землю. Сразу две «стрелы» прошли над ним. Плохо подготовленный ответный выстрел все же достиг цели: «стрела», угодив в ногу ближайшего «балахона», срезала ее, как невидимая коса.

Варр, прижимаясь к земле, преодолел уже половину пути.

Уссва вскочил и тут же упал, еще раз обманув противника. «Стрела» прошла впереди него.

Долгую секунду горел красный огонек на «арбалете» Уссвы, а «балахоны», словно опомнившись, тоже попадали на землю.

Но один сделал это слишком медленно. «Стрела» лишила его головы.

Третий «балахон» находился метрах в шестидесяти, однако точность стрельбы из «сатанинских арбалетов» была намного лучшей, чем из обычных, поэтому Уссва не решился на последний рывок.

Варр уже достиг руин и топтался там, глядя то на хозяина, то на светящийся квадрат и «повозки».

Пущенная «балахоном» «стрела» прошла прямо над головой охотника, Уссве даже показалось, что она задела волосы.

Чтобы не ответить таким же устрашающим, но неэффективным выстрелом, Уссва поднялся во весь рост.

Он так и не понял, попал в противника или нет, но на месте, где тот стоял, взметнулся двухметровый фонтан земли.

...Уссва оказался среди руин, в десяти—пятнадцати метрах от квадрата, смотреть на который было просто невыносимо. От квадрата к тому же шел ощутимый жар.

— Как я? — спросил он у радостно вилявшего хвостом пса, имея в виду свой рискованный рывок к руинам, который он совершил отнюдь не по наставлениям отца.

Перед ними практически бесшумно проехала «повозка», и на ее гладких металлических боках Уссва и Варр разглядели свои отражения. Они перебежали прямо между «повозками», но перед этим охотник оглянулся назад.

Лес позади сторожки знахаря пылал, словно облитый смолой. Сплошная стена огня...

На берегу озера, под защитой руин, врат и колонны, по которым «балахоны» вряд ли будут стрелять, Уссва позволил себе на секунду расслабиться, плеснув на лицо холодной водой. Потом погладил пса и, глядя в его блестящие глаза, произнес:

— Давай беги туда! И жди меня! — Он подтолкнул Варра в сторону, противоположную движению колонны, но, бросив взгляд на багровые отблески пылающего леса, передумал. — Нет, лучше сюда!

Шлепая по мокрому песку, пес помчался параллельно колонне, держась ближе к воде, и вскоре растворился в полумраке освещенной сиянием и огнем ночи.

Тем временем Уссва срезал стебель камыша и спиной стал входить в холодную воду, не упуская из виду руины. Когда вошел по грудь, на берег справа от него выехала сверкающая «повозка» и, не останавливаясь, помчалась прямо по озеру, выписывая какие-то немыслимые фигуры.

Нырнув и дыша через камышовую трубку, Уссва подобрался поближе к берегу, в надежде, что там не попадет под движущуюся еще и по воде «повозку».

Однако буквально через минуту она промчалась прямо над ним. Уесва не успел даже испугаться. Трубка вылетела у него изо рта, поцарапав губу, черная тень прошла в каком-то десятке сантиметров от его лица, и охотник с изумлением убедился, что дно «повозки» не касается ни земли, ни воды.

Через пять минут «повозка» выехала на берег и остановилась. Вдоль руин, у кромки воды, о чем-то переговариваясь, шли несколько «балахонов». Уссва вдруг с ужасом представил, что будет, если они начнут стрелять по озеру... Он не видел противника и надеялся, что в темной воде (а он нырнул позади квадрата, и сюда не доходил его свет) те тоже его не заметят.

Только бы не стреляли...

На другом берегу озера, метрах в трехстах от Уссвы, один за другим выросли огненные столбы высотой метров в двадцать. Вздрогнул и загремел воздух, по поверхности воды прошла рябь. Охотник почувствовал волну жара, дошедшую с места взрывов. А огненная стена продолжала расти, сотрясая воздух и освещая все вокруг.

Впереди над ней летала «железная птица».

Вторая стена разрывов стала расти перпендикулярно первой в той стороне, куда Уссва хотел отправить Варра. На это и рассчитывали «балахоны». Они полагали, что беглецы должны броситься прочь от врат и колонны, чтобы потом оказаться в море огня, из которого живым уже не выйти.

Воздух перестал дрожать. Вокруг озера бушевало яростное пламя, его языки лизали небо, распространяя вокруг жар.

Однако Уссве, погруженному в воду, становилось все холоднее и холоднее. Он осторожно оглядел берег у руин и, не обнаружив «повозки» и «балахонов», поплыл чуть дальше.

Уссва вынырнул, и рев пламени чуть не оглушил его. Воздух вибрировал, словно дрожа от страха.

Опустившись коленями на дно, Уссва замер, пораженный ужасающей мощью огня. Почти со всех сторон он был окружен противником или делом его рук.

Разве сможет кто-то противостоять этому нашествию, этой мощи, этой разрушительной силе? То, что Уссва убил нескольких «балахонов», не прибавило ему уверенности. Просто везение!

Стоя на коленях по шею в холодной воде, охотник чувствовал себя беглым рабом, со всех сторон обложенным ловцами...

Он сильно оттолкнулся и поплыл параллельно колонне «повозок».

61

...Андрей увидел их на середине залива, что отделял остров от берега. Десять силуэтов в длинных одеждах с капюшонами на головах. Бледно-голубой свет сияния и оранжевый — пылающих деревьев — отчетливо выделял их из темноты.

Так что Андрей прекрасно видел, как они скользят над самой поверхностью воды.

В их плавном быстром движении было что-то завораживающее. И конечно — нереальное! Так плавно вообще невозможно бежать... Нет, они не бежали (разве можно бежать по воде?!), они даже не касались ее поверхности! Каким-то невероятным образом они... летели — да, именно летели! — на минимальной высоте.

Загадочные силуэты вееером приближались к берегу. За их спинами поднималось над островом ровное сияние, горели края минуту назад образовавшейся просеки.

— Видите?! Видите?.. — долетел до Андрея чей-то голос, и, обернувшись на звук, он увидел нескольких высыпавших на берег поглазеть на сияние человек.

До них было метров шестьдесят.

— Вон, на середине залива!..

Женщина указывала рукой на приближающиеся силуэты.

— Ага, ага!..

Дом с освещенным окном взлетел на воздух.

Яростное пламя пробило крышу, разбросав на многие метры вокруг доски и шифер; вышибив стекла, вырвалось наружу и в то же мгновение поглотило стоящие рядом деревья. Люди на берегу обернулись пораженные.

И в тот момент, когда еще не успело осесть пламя взрыва и горящие доски не коснулись земли, Андрей заметил мелькнувшую в воздухе голубоватую полоску света.

Врезавшись в дом, она пробила в его кирпичной стене аккуратную дыру диаметром метра в полтора-два, с дымящимися оплавленными краями.

Взгляд Андрея метнулся к скользящим над водой фигурам. Яркая секундная вспышка на фоне черного силуэта — и еще одна бледная полоска рванулась к берегу.

В фонтане ослепительных искр срезав железный столб забора, она еще раз продырявила стену, и та, не выдержав двух попаданий, осыпалась.

Еще две полоски ударили в берег.

Одна взметнула трехметровый фонтан песка и земли, а другая прошла насквозь через присевшего в испуге мужчину. Не своим голосом закричала стоящая рядом с ним женщина. Тело мужчины упало на спину...

Метрах в двухстах ослепительно полыхнул еще один взрыв, потом взлетел на воздух еще один дом...

Полоска ударила в берег совсем рядом с женщиной, и фонтан песка скрыл ее от Андрея.

Эти семь-восемь секунд, что прошли с момента первого взрыва, показались ему вечностью.

Вечностью, поделившей, казалось бы, уже поделенную на до и после «волны» жизнь еще на две части: до и после вторжения.

Вторжение?! Чушь, захватывающая дух выдумка фантастов, излюбленный сюжет сотен книг и фильмов.

Или реальность?!

...Эти мысли пронеслись в мозгу Андрея за то короткое время, что взметнувшийся фонтан песка оседал вниз. Теперь Андрею стала видна женщина, лежащая возле дымящейся продолговатой воронки.

Мертва?!

Нет, вскочив, она бросилась бежать, рыдая и спотыкаясь. Мелькнула смертоносная полоска, ударила в склон берега, едва не сбив с ног бегущую женщину брызгами земли и песка.

Вторая полоска — тоже мимо. Пройдя, как нож сквозь масло, через сетку забора, она затерялась где-то среди дачных участков, отметив свой путь парой вспышек.

Третий выстрел — прямо под ноги женщины. Она споткнулась, тяжело упала — и этим спасла себе жизнь, так как следующая полоска мелькнула прямо над ее спиной, пробив брешь в ряду прибрежных кустов.

Женщина привстала, снова упала, через мгновение оказалась на ногах и побежала дальше. Андрей с замершим сердцем наблюдал за ней. Он видел, что женщина бежит, сама толком не зная куда. И это не могло продолжаться бесконечно...

Словно от сильного удара в бок, женщину внезапно развернуло, и она рухнула на песок, распластавшись в неестественной позе.

Десятке хладнокровных убийц оставалось до берега метров пятьдесят. Выйдя на сушу, ближайший к Андрею оказался бы от него примерно на таком же расстоянии.

Глядя на приближающиеся, скользящие над водой силуэты, Андрей продолжал стоять на месте не двигаясь. Он мог только наблюдать, быть сторонним свидетелем, но не мог действовать, просто спасаться, бежать. Страх, ужас, нереальность всего происходящего, невозможность поверить в это —

все смешалось в его сознании, не позволяя нормально мыслить и принимать решения.

Метрах в тридцати от берега все десятеро одновременно остановились, замерли над поверхностью воды, почти касаясь ее полами длинной одежды. В руках незнакомцев появились какие-то трубки, изрыгнувшие короткое пламя, — на береговой линии прогремело десять взрывов.

Ближайший взрыв — в щепки разлетелся небольшой домик Макарыча — заставил Андрея присесть и на мгновение отвернуться от ударившей в лицо горячей волны. Эти инстинктивные движения и вывели его из состояния шока.

Сидя на корточках, Андрей бросил взгляд на пришельцев. Их скрывали ветви развесистой ивы, а значит, его самого видно не было. Посмотрел на освещенную мечущимся светом огня дорогу.

Бежать, бежать, бежать!

Но ближайший пришелец в пятидесяти метрах! Перед глазами мелькнула жуткая картина: эта полоска (лазерный луч или нечто напоминающее секретное оружие из фильма «Стиратель» с Арнольдом Шварценеггером) врезается ему в спину, пробивает насквозь...

Пришельцы продолжали стрельбу из своих труб-гранатометов. Каждую секунду берег озарялся ослепительными вспышками, от грохота взрывов содрогались и воздух, и земля. В небо, словно тучи огненных мух, поднимались, тут же опадая, горящие осколки. Огненные фонтаны возникали буквально повсюду, постепенно продвигаясь в глубь дачного массива.

Было самое время рвануться вперед, преодолев тридцать метров пустого пространства между ивой и пылающими руинами домика Макарыча. Увлеченные артподготовкой, пришельцы могут и не заметить его. Но если они чуть-чуть расширят сектор обстрела, то Андрей окажется как раз в нем.

Однако бежать надо: там взволнованные грохотом взрывов родители. Если отец пойдет сюда...

Андрей привстал, чтобы выглянуть из-за развесистых ветвей, — и тут артподготовка кончилась. Прогремели последние взрывы, берег озарился одиночными вспышками. Андрей замешкался, не решаясь оказаться на открытом пространстве, сделал неуверенный шаг вперед...

Ему показалось, что ближайший пришелец смотрит прямо на него.

Андрей рухнул на землю.

Смертоносная полоска прошла прямо над ним и снесла угол дома метрами пятьюдесятью дальше.

Он откатился в сторону под ненадежную защиту ивы. От попадания полоски ее ветви разлетелись искристым потоком.

Андрей добрался до склона и заскользил по нему на животе вниз, к воде. На спину ему посыпались оплавленные листья — последствия еще одного выстрела.

Он замер на холодном песке, с ужасом сообразив, что оказался у самой воды и ничто больше не отделяет его от пришельцев. Сердце остановилось, он поднял глаза и увидел нескольких пришельцев уже не над водой, а на берегу. Однако ближайшего, стрелявшего по нему, не обнаружил.

Но знал, был уверен, что тот скоро будет здесь...

62

Андрей не видел пришельца, но был уверен, что тот приближается.

Оглянулся назад. Метрах в пяти чернел силуэт перевернутой вверх дном лодки. Убежище!

Андрей стал продвигаться к лодке, не упуская из виду озаренный пламенем пожаров берег и нескольких пришельцев на нем. Но ближайшего по-прежнему не видел, поэтому спешил.

Оказавшись у цели, уже взялся за борт, чтобы приподнять лодку и забраться под нее, когда в голове мелькнула мысль, что пришелец может просто так, для страховки, выстрелить по лодке.

Впереди лежал скрытый темнотой берег — оранжевый свет огня сюда не доходил.

Бежать, раствориться в темноте, а потом по соседней улице добраться до дачи, до машины — и прочь отсюда.

Сверху, со склона, послышались шаги и шелест задеваемых ногами листьев.

В страшном волнении Андрей нырнул в пышные прибрежные кусты. Может, пронесет и его не заметят? Обо что-то больно стукнулся коленом, но, закусив губу, подавил готовый сорваться с губ возглас.

Мелькнула полоска и, в снопе искр пробив борт лодки, разбросала вокруг горящие щепки.

Правой рукой Андрей прикрыл глаза, а левой нащупал то, обо что ударился коленом.

Дубинка?! Скорее заброшенный в кусты обломок весла.

Не успел он обрадоваться, как буквально в двух шагах от него возник сбежавший по склону пришелец.

Времени на раздумья не было.

Схватив обломок весла двумя руками, Андрей с силой замахнулся. Пришелец повернулся к нему лицом и, получив сильнейший удар по голове, рухнул на песок, а из рук его вылетел какой-то предмет.

Андрей отчетливо увидел его на фоне разливавшегося над островом сияния. Предмет походил на винчестер. Сделав пару оборотов в воздухе, он упал...

Андрей особо не задумывался над тем, что делает, за него работали рефлексы.

Шагнув, он поднял предмет. Правая рука ухватилась за удобную рукоятку, левая — за чуть мягкую и нескользкую, видимо, резиновую прокладку под необычно широким дулом. Ну а указательный палец лег на спусковой крючок.

Андрей даже не сомневался в том, что в руках его было оружие.

Пришелец застонал и пошевелился. Нервы юноши были на пределе — ждать он просто не мог, и палец сам надавил на спуск.

Вспышка, отвратительный звук пробиваемой насквозь плоти, красный огонек, зажегшийся возле рукоятки. Раз, два, три... Огонек погас.

Края одежды вокруг дыры в груди пришельца дымились. Да, но пришелец стонал совсем как обычный человек...

Тошнотворный запах жженого мяса ударил в ноздри Андрея, и, не разбирая дороги, он рванулся наверх. Прямо через кусты, не замечая царапавших лицо веток. На вершине склона споткнулся и упал на холодный песок.

На фоне горящего домика Макарыча увидел застывший черный силуэт пришельца. Тот как раз посмотрел в его сторону, видимо, привлеченный шорохом. Так что это неловкое падение спасло Андрею жизнь.

Он выстрелил первым. Промахнулся. Еще раз надавил на спуск...

Ничего!

Только красный огонек перед лицом.

Секунда, что прошла перед ответным выстрелом, показалась ему необычайно долгой.

Вспышка — и прямо перед Андреем взметнулся фонтан песка, заставивший его зажмуриться и вжаться в склон. Сверху на голову и спину посыпался горячий песок.

Когда через пару долгих мгновений Андрей открыл глаза, то в двух шагах от себя увидел черную продолговатую траншею глубиной примерно в полметра. Если бы он, выскочив из кустов, встал в полный рост, то пришелец, конечно, не промахнулся бы.

Красного огонька над рукояткой не было. Смутная догадка посетила Андрея, и он надавил на спуск.

Вспышка... Пришелец дернулся и остался стоять. За ним Андрей увидел объятый пламенем дом Макарыча. Тело с пробитой насквозь грудью постояло несколько секунд и безвольно упало.

Андрей вдруг почувствовал, что дышит, как загнанная лошадь. Оружие в руках затряслось, по телу пробежала волна дрожи.

«Зачем я только поперся сюда?!»

Андрей уже хотел вскочить и броситься по дороге, но тут в голову пришла отрезвившая его мысль. Если кто-то из неизвестных заметит его, то тут же передаст остальным, и беглеца сразу уничтожат, более того, он может привести погоню к родителям.

Андрей вновь скатился к воде, отскочил подальше от убитого и остановился на несколько секунд, чтобы взглянуть на остров.

По просеке, хорошо освещенные сиянием, одна за другой выезжали в пролив боевые машины пришельцев. Они мчались над водой, словно корабли на воздушной подушке. И это были именно боевые машины — агрессивный внешний вид и наличие коротких орудийных (но, конечно, стреляющих не снарядами) стволов не оставляли никаких сомнений.

Над ними, сначала на бреющем полете, а потом заломив крутые виражи и резко взмыв вверх, промчались летательные аппараты, чем-то напоминающие американские «стелсы».

Больше Андрей не ждал. Вторжение разворачивалось полным ходом, и эта разведгруппа из десяти (теперь восьми) пришельцев — только цветочки...

Бред! Кошмар!! Галлюцинация!!!

Какие пришельцы?! Какое вторжение?!

Самое настоящее!!!! И свидетельство тому — неизвестное оружие в его собственных руках.

Пробежав метров пятьдесят вдоль воды, Андрей поднялся наверх и оказался на соседней улице.

Позади него прогремел взрыв, второй, третий. Он бросился в озаряемую сполохами огня темноту. Два взрыва прогремели на участке, мимо которого он пробегал. Зазвенели выбитые стекла, в бок Андрея ударили комья земли. Он побежал еще быстрее.

Потеряв двух своих членов, разведгруппа решила накрыть огнем район возможного нахождения противника. В своих попасть они явно не боялись: или знали, что те мертвы, или точно представляли их местоположение. И ничего удивительного или сверхнеобычного! В «Звездной пехоте» Роберта Хайнлайна командир отделения видел местоположение своих бойцов на карте, что имелась на внутренней поверхности стекла шлема.

Сзади все стихло, но Андрей продолжал бежать, предчувствуя, что это только временное спокойствие.

Он оглянулся в тот момент, когда над районом обстрела пронеслись два «стелса» пришельцев. Через секунду весь этот район длиной метров в двести превратился в сплошное море огня.

Вокруг стало светло как днем. Взрывная волна сбила Андрея с ног, от грохота заложило уши, со звоном повылетали окна в близлежащих дачах, над упавшим юношей прошла волна раскаленного воздуха, на спину ему посыпались осколки и комья земли — слава Богу, мелкие, так как взрывная сила была таковой, что крупных просто не осталось.

Андрей вскочил и побежал. Из последних сил. Глотая раскаленный воздух, который обжигал горло и легкие. Вокруг все было залито трепещущим оранжевым светом.

На первом же перекрестке свернул к своей улице. На бегу посмотрел налево. Метрах в ста пятидесяти — двухстах от него в небеса вздымалась стена сплошного бушующего пламени. Даже на таком расстоянии чувствовался исходящий от него жар.

— Андрей!

Юноша споткнулся, но не упал, потому что был подхвачен отцом.

— Сматываемся!!! — прохрипел Андрей, тяжело дыша и таща отца за собой.

— Что это за взрывы?!

— Вторжение! Вторжение!!!

Они побежали по улице. Андрей боялся, что благодаря свету огня кто-нибудь из разведгруппы или пилоты смогут увидеть их.

Еще он боялся, что «стелсы» начнут новые «ковровые» бомбардировки и превратят весь дачный массив в ревущее море огня.

И кроме того, пилоты могут заметить их отъезжающую машину.

Даже если удастся выехать отсюда, то куда податься? Где спрятаться от пришельцев? Что делать дальше?..

Отвлекшись на какой-то момент, Андрей споткнулся и растянулся прямо на дороге. Поднимаясь, в какой-то момент оказался на коленях. И стоял так секунду, глядя назад, на стену бушующего огня, скрывшую за собой бледно-голубое сияние.

Стоял на коленях, словно раб, молящий о пощаде...

Отец подал ему руку, и они продолжили свое бегство...

Часть третья

БЕГСТВО С ЗЕМЛИ

63

Он боялся открыть глаза...

Голова гудела, будто в ней поселился рой пчел и сейчас, потревоженный чем-то, метался из одной ее части в другую. Все тело ныло, по нему растекалась противная слабость. Во рту пересохло, лицо горело, словно к нему приставили ультрафиолетовую лампу.

Но больше всего его беспокоило не это.

Широ не мог вспомнить, как оказался в таком положении.

Сама ситуация показалась ему знакомой, возникло ощущение, что нечто подобное с ним уже происходило. Но что? Когда?..

Он понимал, что стоит только открыть глаза — и многое, если не все, станет на свои места. Но все равно боялся! Словно предчувствовал, что ничего хорошего не увидит.

Но откуда тогда взялось это предчувствие?!

Сердце забилось быстрее, к и без того разгоряченному лицу прильнула кровь. Почему-то вспомнился огонь...

Огонь!

Горящий разрушенный спорткомплекс... Он пробирается среди руин, среди огня... Падает в бассейн, в спасительную холодную воду... Затем сад, превращенный в хаотическое нагромождение изувеченных стволов и веток... Затем...

Затем — превращенный в руины мир!

Страшные картины проплывали перед мысленным взором Широ. Аллея с поваленными деревьями, разбитая скамейка, мертвая женщина возле нее... Это остатки сна! Жуткого, невероятно реального сна! Беспомощные люди в парке, человек на крыше полузатопленной лодочной станции... Да, это сон, от которого учащенно забилось сердце и пересохло во рту. Врезавшийся в упавшее дерево и сгоревший дотла автобус. «В твоих руках жизнь человека!» — говорит ему женщина... Сон, кошмар!.. Руины Армаза, переполненная больница. А сердце почему-то продолжает стучать, внутри все холодеет. Он ведь уже проснулся, сон остался позади, в несуществующей, нереальной стране видений... Сверкающая огнями СММ — специальная медицинская машина, пробирающаяся сквозь беснующуюся толпу. Нога вдавливает педаль газа в пол, под капотом исчезает мужчина...

Разве может сон быть таким реальным?!

Прошло не больше полминуты с того момента, как Широ очнулся, а ему показалось, что миновали долгие часы, заполненные попытками вспомнить события нескольких прошедших дней.

«Все это было не во сне!!! — сказал он себе неожиданно спокойно и рассудительно. — Все это реальность!..»

Но глаза по-прежнему не открывал, не потому что боялся, а потому, что просто не было сил приподнять тяжелые веки. Усталость — физическая и моральная — безраздельно завладела его душой и телом. Он чувствовал себя еще хуже, чем тогда, очнувшись в покореженной, отброшенной взрывом СММ. С удивлением вспомнил свой гневный порыв, яростную, обреченную на провал, но тем не менее удавшуюся атаку на неизвестных.

Вспомнил, как стоял на коленях, сложив руки за головой, глядя на исчезающие в черных вратах бронемашины. Вспомнил обжигающе-холодное прикосновение «пистолета»...

Разве сможет он когда-нибудь забыть это?!

— По-моему, очнулся...

Широ показалось, что голос прозвучал у него в голове.

— Дайте ему воды! — сказал другой.

Широ чуть не расхохотался, ведь объяснение всему этому просто и очевидно: раз в голове у него поселились голоса, значит, он сошел с ума!

Однако, когда чьи-то руки приподняли и усадили юношу, уперев спиной в какую-то гладкую поверхность, предположение это пошатнулось. Не могут же голоса обладать руками?!

Широ вынужден был открыть глаза.

Прямо над собой он увидел двух неизвестных в длинных черных одеждах, правда, без капюшонов на головах. Это были молодые, высокие, чем-то похожие друг на друга мужчины. Схожесть им придавали абсолютно одинаковые короткие ежики волос и, конечно, одинаковая одежда. Со сдержанным любопытством они смотрели на Широ.

За ним стоял пожилой — это было видно по морщинам на лице и седине в волосах — мужчина с каким-то прибором в руках.

У всех троих на висках было нечто, напоминающее наушники.

— Пей! — сказал один из молодых незнакомцев, протягивая Широ широкую узкую флягу с высоким горлышком.

Юноша взял ее и сделал осторожный глоток. Вода, самая обычная вода...

Промочив пересохшее горло, он огляделся вокруг, однако увидел только стену какого-то полуразрушенного дома да серебристый борт бронемашины за спиной пожилого.

— Как тебя зовут? — спросил тот, говоря чисто, без какого-либо акцента или коверканья слов.

— Широ...

— Ты нам задал много хлопот, Широ! И это странно, ты ведь «духовник»!

— А кто вы?

— Ах да... Тебя это, должно быть, очень интересует! Ответ на твой вопрос прост: мы — ваши соседи...

64

Светало. Мир окрашивался в серые предрассветные тона. Над лугами стелился низкий утренний туман.

Края его сероватой пелены достигали дороги, что проходила между лугами и дачным массивом. Туман скрывал застрявшую среди зарослей ивы белую «четверку» с поцарапанными бортами и треснувшими окнами. А вот искореженный, оплавленный бетон дороги он скрыть не мог.

Этой ночью ни Андрей, ни его родители так и не сомкнули глаз, даже сейчас, под утро, сон к ним не шел.

Андрею мешал запах дыма. Вместо свежего, чистого дыхания лугов он чувствовал запах гари, что шел с дачного массива и нес с собой тревогу, чувство близкой опасности и угрозы.

Смертельной угрозы!..

Даже оружие пришельцев, что лежало у Андрея на коленях, не придавало ему уверенности. Даже то, что ночью он смог справиться с двумя из них.

Случайность! Везение!

...До дачи им удалось добежать незамеченными... Багажник машины был открыт, там уже лежало немного провизии и одежды. Забросив последнюю сумку и не отвечая на вопросы матери, усадили ее в автомобиль. «Четверка» запрыгала по ухабам дачной улицы. Сорок метров, что нужно было проехать по ней до дороги, показались Андрею марафонской дистанцией, усеянной к тому же препятствиями в виде всевозможных колдобин. Он напряженно всматривался назад, в озаренную огнем пожаров улицу, боясь увидеть черные силуэты пришельцев или контуры атакующего штурмовика.

Вскоре Андрей понял, что их все же заметили.

Едва «четверка» чуть ли не на двух колесах вылетела на бетонку и, набирая скорость, стала удаляться от района вторжения, как Андрей увидел настигающих их на бреющем полете «стелс» пришельцев.

Отец был слишком занят управлением машиной в условиях полной темноты (огни они не включали), чтобы заметить «стелс» в зеркале заднего вида. Поэтому Андрей ухватился за руль и крутанул его в сторону.

Еще были свежи ощущения, пережитые на берегу. Визг шин, краткое чувство полета, удар капота по зарослям ив, треск дерева, лязг металла. А справа — вспышка, огненные фонтаны, летящие куски оплавленного бетона. Андрей чуть не вылетел через треснувшее лобовое стекло...

Но, к счастью, все обошлось! Они отделались ссадинами и ушибами, а это — мелочи.

Всю ночь провели возле машины, не зная, что делать. Двигатель не заводился, а когда решили идти пешком через луга, в темном небе мелькнул трапециевидный силуэт и смертоносные полоски впились в землю в паре сотен метров от них. На фоне одного из разрывов Андрей увидел человеческий силуэт. Кто-то попытался пройти лугами, но навсегда остался там...

И еще несколько раз луга озарялись вспышками, а над бетонкой проносились штурмовики.

...Туман становился все гуще, его белое одеяло накрыло луга.

— Может, попробуем? — спросил отец, посмотрев на сына.

Тот задумчиво пожал плечами.

Что делать? Извечный, жутко абстрактный и вполне конкретный вопрос. Что делают герои в книгах и фильмах о вторжении? Герои сражаются. А что делают обычные люди? Спасаются бегством, прячутся, уходят в джунгли, в леса, в подземелья, чтобы поддерживать затухающий огонь цивилизации.

Но что делать конкретно ему, Андрею Лебедеву, его матери и отцу? Ну, преодолеют они луга, а что дальше? В Киев? В леса? Или вообще остаться здесь? Может, пришельцев уже не будет интересовать дачный массив?..

В открытую дверь вливалась утренняя прохлада и запах дыма. И тут до слуха Андрея долетел какой-то звук. Пока еще далекий, но явно приближающийся. И знакомый...

— Неужели кто-то сюда едет?! — воскликнул отец, и Андрей тут же понял, что слышит не что иное, как шуршание шин по бетону.

Какой-то автомобиль на большой скорости приближался к ним.

— Пойду посмотрю! — сказал Андрей, выскользнув из «четверки», и тут же услышал шаги последовавшего за ним отца.

Они быстро, но осторожно пробрались через заросли и притаились у придорожных кустов. Андрей присел, поморщившись от боли в ушибленном колене и лихорадочно соображая, что же им предпринять.

В зоне видимости как раз показалась приближающаяся к ним на большой скорости «восьмерка» или «девятка».

Если там люди, то куда они мчатся? Неужели не видят дым, поднимающийся над дачным массивом?

Впрочем, со своего места Андрей не увидел дыма, который, видимо, подобно туману, стелился низко над землей. Но зато увидел следы выстрелов штурмовика на бетонном полотне дороги. Два ровных ряда продолговатых дыр глубиной в полметра и куски бетона между ними.

Проклятие! Водитель увидит их в самый последний момент!..

Далеко в небе, где-то над Днепром, Андрей заметил две точки. Птицы? Или...

Точки изменили курс... Штурмовики?!

Черной «восьмерке» оставалось до дыр в бетоне метров шестьдесят. Андрей увидел, что в ней находится только один человек.

Человек ли?!

Может, это провокация? Но уж очень хитроумно: отправить по дороге машину, чтобы выявить спрятавшихся беглецов!

Андрей прекрасно понимал, что, пока он будет думать, «восьмерка» влетит в ямы, но все еще боялся рисковать. Краем глаза заметил, как отец покачал головой, видимо, представив все последствия встречи автомобиля с такого рода препятствием.

А две точки в небе превратились в далекие силуэты штурмовиков. Через минуту-полторы они будут здесь.

«Восьмерка» стремительно приближалась.

Андрей разглядел ее водителя. Девушка с каштановыми волосами... Знакомые черты...

Валя?!

65

Он мог только наблюдать.

Сердце похолодело и замерло. Время сыграло с ним какую-то злую шутку, одновременно ускорив и замедлив свой бег.

«Восьмерка» со скоростью 70—80 километров в час стремительно приближалась к ямам.

Андрей представил себе жуткую картину: передние колеса машины попадают в ямы, она клюет носом и подпрыгивает на капоте...

И в этот самый момент уже в реальной жизни «восьмерка» влетела в ямы. Похоже, в последний момент Валя все-таки заметила их и успела среагировать. Благодаря скорости правые колеса проскочили над первой ямой. Подпрыгнув, словно на трамплине, на кусках бетона, перелетели через вторую и тут же врезались в кучу оплавленного бетона. Послышался пронзительный скрежет — днище машины коснулось дороги. «Восьмерка» подпрыгнула, вильнула, оставив искристый след, ударилась о края еще одной ямы и вылетела в кювет. Подминая высокую траву, сшибая придорожные кусты и опасно накренившись, она понеслась, отчаянно цепляясь за самый край дороги правыми колесами.

Сквозь поднятую пыль и клочья тумана Андрей увидел, как зажглись красные фонари «стопов».

Раздался резкий удар и металлический звон. Сбитый «восьмеркой» железный указатель полетел высоко вверх.

Он еще кувыркался в воздухе, когда машина пролетела поворот на дачную улицу и нырнула в широкую придорожную канаву, взметнув тучу прошлогодней листвы и мусора.

Указатель со звоном свалился на бетон. Погасли красные фонари «стопов». В воздухе медленно кружились клубы поднятой пыли.

А с другой стороны приближались черные силуэты штурмовиков.

Теперь Андрей знал, что делать. Знал на несколько шагов вперед.

— Бери маму — и обратно к дачам! — быстро проговорил он отцу, выбираясь из зарослей ив. — Но только не на луга!!!

Андрей со всех ног бросился к Вале. До застывшей «восьмерки» было метров семьдесят.

А сзади приближались штурмовики, но оглядываться было нельзя — потеряешь скорость.

Преодолев полпути, Андрей увидел, как открылась водительская дверца и из нее тяжело выпала Валя. Только бы она была пристегнута во время своего автородео, только бы могла двигаться...

Девушка поднялась на ноги. Губа ее была разбита, на подбородке виднелась струйка крови. Это мелочь!

Валя посмотрела на Андрея, потом — ему за спину. По ее взгляду тот понял: штурмовики рядом.

— Сюда!!! — крикнул Андрей.

Валя обежала присыпанную листвой «восьмерку». Он схватил ее за руку и первый раз оглянулся.

Штурмовики шли над бетонкой на бреющем полете. Еще секунда-две — и они атакуют!

Только бы не «ковровая» бомбардировка!!!

Прямо под «стелсами» Андрей мельком заметил силуэты двух перебегающих дорогу людей. Отлично! Его родители успели отбежать подальше!

Штурмовики атаковали...

Первый бил по полотну дороги: вздымающиеся один за другим фонтаны огня и расплавленного бетона уже настигали бегущих Андрея и Валю. Второй целился в придорожную канаву: заросли ив разлетались в щепки.

Разрушительные полоски ударили по «восьмерке», прошили ее насквозь, заставив подпрыгнуть. Взорвался бак...

Словно почувствовав приближение огненного шквала, Андрей и Валя, не сговариваясь, прыгнули в придорожную канаву по другую сторону дороги.

За их спинами разверзся ад из взрывов, огня, кусков оплавленного бетона, горящего дерева и дымящейся земли.

Подминая траву и кусты, ребята прокатились по склону канавы и, тут же вскочив, бросились через заросли ив, пригнувшись и втянув головы в плечи, чтобы хоть как-то защититься от града осколков.

Оказавшись на краю луга, в рваной пелене тумана, Андрей остановился.

— Ранена?

— Нет...

Андрей и Валя смотрели на пылающую машину, скошенные ивы по ту сторону дороги и ее изуродованное полотно. Они опередили штурмовики на одну секунду. Теперь нужно не только не потерять, но и увеличить это мизерное преимущество.

Валя перевела взгляд на скрытые под одеялом тумана луга.

— Нет! — отрезал Андрей. — Вперед!

— Но там ведь...

— Нас там не ждут!

Андрей не хотел идти за родителями, чтобы не привести к ним погоню. Оставаться здесь тоже опасно. Значит — вперед, ближе к пришельцам! Переждать и вернуться...

Мелькнула мысль пересечь дорогу и тоже укрыться в дачном массиве, но пролетевшие над бетонкой штурмовики заставили Андрея выбросить ее из головы.

...Они бежали вдоль ив, скрытые туманом.

Через минуту вздрогнула земля, и справа от них туман озарился яркими оранжевыми вспышками взрывов. Размытая огненная волна росла, и Андрей прикинул, что длина ее составляет по меньшей мере метров триста.

Логично предположив, что беглецы где-то здесь, под прикрытием тумана, пришельцы начали «ковровую» бомбардировку лугов.

Туман зашевелился, словно возмущенный грубым вмешательством людей в его размеренное, сонное существование. Волна горячего воздуха заставила ребят пригнуться и задержать дыхание. До слуха долетел глухой рокот, от которого заныли зубы, и яростный рев пламени, которое, казалось, находится совсем рядом.

Горячий воздух унес с собой клочья тумана, и именно в этот момент над бегущими ребятами пронесся штурмовик.

Валя вопросительно посмотрела на Андрея. Заметили ли их? Тот не знал. Если нет — хорошо! А если все же заметили?

Тогда через полминуты их поглотит бушующий огонь!..

Что делать? Рвануться на луга, в уже накрытую бомбардировкой зону? Или, наоборот, через дорогу, к дачам?

Но Андрей нашел другой выход.

— Быстрее!!!

Собрав последние силы, они побежали так быстро, как только могли. Вперед, как можно ближе к основным силам пришельцев, и тогда трапециевидные штурмовики не смогут осуществить «ковровую» бомбардировку.

Тяжело дыша от долгого и быстрого бега, Андрей и Валя пронеслись вдоль зарослей ив. Туман вновь накрыл их белым покрывалом.

Прямо над ними пролетел штурмовик. Почему он не стрелял?.. Андрей тут же получил ответ на этот вопрос.

Не успел он опомниться, как туман расступился, и ребята оказались не далее чем в десяти шагах от двух закованных в сверкающую сталь, обтекаемых, грозных на вид броневиков.

Слева Андрей увидел широкую площадь, которой раньше здесь не было. Утрамбованные кучи оплавленного кирпича — это все, что осталось от стоявших еще вчера на этом месте десятков дач. Площадь была окружена плотным кольцом броневиков, в небе виднелись трапециевидные силуэты штурмовиков. Андрей заметил широкую дорогу, что пролегала прямо среди дач и вела, судя по всему, к острову.

Все это пронеслось в его сознании за те пару секунд, которые понадобились ребятам для того, чтобы добежать до ближайшего броневика и упасть рядом с его сверкающим бортом.

— Здесь нас бомбить не будут! — мрачно пошутил Андрей, осторожно выглядывая на площадь.

Взгляд его тут же остановился на трех особенно больших, метров пятнадцать в длину, то ли броневиках, то ли вспомогательных машинах, что стояли рядом друг с другом точно по центру площади.

Возле них возвышалась квадратная рама из серебристого металла высотой метров десять. Вокруг нее стояла какая-то аппаратура и суетились пришельцы. Вид их вызвал у Андрея замешательство.

На них не было длинных черных одежд, только вполне обычного вида темно-серые комбинезоны.

И вообще они были самыми обычными людьми!..

Но здесь же находились и пришельцы в черных одеждах с капюшонами на головах. В основном они стояли у кольца броневиков, и только одна группа у квадратной рамы.

И тут Андрей обратил внимание на то, чего не заметил раньше. На небольшую, с ребром в два метра, раму, стоящую к нему полубоком. Прямо у него на глазах в ней скрылись два пришельца — растворились в густой черноте, словно вошли в какую-то дверь, что стоит как бы сама по себе, без дома и стен...

Врата! Маленькие врата!! А эта десятиметровая рама — большие, через которые может пройти и броневик, и штурмовик!!!

Андрей так увлекся своими наблюдениями, что не заметил оживления среди пришельцев в длинных одеждах. Его привело в чувство прикосновение Вали.

Группа из десяти пришельцев бежала прямо к ним.

Что-то загудело в утробе броневика, возле которого они лежали. Ребята почувствовали, как завибрировала земля.

Оба ближайших броневика приподнялись, словно на воздушной подушке, но так как из-под днища их не шел поток воздуха, можно было предположить, что они просто преодолели силу гравитации.

Но Андрею некогда было над этим размышлять. Если броневики отъедут (отлетят), пришельцы тут же откроют огонь — в том, что их с Валей обнаружили, сомневаться не приходилось. Но и бежать нельзя! Пока они рядом с броневиком, по ним стрелять не будут. Забраться на его броню?.. А если по ней пропустят ток?! Ведь даже здесь, на земле, на машинах устанавливается система электрошока!

Броневик стал плавно отъезжать, притаившиеся за ним ребята остались без всякой защиты. Андрей почувствовал себя прикованным к мишени в тире и наблюдающим, как стрелки заряжают винтовки.

Бежать нельзя, значит...

Дикая, безумная, сумасбродная мысль посетила его.

— За мной! — скомандовал он Вале и привстал.

Выстрелил по одному из тройки крупных броневиков в центре площади и рванулся вперед, держа в поле зрения красный огонек над рукояткой оружия.

Первый, второй шаг... Безумие!

Пущенная им полоска, посверкивая искрами, пробила борт машины. Та подпрыгнула и взорвалась.

Этого Андрей не ожидал!

От грохота заложило уши. Яростное пламя рванулось во все стороны, скрыв под собой квадратную раму, две другие машины и пришельцев в комбинезонах. Но этого ему было мало. Со стремительной скоростью оно расползлось дальше. Подкошенная взрывной волной попадала и исчез-

ла в пламени группа пришельцев, что стояла метрах в пятидесяти от большой рамы.

Андрей и Валя словно натолкнулись на невидимую стену, когда взрывная волна дошла до них.
Накрыв собой круг диаметром метров двести, огненный смерч до них не добрался, однако его горячее дыхание ребята ощутили сполна.

Андрей не решился больше стрелять, он вскочил и потащил за собой девушку. Надо успеть,
пока преимущество на их стороне, пока пришельцы в шоке. До цели каких-то сорок метров.

Этот путь казался Андрею единственным вы-
ходом, и столь удачный взрыв лишь упрочил его
мнение.

Но что ждет их впереди?

Завидев ребят, пришельцы в комбинезонах раз-
бежались. Путь к маленьким вратам был открыт.

Пять шагов до непроницаемой темноты с ка-
емкой из серебристого металла... Что там дальше?
Три шага... Пришельцы ведь безбоязненно скрылись в ней!

— Ты с ума сошел?! — крикнула Валя. Но уже
через мгновение, взявшись за руки, ребята вбежали во врата.

В темноту!..

66

Холод...

Жуткий холод, проникший в каждую клеточку
тела, в каждую молекулу, в каждый атом.

Мышцы свело судорогой, все тело дрожало.

Андрей чувствовал себя так, будто только что выбрался из проруби на сорокаградусный мороз... Нет, не только что, а пару часов назад! И лежит на ледяном ветру, коченея, но почему-то не умирая.

Однако как ни странно, мозг работал трезво и четко.

Андрей прекрасно понимал, что оказался по другую сторону маленьких врат и, судя по теплому вдыхаемому воздуху, здесь нет сорокаградусного мороза, а ощущение жуткого холода — реакция на прохождение врат.

Сколько он лежит здесь без сознания?!

Исключительно важный вопрос!!!

Андрей с трудом поднял отяжелевшие веки, ожидая увидеть на ресницах миниатюрные сосульки...

Густая листва, через которую просматривались островки голубого неба. Лес! Это хорошо, легче уйти от погони.

А она будет! Обязательно будет! После того, что он там устроил...

Там... В своем мире.

А где он сейчас?

Андрей с опаской вдохнул воздух, но не обнаружил в нем ничего необычного: свежий, чистый, с запахом леса. Может, это просто другая точка Земли? Или же абсолютно чужой, но просто похожий на их собственный, мир?

Некогда над этим думать! Преследователи появятся с минуты на минуту...

Если уже не появились!

Андрей попытался приподнять голову, мышцы шеи ответили жуткой болью, но все же подчинились. Он привстал, оперся на локоть. В плечо будто всадили тысячи иголок. Ощущение холода уступило место чувству скованности. Все до единой мышцы будто затекли, словно он пролежал без движения тысячу лет.

Закусив губу, Андрей медленно повернул голову из стороны в сторону, осматриваясь вокруг.

Небольшая, окруженная со всех сторон густым лесом поляна. Примерно трехметровой ширины ровная просека, в конце которой, метрах в трехстах от него, виднелись силуэты пришельцев. Сзади — излучающий бледно-голубой свет квадрат, от которого шел ощутимый поток теплого воздуха. Слева — лежащая на спине Валя. Лицо бледное, напряженное, глаза смотрят куда-то вверх.

Их разделяло всего два шага. Чтобы проползти это мизерное расстояние, Андрею пришлось собрать в кулак всю свою волю. Однако с каждым новым движением мышцы восстанавливались. Шея хоть и болела, но уже позволяла свободно вращать головой.

— Мы что, в Арктике? — спросила Валя непослушными губами.

— Двигайся, двигайся! Холод пройдет! — Андрей вновь взглянул на просеку.

Вдалеке по-прежнему виднелись фигуры пришельцев, и невозможно было понять, в какую сторону они движутся.

Но куда больше Андрея волновали врата. В любую секунду из них могла появиться погоня, а раз ее еще не было, значит, они с Валей пролежали без сознания совсем немного, максимум минуту.

— Ты готова?

— К чему?.. — удивилась девушка.

Андрей взял ее за руку и усадил.

— Ой!..

— Терпи! Нам надо убираться отсюда...

Он встал на ватные, непослушные ноги, сделал шаг. Рывком поднял закусившую губу девушку. Она чуть не упала. Андрей поддержал ее и тут увидел свое трофейное оружие, оно лежало в паре шагов от ребят.

Из квадрата выпрыгнул пришелец.

Андрей толкнул Валю обратно на землю и подскочил к оружию.

Пришелец пробежал несколько метров по инерции и остановился.

Андрей думал, что допрыгнет прямо до оружия, но подвели ноги, и он тяжело плюхнулся на живот в метре от него.

Пришелец повернул спрятанную под капюшоном голову и посмотрел на Валю.

Андрей протянул руку и схватился за рукоятку трофея.

Из светящегося квадрата выпрыгнул еще один пришелец и, сделав пару шагов, остановился прямо над Андреем, длинные черные полы чуть не коснулись его лица.

Оружие показалось Андрею невероятно тяжелым. Он чуть не выронил его, переворачиваясь на спину, и тут же выстрелил.

Смертоносная полоска насквозь пробила появившегося первым пришельца и, подкосив дерево, исчезла в лесу.

Над рукояткой зажегся красный огонек.

Андрей с замершим сердцем смотрел на пришельца, что стоял прямо над ним. Тот еще не успел сориентироваться после выхода из врат и не понял, откуда стреляли. Однако в руках его Андрей увидел грозный ствол оружия.

Красный огонек горел невыносимо долго. Стоит пришельцу опустить голову, и он увидит ноги Андрея.

Но внимание его отвлекло подкошенное дерево, что падало прямо на врата.

Андрей выстрелил снизу вверх. Отлетевший в сторону пришелец открыл падающий ствол дерева. Юноша успел лишь перевернуться и прикрыть голову руками.

К счастью, дерево упало рядом с ним, задев его спину лишь ветвями. Верхушка же угодила прямо в светящийся квадрат — и исчезла в яркой вспышке, разлетевшись на многие метры вокруг горячими искрами.

Андрей выбрался из-под веток и увидел, как два появившихся из врат пришельца исчезли среди дымящейся листвы дерева, что лежало вплотную к квадрату.

А с другой стороны, по просеке, к ним быстро приближались черные силуэты, скользя над самой поверхностью земли.

Валя уже была на ногах и подбежала к Андрею, хотя каждый шаг, видимо, давался ей тяжело. В руках она держала оружие пришельцев.

— Как им пользоваться? — спросила девушка на бегу.

— Нажимаешь на спуск, ждешь, когда погаснет красный огонек, — и снова...

Они забежали за квадрат. С этой стороны не ощущался поток теплого воздуха, хотя излучаемый свет был так же ярок. Похоже, врата были односторонними...

Но размышлять было некогда. Скрытые светящимся квадратом, к ним приближались пришельцы.

Андрей и Валя бросились к лесу.

Это было похоже на дурной сон, когда ты убегаешь от кого-то, а ноги не слушаются, отказываются нести тебя вперед, наливаются свинцом, прирастают к земле.

То же происходило с ребятами. Ноги были словно чужие, и каждое движение давалось с трудом, к тому же казалось, что к каждой ноге привязали пудовую гирю.

Кое-как они преодолели несчастные тридцать метров и скрылись в густой листве. Андрей тут же повернул налево, и ребята побежали перпендикулярно прежнему курсу, без особого успеха уворачиваясь от хлеставших их по всему телу веток.

Сзади громыхнуло, потом еще раз, и еще... Задрожала земля, пахнуло дымом. Послышалось тревожное щебетание птиц и хлопанье десятков крыльев, раздраженно зашелестела листва.

Но громче всего, конечно же, был грохот взрывов.

Андрей споткнулся о невидимую в густом подлеске корягу.

— Беги! — крикнул он остановившейся возле него Вале. Поднялся и побежал вперед.

Он надеялся, что малочисленная группа пришельцев не сможет создать большой сектор обстрела.

И еще молил Бога, чтобы в небе не появились трапециевидные штурмовики...

67

— Чья это была «восьмерка»?

— Вот именно, что была, — грустно улыбнулась Валя, вытирая с подбородка засохшую кровь. — Наших соседей...

— Ты что, угнала ее?!

— Нет, они с родственниками уехали на «чероки», а гараж завалило, машину оставить негде. Вот и дали мне ключи. У нас с ними хорошие отношения...

— А куда они уехали?

— У их родственников дом за Новоукраинкой. Решили обосноваться там...

— Да, думаю, многие покидают сейчас города...

— А какая разница? Эти ведь везде! — Девушка посмотрела на оружие, что лежало у нее на коленях.

Они сидели возле маленького, затерявшегося в траве ручейка с прозрачной холодной водой. Вокруг буйствовала зелень, и дальше трех-четырех метров ничего видно не было.

Андрей не стал спрашивать Валю, почему она поехала к ним на дачу. Вопрос мог оказаться слишком тяжелым для нее.

— Так где же мы все-таки? — прервала затянувшееся молчание девушка.

— О, версий много! — протянул Андрей. — Мы можем находиться в каком-то другом месте Земли или даже в другом измерении.

— Или на другой планете?

— Нет, мне кажется, мы не покидали Землю. Сила тяжести та же, воздух нормальный — еще дышим. Но здесь теплее и немного другая природа...

— Ничего себе немного! — воскликнула Валя, указывая на бабочку с крыльями размером в человеческую ладонь. — И деревья здесь другие, хотя есть, конечно, знакомые... А что ты имел в виду под другим измерением?

— А что имеют в виду под другим измерением? — вопросом ответил Андрей. — Допустим, Земля состоит из нескольких параллельно существующих измерений, каждое из которых живет отдельной жизнью. Эти светящиеся квадраты — врата из одного мира Земли в другой...

Андрей вдруг замолчал, уставившись куда-то в одну точку, и Валя обеспокоенно тронула его за плечо, подумав, что он что-то увидел или услышал.

— Смотри, как все складно получается! — сказал Андрей, заметно оживившись. — Светящиеся квадраты — это выходы. Частицы — атомы, электроны, называй, как хочешь, — выходя из того измерения, сталкиваются с нашими, сгорают и образуют это сияние... И поток теплого воздуха. Врата односторонни. В светящийся квадрат не войдешь, сгоришь! Как упавшее дерево! Видела, как ему верхушку срезало?! Против электронов не попрешь! А вот черные квадраты — это входы. Там, наоборот, ты движешься вместе с потоком частиц...

— Получается, «плохие ребята» — наши соседи, а «волна» — их рук дело? — предположила Валя.

— Очень может быть...

Сказав это, Андрей усмехнулся. Параллельные измерения, пришельцы-соседи, врата между мирами — все это так нелепо, словно детская фантастика. Сколько об этом написано?! «Огласите весь список, пожалуйста!» Да не хватило бы десятка, сотни листов!

Но может ли выдумка стать реальностью? Да сколько угодно! Лазеры, бластеры, конечно, плод воображения фантастов, но на боевых истребителях уже стоят лазерные пушки. Не говоря уже о сошедших со страниц книг подводных лодках, роботах, космических кораблях и т. п.

— Только, похоже, мы находимся не в родном мире захватчиков, — предположил Андрей. — У них явно техногенная цивилизация, а здесь природа кажется абсолютно нетронутой.

— Но мы ведь видели только маленькую его часть. Может, они живут в согласии с природой?

— Да уж, они такие умиротворенные и миролюбивые...

— Пожалуй, ты прав, — согласилась Валя. — Может, они задумали покорить все измерения Земли?

— Вот этого от них можно ожидать! — в свою очередь, согласился Андрей.

— Но тогда почему здесь не видно следов «волны»?

— У меня на этот счет две версии. Или поблизости нет населенных пунктов и «волна» просто не нужна, или в этом мире вообще нет населенных пунктов.

— ?!

— Мир необитаем. Человек здесь или еще сидит на деревьях, или вообще по каким-то причинам его тут нет. Хотя, конечно, это только версия. Приземлись инопланетяне в амазонских джунглях или Са-

харе, они бы тоже подумали, что планета необитае-
ма. Давай отдохнем и двинемся...

— На поиски человека?

— Нет, на поиски врат для еще одного прорыва. Спать хочешь?

— Нет, а ты?

Несмотря на бессонную ночь, Андрей тоже не
хотел спать. Даже физическая усталость не могла
перебороть то эмоциональное возбуждение и напряжение, что принес с собой непрекращающийся
вихрь событий последних дней. Но Андрей понимал, что сон необходим, иначе потребность в нем
возникнет в самый неподходящий момент. Тем
более неизвестно, что ждет их впереди, а это за-
крытое со всех сторон зеленью место казалось относительно безопасным и надежным.

— Но спать надо! — произнес Андрей приказ-
ным тоном. — Ты первая.

— Я не усну...

— Я тоже, но спать надо. Давай ложись! Здесь
мягкая душистая травка, свежий воздух...

— Но я все равно не усну! — сопротивлялась
Валя.

— А я тебе сказку расскажу...

— Правда?! — Девушка с доверчивой улыбкой
посмотрела на Андрея и растянулась на траве, не
убирая ладони с оружия. — Чего молчишь, давай
рассказывай!..

— Закрывай глаза. — Андрей придвинулся
ближе, чтобы видеть ее лицо. — Закрывай, а не
прищуривай!

Валя улыбнулась и зажмурила глаза.

— Хочу сказку!

— В маленькой стране, что была расположена на высоком плато, — начал Андрей, подавив приступ смеха, — жила красивая молодая принцесса...

— Принцессы все молодые! — с детской серьезностью заметила девушка, не открывая глаз.

— Ее сестра, тоже принцесса, была старой девой! — парировал Андрей. — Так вот, жила принцесса...

Он полминуты думал, что сказать дальше, а Валя терпеливо ждала.

— Жила в красивом белокаменном дворце с сорока спальнями и двадцатью гостиными, с двумя посадочными площадками для ковров-самолетов, с конюшней на полсотни лошадей, с самодвижущимися полноприводными каретами в гараже, с сотней слуг и стражников, в любой момент готовых услужить принцессе и защитить ее. Но принцессе было нерадостно от всего этого богатства. Ей не с кем было разделить его...

Андрей говорил медленно, шепотом, глядя на красивое лицо девушки. Вокруг доверительно шелестела листва, щебетали птицы, казалось, что они одни в этом прекрасном дружелюбном мире. Андрей снял с себя спортивную куртку и подложил Вале под голову.

— Спасибо...

— Ты еще не спишь? — шутливо рассердился он.

— Я жду продолжения.

— Оно тебе приснится.

— Там счастливый конец?

— Конечно...

Через несколько минут девушка уснула.

Андрей сидел рядом, рассматривая оружие. Вот регулятор со шкалой без каких-либо обозначений. Он хотел было сравнить его с регулятором на Валином трофее, но ее ладонь лежала на «винтовке», а будить девушку Андрей не хотел.

Что же это за оружие? А что думают по этому поводу фантасты? Бластер? Аннигилятор? Силовая винтовка?.. Ведь и в самом деле похоже, что эта штука действует с помощью силового поля, которое пробивает на своем пути все: от стены даже до брони машин пришельцев. А светится оружие потому, что, соприкасаясь с ним, сгорают молекулы воздуха! Красный огонек обозначает время подзарядки какого-нибудь генератора силового поля.

Вот так-то! Значит, их трофей не что иное, как силовая винтовка, в просторечии — «силовик».

С этими размышлениями Андрей и уснул.

...Проснулся с мысленным воплем «черт побери!!!» и открыл глаза, ожидая увидеть черные силуэты пришельцев.

Однако увидел не их. Чья-то широкая здоровенная морда заслонила половину всего обзора. Встретившись со взглядом большого коричневого глаза, Андрей нащупал лежащий на животе «силовик» и направил его прямо в морду животного, коснувшись мохнатого носа. Этот некто отпрянул назад, и Андрей разглядел небольшого, размером с корову, игуанодончика, который с шумом скрылся в густых зарослях.

— Кто это был? — спросила проснувшаяся от шума Валя.

— Игуанодон...

— Кто?!

— Вернее, его детеныш. Маленькой такой, любопытный...

— Ничего себе маленький!!! Бегемотик...

— Да он безобидный! Кстати, это, похоже, его первая встреча с человеком. Значит, в этом мире пока господствуют динозавры, здесь не было катаклизма, из-за которого они погибли в нашем мире.

— Уже был... Совсем недавно.

— Какой? — удивился Андрей.

— Здесь появились пришельцы. Кстати... Тебе не приходило в голову, что они... люди?

— Приходило, — помрачнел Андрей.

Он стал догадываться об этом еще там, на берегу Днепра, после того, как убил одного из пришельцев.

Первого...

68

На краю большой поляны лежала здоровенная туша какого-то динозавра. Бедняга, видимо, имел неосторожность встать на пути пришельцев.

Ночь отступила перед десятком мощных прожекторов, которые залили поляну мертвенным белым светом.

В центре возвышалась какая-то недостроенная конструкция, напоминавшая перевернутые ворота с толстыми двухметровыми решетчатыми штангами высотой метра четыре и вкопанной в землю перекладиной. Вокруг, продолжая наращивать конструкцию, — видимо, еще одни гигантские врата (уж не динозавров ли они собираются «перемещать»?) — суетились люди в комбинезонах.

Техники было немного: четыре большие пятнадцатиметровые машины и два броневика.

Андрей насчитал около двадцати пяти пришельцев в длинных черных одеждах, которых решил называть «воинами». Большинство из них было без капюшонов, и те не скрывали вполне обычные человеческие лица. Правда, на некоторых «воинах» были плоские прямоугольные маски. Скорее всего приборы ночного видения еще с десятком самых разных функций.

К поляне выходили две просеки. Одна — широкая, освещенная бледно-голубым светом, по ней сюда от врат, что находились совсем недалеко, шла техника. Другая — узкая, темная. Андрей предположил, что вела она к маленьким вратам, через которые они с Валей появились в этом мире.

А на краю поляны, буквально в пятидесяти метрах от леса, одиноко возвышались большие десятиметровые врата — выход из этого мира. Их никто не охранял, в этом просто не было необходимости.

Поэтому Андрей был уверен в успехе их нового прорыва. Лишь бы эти врата вели именно в их мир.

Ребята притаились за раскидистыми колючими кустами на краю освещенной поляны и ждали удобного момента.

Андрей понимал, что они очень рискуют. Что ждет их по ту сторону врат? В какое место они, на несколько минут беспомощные и неподвижные, попадут? Утром им повезло, они пришли в себя до того, как появились преследователи, да и у самих врат не было пришельцев. Поэтому сейчас Андрей хотел проникнуть во врата незамеченным, чтобы там, где они окажутся, не разбираться еще и с погоней.

А где они окажутся? Вернутся обратно, в свой мир? Или попадут в новое измерение?

А ведь пришельцы должны знать, куда ведут врата! Может, даже на самих вратах есть какой-то знак!

Но даже если он есть, у них не будет времени рассмотреть его. И потом, если ребята что-то и обнаружат, где гарантия, что они поймут значение указателя?

Значит, действовать придется наугад. Бродить по погруженному в темноту дому, интуитивно, на ощупь отыскивая выход. Заходить в тупики, спотыкаться о невидимые предметы, оступаться на скрытых темнотой ступенях.

Андрей вздохнул. Да, они оказались в роли пришедших в огромный незнакомый дом путников. Так не сидеть же им в одной комнате?!

На освещенной поляне по-прежнему чернели врата, но добраться до них незамеченными было невозможно. Несколько «воинов» постоянно смотрели в сторону леса.

— Может, снова устроишь маленькое светопреставление? — предложила Валя.

— Тогда не избежать погони...

— Если останется кому гнаться!

Андрей прикинул и понял, что действительно, при взрыве такой силы, что был утром, на поляне не останется ни одного живого существа.

Погони точно не будет, но Андрей колебался. Одно дело — случайно устроить взрыв громадной силы, другое — сознательно пойти на массовое убийство пришельцев. Тогда его жизни и жизни Вали грозила непосредственная опасность, но теперь это будет не что иное, как хладнокровное убийство.

Убийство захватчиков, убийц...

Ведь это же вторжение, война!..

Они пришли с огнем и мечом, а значит, в борьбе с ними не должно быть жалости...

Пока Андрей пытался заставить себя нажать на спуск, у строящейся конструкции происходило нечто странное.

Из группы «воинов» выделился высокий пришелец, единственный из всех присутствующих с капюшоном на голове. Он встал напротив недостроенной конструкции, три «воина» поднесли к человеку в капюшоне тяжелый черный куб с метровым ребром и отошли назад, метров на сорок. Туда же отступили и «техники» в комбинезонах.

Над поляной повисла тревожная тишина.

— Двинулись! — прошептал Андрей, и ребята осторожно обошли кусты.

— Все чего-то ждут, — заметила Валя.

И действительно: все пришельцы смотрели в сторону конструкции и в одиночестве стоящего перед ней, рядом с кубом, человека с капюшоном на голове.

Сердце Андрея учащенно забилось. Это их шанс! Но как трудно сделать первый шаг и выйти на открытое пространство!..

— Сейчас? — спросила Валя, тоже понимая, что нужно использовать сложившуюся ситуацию.

Андрей кивнул, и они бросились к вратам, не отрывая взгляда от толпы пришельцев.

И тут произошло нечто из ряда вон выходящее.

Стоящий в одиночестве пришелец сделал руками какое-то движение, и между рамами конструкции сверкнула молния. Потом еще одна и еще... Две молнии вырвались наружу и ударили в куб, который, казалось, поглотил их.

Раздался резкий оглушительный хлопок, будто лопнул гигантский воздушный шарик. Среди молний, что сверкали между рамами, появились хаотические вспышки света...

Андрей смотрел на все это, не замедляя бега. До врат оставалось метров двадцать—тридцать.

Снова несколько молний ударили в куб. Земля под ним задымилась, а его центральная часть побагровела, словно раскаленный металл.

Что все это значит? До врат — метров десять, и Андрей непроизвольно замедлил бег, уж больно странной, загадочной, притягивающей была эта картина.

Пришелец сделал резкое движение руками, и сразу же последовал новый оглушительный хлопок. Пространство между рамами заполнили взбесившиеся молнии и вспышки света, куб раскалился докрасна, и пришелец возле него исчез за дымной пеленой.

Андрей и Валя оказались напротив врат, в метре от них чернела пустота

— Подожди...

Андрей понимал, что рискует быть замеченным, однако желание узнать, чем кончится это странное световое шоу, оказалось сильнее

Ждать долго не пришлось.

Через пару секунд последовал третий, самый громкий хлопок, молнии рванулись в побелевший дымящийся куб, а пространство между рамами заполнила густая чернота.

— Понятно! — сказал Андрей и, взяв девушку за руку, шагнул во врата...

69

Холод...

Опять проклятый холод, сковавший все мышцы. Но надо двигаться!

Андрей привстал и чуть не застонал от боли, которой ответило тело на первое же его движение.

Почему после выхода из врат они уже второй раз оказываются в лежачем положении, а пришельцы остаются на ногах и практически тут же готовы к действию? Похоже, у них есть защита от «холода». Уж не странная ли это черная одежда с капюшоном? Не она ли предохраняет захватчиков — а они ведь тоже люди! — от воздействия на их организм пространства между мирами?

Ох, как нужна им сейчас была эта защита!

Его «силовик» лежал совсем рядом, он с трудом дотянулся до оружия и взял его непослушными пальцами. Указательный никак не хотел сгибаться в суставе и ложиться на спусковой крючок.

«Силовик» вдруг выскользнул из плохо взявшейся за рукоятку ладони, и указательный палец случайно надавил на спуск.

Грохота выстрела они не услышали. Зато разрушительная полоска силового поля метнулась вверх и, разбрасывая искры, прошла среди верхушек деревьев.

— Черт!!!

Приподнявшаяся на локте Валя посмотрела на Андрея, и они, не сговариваясь, кряхтя и постанывая, как древние старики, поднялись на ноги.

Спиной ребята чувствовали поток теплого воздуха, который исходил от излучавших яркий свет врат. Впереди, освещенная бледно-голубым светом, уходила метров на пятьдесят вдаль сужающаяся, заваленная обгоревшими стволами просека. Она была похожа на клин, врезавшийся в лес.

Это показалось Андрею странным. Получалось, что вышедший из врат оказывался на кусочке земли, со всех сторон окруженном деревьями, да еще и заваленном ими. Объяснение этому было одно: вратами не пользовались!

Андрей в сердцах чертыхнулся. Если бы не этот случайный выстрел, они бы вышли незамеченными!

— В лес! — крикнул он, перехватывая «силовик» левой рукой и одновременно разрабатывая пальцы правой.

Каждый шаг давался ребятам с трудом, все мышцы мучительно болели.

К счастью, лес оказался негустым: ветки не царапали лицо, а ноги не проваливались в невидимые ямы. К тому же врата хорошо освещали окрестности.

Только через пару десятков шагов, когда мышцы восстановились и разработались, а боль стихла, Андрей сообразил, что они идут по ухоженному лесу. Здесь было намного прохладнее, чем в мире динозавров.

Возможно, они вернулись в свой мир.

Впереди на земле что-то блеснуло. Подойдя к этому предмету, Андрей наклонился и даже при слабом освещении оставшегося позади квадрата разглядел помятую баночку «кока-колы».

Посмотрев друг на друга, ребята улыбнулись. Они в своем мире! Теперь остается выяснить, где именно. А потом...

Будущее радости не вызывало.

...Через сотню шагов стало намного темнее, так как свет врат сюда уже не доходил, но продвижение по ухоженному лесу трудностей не вызывало.

И вскоре они поняли, где находятся.

Прямо перед ними раскинулся Днепр. Слева чернел силуэт моста Патона, справа — моста Метро.

Они в Киеве, в Гидропарке.

Интересно, в мире динозавров они не прошли от одних врат до других и трех километров. А от дачного массива до Гидропарка километров сорок пять. Тогда (если принять теорию Андрея об измерениях) получается, что местоположение врат в различных мирах Земли различно. То есть врата в Гидропарке не будут находиться в мире динозавров в том же месте, где должен был бы располагаться Гидропарк.

Но эти чисто теоретические рассуждения уступили место анализу увиденного на правом берегу Днепра.

На том месте, где еще три дня назад возвышался монумент Родины-матери, стояли врата. Их свет образовывал на воде некое подобие лунной дорожки. Местность вокруг музея Великой Отечественной войны была хорошо освещена, поэтому Андрей без труда разглядел широкую ровную дорогу, что шла прямо через музей куда-то в сторону лавры, скопление техники захватчиков и трапециевидные штурмовики в небе. Рассмотрев дорогу, заметил, что местность там, где она должна была проходить, хорошо освещена.

— Они колдуны... — сказала вдруг Валя, и Андрей удивленно уставился на нее. — Тот пришелец — единственный, у кого был капюшон на голове, — он словно дирижировал молниями. Все было похоже на мистический фильм: молнии, вспышки света, раскаленный куб, а сам он, словно колдун, открывающий врата в потусторонний мир.

— Но там действительно создавались врата! Правда, их конструкция отличалась от тех, что мы видели раньше...

— А «волна»! — упрямо продолжала Валя. — Это ведь даже не искусственное землетрясение. А оружие? А броневики?..

— А что броневики?

— Они движутся словно на воздушной подушке, хотя ее и нет. То есть они преодолевают гравитацию?

— Ну да... Фантастично, конечно...

— А может, я не права! — неожиданно сдалась девушка. — Не знаю... Просто столько необъяснимого!

— Да уж...

— У меня есть еще одна версия: врата появляются в «плохих» местах...

— ?!

— Монахи ведь не построили лавру на том месте, где впоследствии был поставлен монумент Родины-матери...

— Ну, лавру не построили там потому, что под холмом плывуны, и при строительстве монумента туда даже закачивали жидкое стекло, чтобы он не «поплыл». А насчет плохого места... Возможно, действительно пришельцы ставят врата в том месте, где граница между измерениями... узка, что ли? И раньше там вполне могли встречаться какие-то аномалии...

Андрей поймал себя на том, что изо всех сил старается опровергнуть Валину теорию о колдовских возможностях захватчиков. Нет, это не колдовство! Они просто далеко обогнали цивилизацию этого мира...

Прямо над верхушками деревьев, под которыми они стояли, мелькнула трапециевидная тень. Сделав над Днепром крутой вираж, штурмовик стал разворачиваться.

— Заболтались мы!.. — проговорил Андрей, с опаской глядя на «стелс».

— Думаешь, заметил? Темно ведь!

— У них наверняка есть приборы ночного видения... Или инфравидения... Или еще что-нибудь...

Штурмовик развернулся и пошел прямо на них. Его силуэт четко выделялся на фоне освещенного берега.

— Бежим?! — Валя посмотрела на Андрея.

Тот покачал головой.

Они не убегут. Достаточно пары бомб, что использовались при «ковровых» бомбардировках, и их накроет море огня.

Обеими руками Андрей взял «силовик» и прицелился. Отдачи не будет, силовое поле попадет в ту точку, куда целишься. А штурмовик летит не так уж и быстро. Жаль, на «силовике» нет мушки — силуэт летательного аппарата был бы точно на ней.

Андрей задержал дыхание.

У него есть только один выстрел. Через три секунды, что будет гореть красный огонек, штурмовик уже сможет начать атаку.

Но атака началась раньше.

Метрах в двадцати от Андрея, взметнув пятиметровые фонтаны воды и песка, по мелководью ударили полосы силовых полей. И прежде чем брызги накрыли Андрея, он нажал на спуск.

Промахнулся! Это он понял сразу.

Но штурмовик прервал атаку и повернул в сторону.

Валин выстрел тоже не достиг цели.

Ребят окатило водой, и они бросились бежать вдоль береговой линии. Андрей обратил внимание на то, что красный огонек на «силовике» девушки погас на секунду раньше, чем на его. Вчера он отметил для себя, что регулятор ее оружия стоял на две трети шкалы. То есть это не что иное, как регулятор мощности.

...Они пробежали метров пятьдесят и остановились под развесистой акацией. Штурмовика видно не было, но Андрей знал, что тот где-то рядом, что сюда уже спешат другие аппараты. Вряд ли они сровняют с землей весь остров, ведь здесь есть их врата...

Врата?!

Пока что все встретившиеся им врата стояли неподалеку друг от друга.

— Здесь должны быть врата! — сказал Андрей, осматриваясь вокруг, словно в состоянии что-то увидеть в темноте.

— Зачем, мы ведь дома?!

— Рано или поздно они нас накроют...

Словно в подтверждение его слов, совсем рядом прогремели два взрыва. Штурмовик, видимо, потерял их и бил наугад. Лес озарился оранжевой вспышкой — и Андрей увидел маленькие врата. Совсем близко, метрах в тридцати! И абсолютно неохраняемые!

В этом было что-то странное. Но со стороны Днепра уже приближались штурмовики и скользящие прямо над водой броневики. Их обложат на острове, как волков. Оставаться здесь нельзя!

Прямо над ребятами мелькнул трапециевидный силуэт и, насколько мог увидеть Андрей, пошел на разворот.

Все, они обнаружены!

Времени хватит только на то, чтобы добраться до врат!..

70.

...Задыхаясь и хватая ртом раскаленный воздух, Уссва бежал по дымящейся земле к замку Тикама.

Позади горел город Риксти. Дым поднимался в небеса, застилая солнце, огонь ревел, как разъяренный зверь, выбрасывая хищные оранжевые языки и распространяя вокруг невыносимый жар.

Уссва оглянулся.

Они по-прежнему преследовали его, две стальные сверкающие «повозки». Не зная усталости, мчались они среди бушующего огня, то приближаясь почти вплотную, то отставая на приличное расстояние, словно играя со своей жертвой в какую-то сатанинскую игру.

Сейчас «повозки» снова отстали, будто хотели дать ему возможность добраться до замка.

Уссва был уже у самого моста через оборонительный ров, когда над замком появились две «железные птицы». Охотник вбежал на мост, перила которого уже горели, и бросился к закрытым воротам.

Сверху прогремели взрывы, и вокруг него, в воду рва и на полотно моста, стали сыпаться горящие доски и дымящиеся камни. Прикрыв голову рукой, Уссва сделал последний отчаянный рывок и оказался перед массивными железными дверьми под защитой свода ворот.

Открывать ему, конечно же, не собирались.

Сзади на словно облитый горящей смолой мост въехали две «повозки». Яростный огонь был им нипочем.

Уссва выстрелил из «сатанинского арбалета», пробив в воротах дыру с ровными оплавленными краями. Но она была еще слишком мала! Тогда он выхватил из-за пояса маленький «арбалет» и выстрелил еще раз.

Уссва прыгнул в образовавшуюся дыру. Падение на камни выбило из его легких весь воздух, он потерял маленький «арбалет» и из последних сил, скользя и спотыкаясь, отпрыгнул в сторону, под стену.

В этот же момент, с жутким лязгом и грохотом, в массивные ворота врезались «повозки» и, подмяв их под себя, ворвались во двор замка, давя оказавшихся на пути гвардейцев. Те, кому повезло, побросав оружие, скрылись за стенами замка.

Уссва снова остался один на один с «повозками».

Они остановились посреди двора, выжидая, будто получая удовольствие от вида тяжело дышащего, прижавшегося к стене человека.

Уссва смотрел на них, понимая, что загнан в угол, что вскоре станет добычей этих стальных монстров.

«Повозки» медленно двинулись на него...

Вдруг прогремели два слившихся в один взрыва, и обе башни замка, подкошенные ими, стали крениться во внутренний двор. С жутким грохотом, заставив вздрогнуть землю, они упали, похоронив под своими обломками стальные «повозки».

Когда все вокруг окутала едкая серая пыль, Уссва закашлялся. Избежав одной смерти, он мог тут же найти другую, просто-напросто задохнувшись в этой проклятой пыли.

Она медленно, но оседала, стало легче дышать. Опираясь на стену, Уссва тяжело поднялся на ноги.

Где Варр? Где он потерял своего верного пса?! К своему стыду и ужасу, Уссва понял, что не помнит этого...

Огромная куча камней во дворе замка вдруг зашевелилась, и из нее, словно крот из-под земли, выбрались «повозки». На их металлических боках не было видно ни одной вмятины и даже царапины. «Повозки» остановились метрах в двадцати от застывшего охотника. В бортах открылись двери, и оттуда вышли два «черных балахона».

Этот враг был знаком, поэтому, вскинув «арбалет», Уссва выстрелил первым. «Сатанинская стрела» отбросила одного из «балахонов» на «повозку», капюшон упал с его головы, открыв перекошенное от боли лицо...

Лицо жреца Миррама!

Подавив изумление, Уссва прицелился во второго «балахона». Секунда, две... Красный огонек над рукояткой все не гас. Три, четыре...

«Балахон» скинул с головы капюшон. Открылось орлиное лицо Тикама Рикстийского...

А огонек не гас!

— Ведь в каждом колчане когда-нибудь кончаются стрелы! — с улыбкой произнес Тикам, и в руках его появился «арбалет».

Огонек все не гас. Уссва нажал на спуск — выстрела не последовало.

Тикам рассмеялся. Прицелился... «Сатанинская стрела» метнулась Уссве прямо в голову...

...Охотник вскочил и стукнулся лбом о толстый ствол упавшего дерева, под которым уснул после утомительного и опасного дня пути на север. Проклятие сорвалось с губ Уссвы, и он уселся, потирая лоб, под удивленным и сочувственным взглядом пса.

Такое ему еще не снилось! Кошмары бывали, но утром он уже вспоминал их с улыбкой, как страшную сказку. Этот же поселил в душу смутную тревогу.

Уссва взял в руки «арбалет» и провел пальцами по его гладкой поверхности. А что, если действительно в один прекрасный момент в нем закончится запас «сатанинских стрел»? Ответ однозначен: смерть!..

Уссва тяжело вздохнул — и тут заметил, что лес вокруг слабо освещен бледным светом. Понятно, где-то поблизости — излучающие сияние врата, и он не заметил их света, потому что устраивался под упавшим деревом еще в сумерках.

За прошедший день Уссва видел несколько светящихся врат. Обратив внимание на две небольшие колонны «повозок», которые исчезали в черных как ночь вратах. Видел, как под охраной «балахонов» люди в темно-серой одежде строили что-то (судя по всему, тоже врата) из серебристого металла.

А еще видел одиноко стоящие, никем не охраняемые светящиеся и черные квадраты.

Многое казалось Уссве странным, особенно действия «балахонов». Они явно не были захватчиками, не грабили города, которые могли стать легкой добычей, а в основном что-то делали возле врат, строили и охраняли их (естественно, кроме тех, что он нашел одиноко стоящими посреди леса).

Уссва выбрался из-под дерева и без труда определил направление, откуда шел свет. Он решил проверить, что творится около этих врат.

Так, на всякий случай...

Вдруг посчастливится увидеть нечто такое, что поможет хоть на шаг приблизиться к разгадке тайны «балахонов»?..

71

Снова холод...

И ощущение опасности. Предчувствие возможной угрозы, основанное на смутных подозрениях и догадках.

Эти неохраняемые, прямо бесхозные врата в лесу. Не ловушка ли? Вряд ли, откуда пришельцы могли знать, что именно здесь появятся беглецы? Ну, разве что они колдуны и могут заглядывать в будущее...

Все до единой мышцы болят, тело закостенело. Два «прохода» подряд — это уже слишком! Однако голова работает четко, Андрею не дают покоя эти врата.

Что это: неосторожность пришельцев, их уверенность в своих силах, своей непобедимости?

Хотя...

Хотя есть закономерность!

Андрей почувствовал, как по телу прошла еще одна холодная волна. Но это был уже не тот холод. Это — ощущение реальной опасности, близкой угрозы.

Они с боем пробились к вратам на дачном массиве и вышли через неохраняемые в мире динозавров. Врата на лесной поляне охранялись, пусть не так тщательно, но за ними все-таки присматривали. И вновь неохраняемый, даже неиспользуемый выход в Гидропарке...

Простая закономерность, основанная на обычной логике: зачем охранять выход, если можно просто держать под контролем вход? И наоборот!

Вот откуда оно, ощущение опасности!

Раз они вошли в неохраняемый вход, то выйдут из контролируемого выхода!..

Вернее, уже вышли...

И снова лежат на земле беспомощные, скованные, не в силах сделать ни одного движения.

Андрей страстно желал, чтобы эта закономерность оказалась лишь плодом его рассуждений.

Однако стоило только открыть глаза, чтобы убедиться в обратном.

Над ним стоял «воин»: черный, зловещий, кажущийся снизу таким громадным и высоченным. В руках — небрежно взятый за ствол «силовик».

Андрей понял, что искать собственное оружие бесполезно — в руках пришельца именно оно.

«Воин» слегка наклонился, и юноша увидел обычное человеческое, но бледное, словно у мертвеца, лицо. Может, это и есть мертвецы?! Тогда понятно, почему они проходят сквозь врата без вреда для себя: мертвому, бесчувственному телу на все наплевать!

Но вскоре Андрей понял, что бледность его лицу придает свет, льющийся из квадрата.

Второй «воин» стоял чуть левее, над тоже обезоруженной Валей. На его висках Андрей увидел нечто, напоминающее наушники от плейера, правда, без проводов, идущих к самому проигрывателю и от него самого. Такие же «наушники» он разглядел на висках первого пришельца.

Незнакомцы спокойно и молчаливо стояли, со сдержанным любопытством наблюдая, как беглецы приходят в себя. Так как они не проявляли никакой агрессивности, Андрей медленно сел, разминая непослушные мышцы рук.

— У меня на голове такое же? — спросила придвинувшаяся к нему Валя, и Андрей сначала недоуменно посмотрел на нее, но тут же понял смысл вопроса, увидев на висках девушки «наушники».

Поморщившись от боли в плече, он поднял руку и нащупал точно такие же на своей голове.

— Эти устройства помогут нам в общении! — с легкой усмешкой сказал ближайший к нему пришелец.

Сказал на чистом русском языке, без какого-либо даже намека на акцент.

Но общению помешало внезапное появление из врат двух «воинов». Они не вышли, не выпрыгнули, не выбежали оттуда. Появились и плавно заскользили над самой землей. Остановились напротив своих товарищей и сделали какое-то еле заметное движение, словно спрыгнули с чего-то низкого. А вот с чего именно, мешали увидеть длинные полы одежды. Скинув капюшоны, сняли плоские прямоугольные маски и подошли ближе к сидящим беглецам. Маски открыли волевые лица двоих мужчин лет тридцати пяти. Один из них спросил что-то на незнакомом языке, пришелец в «наушниках» ответил:

— Никакого сопротивления. Они были без сознания.

Снова непонятный вопрос. И ответ:

— Да, видимо...

Снова вопрос. Ответ:

— Да, в машине.

Эти наушнички действительно помогали в общении!

Пленников подняли и повели по узкой тропинке, вьющейся среди деревьев и густого кустарника. Идти пришлось недолго, тропинка выходила на поляну, на краю которой стоял броневик. Здесь было темнее, но ненамного: свет проникал и сюда.

Идя среди деревьев, Андрей так и не нашел ответа на вопрос, вернулись ли они в мир динозавров или оказались в новом измерении? Среди растений попадались как знакомые, так и незнакомые, воздух был свеж и чист. Правда, было намного прохладнее, чем в мире динозавров, но, возможно, так казалось из-за онемевших мышц.

В броневике бесшумно открылась дверца, и один из пришельцев, войдя в нее, через полминуты появился с парой «наушников», которые дал не имевшим их товарищам.

— Благодарю, а то в спешке не успел прихватить свои, — сказал один из «воинов» на чистом русском, причем голосом, как две капли воды похожим на голос говорившего до этого пришельца. — Эта парочка задала нам немало хлопот!

— И что же они натворили? — спросил его товарищ абсолютно таким же голосом, с любопытством поглядывая на пленников.

— Взорвали строящиеся врата, сбежали в другое измерение, вернулись, чуть не сбили самолет... В каком мире вы были? — обратился он к Андрею.

«Что за чертовщина? — подумал тот. — Почему одинаковые голоса? Как устроен этот «переводчик»?»

— Ты что, не понимаешь? Каковы особенности мира, в котором вы побывали?

— Динозавры, — тихо сказала Валя.

Она говорила своим голосом, но одновременно с ее словами в голове Андрея прозвучал еще чей-то голос. Или ему показалось?

— Правильно, — сказал пришелец. — Не обманываешь! Почему вы решили воспользоваться вратами?

Андрей даже прищурился, всматриваясь в губы говорящего. Их движения не совпадали со словами.

Валя посмотрела на Андрея, ища поддержки, не зная, как себя вести: отвечать на вопросы или молчать.

— Мы были окружены, — ответил тот, сообразив, что «оставил» девушку одну.

— Вам кто-то помогал?

Ну, точно, движения не совпадают со словами! Чертовщина, да и только!

— Помогал?! — удивленно воскликнула Валя.

— Вы не поняли этого слова?

— Я не поняла вопроса.

На Валины слова в наушниках накладывался какой-то тихий голос, произносивший то же самое. Дублер...

— Оказывал ли вам кто-нибудь помощь? — повторил пришелец свой вопрос с некоторой долей раздражения.

И Андрей услышал, как с губ его сорвался шепот — слова, произнесенные на незнакомом языке. Но вопрос прозвучал по-русски!

— Никакой помощи не было! — сказал Андрей и, дотронувшись до «наушников», спросил: — А эти штучки работают по телепатическому принципу? Телепатические переводчики?

Задававший вопросы пришелец пристально посмотрел на Андрея.

— Вы меня не поняли? — спросил тот еле слышным шепотом.

Таким тихим, что его слов не услышала даже стоявшая рядом девушка.

— А ты сообразительный, — странно улыбнувшись, произнес пришелец. — Да, у вас это называется телепатией. Этот аппарат транспортирует в твое сознание образы, понятия, а твой мозг уже сам находит подходящее слово. Правда, иногда, когда встречается незнакомое понятие, найти слово, естественно, не может.

— Чудная вещь! — протянул Андрей. — Способна помочь людям найти общий язык.

— Ты говоришь о своем мире?

— И о своем тоже...

— Думаю, людям он уже не понадобится!..

Трое молчавших пришельцев с укором посмотрели на говорившего. Тот улыбнулся им и, посмотрев себе под ноги, сорвал цветок.

— В вашем мире есть такая игра, — обратился он к пленникам, — «гадание на ромашке». Сейчас сыграем в нее!

Андрею не понравилась улыбка, с которой пришелец произнес эти слова.

— В вашей игре — вопрос «любит — не любит?». В моей... — Он сделал паузу, явно наслаждаясь подозрением, отразившимся на лице Андрея. — «Убить — не убить?»

72

— Убить? — Первый лепесток спланировал на землю. — Не убить?..

Андрей непроизвольно проследил за их полетом и, подняв глаза, взглянул на державшего цветок захватчика.

— Убить — не убить?..

Тот произносил слова с еле заметной усмешкой и нескрываемым удовольствием. Ох уж эти человеческие слабости! Даже люди из другого измерения не могут отказать себе в удовольствии помучить себе подобных.

— Убить — не убить?..

На цветке много лепестков — намного больше, чем на ромашке, — так что процесс гадания растянется надолго.

Андрей понятия не имел, действительно ли пришелец собирается их убить или просто удовлетворяет таким образом свои садистские наклонности.

— Убить — не убить?..

Еще пара лепестков спланировала на землю.

Валя посмотрела на Андрея. Во взгляде ее не было страха. Он попытался ответить таким же взглядом, не зная, получилось ли.

Ведь в душу уже проникли скользкие щупальца страха. Заставили похолодеть ладони и чаще забиться сердце...

— Помогал ли вам кто-то? — спросил пришелец, взявшись за лепесток.

— Вы что, ищете предателя в своих рядах? — вопросом на вопрос ответила девушка.

Андрей чуть не стукнул себя по лбу. Конечно же! Почему пришельца так интересует этот вопрос? Потому что он не исключает возможности того, что беглецам кто-то помогал!

— Возможно... — улыбнулся захватчик, взявший на себя роль гадалки, и оторвал два очередных лепестка.

Блефует он? Играет на их нервах?

Или действительно с помощью цветка хочет решить судьбу пленников?!

— Убить — не убить?..

Приказано ли ему захватить беглецов живыми или тут же уничтожить очаг сопротивления?

— Убить — не убить?..

Остальные пришельцы стояли с непроницаемыми лицами, и невозможно было определить, одобряют ли они игру или готовы оборвать ее.

Андрею вспомнились укоряющие взгляды «воинов», когда их товарищ стал распространяться о телепатических переводчиках. Пришельцы были явно недовольны тем, что он так много болтает. А тот улыбнулся им в ответ, мол, все в порядке!

Все в порядке! Они никому ничего не расскажут!

Вот в чем смысл его улыбки!

Пленники будут хранить молчание, потому что мертвые молчат!..

— Убить — не убить?..

Эта игра нечестна, результат ее предрешен!

— Убить — не убить?..

Примерно половина лепестков уже лежала на земле.

Андрею представилась картина: пришелец со словами «убить!» отрывает последний из них. И улыбается. Потом...

Андрей не мог поверить в это. Он собирался прожить еще как минимум шесть десятков лет, а не исчезнуть в небытие через минуту-другую. Андрей не верил в бессмертие души. Он навсегда останется здесь, в чужом мире. Останется его душа и тело...

— Убить — не убить?..

Нелепость!

Минута-полторы — и все!

Смерть!!!

Что есть смерть?

Черт его знает! И он бы не хотел узнать это так рано, в двадцать лет!

Кружась, еще два лепестка упали на землю...

А что есть жизнь? Жизнь — непрерывная борьба со смертью.

Когда ты просто-напросто ешь, то тоже борешься со смертью. Даешь организму энергию, побеждаешь голодную смерть. Организм постоянно сражается с агрессивной внешней средой, с бактериями, микробами, вирусами. Постоянно идет незаметная борьба за выживание.

Жизнь — борьба...

Иногда эта борьба становится открытой и жестокой. Как в последние три дня.

Он боролся. Даже убивал, чтобы сохранить себе жизнь. Падал, прыгал, карабкался, бежал, крался, полз, бил, стрелял, взрывал — все для одной-единственной цели...

— Убить — не убить?..

Но где-то сделал ошибку. Может, стоило остаться в Гидропарке? Затаиться? Броситься в воду, поплыть? А не совершать еще один прыжок между измерениями?..

Но что искать сейчас ошибку, ее ведь все равно не исправишь!

— Убить — не убить?..

Бороться?! Броситься на пришельцев?.. Но они только и ждут этого! За их внешним спокойствием скрыта настороженность. Андрей не успеет преодолеть те пять-шесть шагов, что отделяют его от пришельцев, лишь умрет на минуту раньше.

На минуту...

Что даст эта минута? Восемьдесят—девяносто сокращений учащенно бьющегося сердца? Пару десятков переполненных страхом мыслей?

И конечно же, она будет наполнена всевозрастающим желанием жить!

Просто жить! Пусть в плену, хоть в рабстве, хоть в железной клетке — все равно!..

— Убить — не убить?..

А она приближается: старуха с косой...

На цветке осталось совсем мало лепестков. Их можно сосчитать в одно мгновение.

Девять.

— Убить — не убить?..

Теперь семь.

Андрей уставился на цветок, не в силах оторвать от него глаз, будто мог взглядом прибавить еще один лепесток.

Осталось пять.

Гадавший пришелец, как и его товарищи, как и Валя, как и Андрей, уже знал результат, но решил довести игру до конца.

— Убить — не убить?..

Осталось три...

— Ха! — сказал Андрей, злобно улыбнувшись и топнув ногой, будто собирался рвануться на противника.

В руках троих пришельцев одновременно возникло оружие. Гадавший чуть не выронил цветок.

— Шутка! — прошептал Андрей, но не потому, что благодаря телепатическому переводчику не надо было говорить громко, а потому, что голосовые связки не слушались его.

Лицо гадавшего расплылось в улыбке. Глядя в глаза Андрея, он молча оторвал два лепестка и взялся за последний.

— В отличие от вашего мира, — сказал он, — в нашем редко практикуются физические мучения. Окажись в плену мы, представители вашей цивилизации первым делом посадили бы нас на кол. Я правильно выразил свою мысль?

— Вы говорите не о пытках, а о казни...

— И это мучительная казнь! У нас такого нет!

Пришелец оторвал последний лепесток.

Андрей взглянул на направленные на них стволы «силовиков». Последние секунды...

Как там говорят: в последние мгновения перед глазами проходит вся жизнь? Андрей же видел только четыре фигуры в длинных черных одеждах, освещенные бледным светом сияния, да броневик за ними. Жизнь осталась далеко позади.

А впереди...

73

Андрей не сразу понял, что происходит.

Вскинув руки, один из пришельцев отлетел в сторону, сбив с ног стоящего рядом с ним. Мелькнула светящаяся полоска и, ударив в грудь третьего «воина», повалила его на спину. «Силовик» его выстрелил, смертоносное поле прошло над головой Вали.

«Гадальщик» посмотрел на упавших товарищей, на лице его даже не успело отразиться изумление.

У уха Андрея что-то просвистело, и он увидел, как в державшую цветок ладонь впилась стрела. Пришелец вскрикнул от неожиданности и боли, цветок выпал из его разжавшихся пальцев и упал рядом с лепестками.

Сбитый с ног телом убитого товарища пришелец приподнялся и тут же лишился головы.

На лице его наконец появилось изумление, смешанное с болью, а потом, когда он увидел что-то за спиной пленников, возник страх.

Мимо Андрея бесшумно пронеслась какая-то громадная тень и, сбив с ног отшатнувшегося в ужасе пришельца, скрыла его под собой.

...Все произошло так стремительно, что Андрей даже не успел моргнуть. Три-четыре секунды — и перед ним уже лежат мертвые тела захватчиков и брыкающийся под кем-то или чем-то «гадальщик».

Но главное он понял почти сразу же.

Они с Валей еще поживут!!!

Сзади послышались тихие быстрые шаги. Обернувшись, Андрей увидел высокого широкоплечего мужчину, который стремительно приближался к ним, держа в вытянутой правой руке «силовик», а в левой, опущенной, — его маленькую, размером с пистолет, копию.

Андрею не очень понравилось, что «силовик» направлен на него.

Не спуская с ребят глаз, мужчина обошел их, бросил беглый взгляд на мертвые тела и что-то коротко сказал на неизвестном языке. Словно подчиняясь его команде, тень убралась с тела «гадальщика».

Тут Андрей понял, что тень — это громадный черный пес, раза в полтора бóльший, чем кавказская овчарка или сенбернар. От вида его мощных челюстей по спине Андрея пробежали мурашки.

Пес сделал пару шагов и остановился в двух метрах от замерших по стойке «смирно» ребят, пристально глядя на них большими глазами, в которых отражался свет таинственного сияния.

Андрей чуть не расхохотался. Из огня да в полымя: не убили пришельцы, так сожрет эта собака Баскервилей!

Тем временем мужчина, не обращая внимания на стоны «гадальщика» и стрелу в его ладони, ловко связал ему руки как по волшебству появившейся грубой короткой веревкой.

С трудом отведя взгляд от пса, Андрей рассматривал своего спасителя. Он напоминал героя исторического фильма. На ногах — мягкие сапоги из шкуры какого-то животного и запачканные штаны из грубой ткани. Под накидкой — мятая просторная рубаха со следами грязи и сажи. Мужественное, волевое лицо, грива темных волос, среди которых застряли два листочка. Мужчина отдаленно напоминал Мэла Гибсона в «Храбром сердце», он будто вышел из средневековья (а может — и более раннего времени), и поэтому «силовики» в его руках смотрелись несколько нелепо. Он должен был держать лук или арбалет, которые, судя по стреле, у него имелись и были оставлены где-то неподалеку.

Мужчина смотрел на ребят с подозрением, но без угрозы. Точно так же смотрел на них и его пес.

Андрей почувствовал, что, как ни старался он сдерживать дрожь, его начинает трясти. По всему телу разошлась предательская слабость, он еле держался на ногах. В ушах все еще звучал вопрос: «Убить — не убить?..» Голова закружилась. Он ощутил острое желание присесть, а еще лучше — прилечь и заснуть, чтобы проснуться дома и обнаружить, что все это — затянувшийся сон, кошмар...

«Слабак! — сказал он себе. — Валя держится, а ты?.. К тому же нельзя двигаться, тут собачка!..»

Осторожно повернув голову, Андрей увидел, что девушка выглядит и, видимо, чувствует себя не лучше, чем он. Это выбило из-под него последнюю опору, и он медленно опустился на землю. Пес зарычал, рванулся к нему («Плевать, пусть подавится!»), но мужчина что-то резко произнес, и громадная собака — морда ее находилась чуть выше головы сидящего Андрея — послушно замерла.

Валя почти упала рядом с Андреем.

— Я не поседела? — спросила она дрожащими губами.

Андрей обнял девушку, почувствовав, как дрожат ее плечи.

— Ничего!.. — сказал он ласково, унимая собственную дрожь. — Хорошо то, что хорошо кончается.

Он посмотрел на беспомощно лежащего «гадальщика». Его окровавленные руки были крепко связаны. Ничего, они еще сыграют с ним в «убить — не убить» или в «русскую рулетку»!..

Мужчина что-то сказал, явно обращаясь к ребятам. Андрей указал на «наушники» у себя и у Вали на голове, затем перевел взгляд на мужчину. Тот проследил эту цепочку и, присев над пришельцем, указал на «наушники». Ребята дружно закивали головами.

Мужчина снял «наушники», повертел их в руках и осторожно водрузил себе на голову с таким выражением на лице, будто ожидал получить удар током.

— Вы меня понимаете? — спросил Андрей.

— Ой!.. — Мужчина даже подскочил, а пес удивленно уставился на хозяина. — Ты знаешь мой язык?!

— Нет, это изобретение пришельцев. — Андрей указал на поверженных противников. — «Переводчик»...

— «Переводчик»?! — воскликнул человек так, что и ребята, и пес вздрогнули.

Андрей понял это изумление. Тот не мог понять, как в такую маленькую штуковину мог спрятаться человек, переводивший их разговор.

— Это механизм...

— А-а, механизм! — облегченно протянул мужчина. — Чудеса... У этих «балахонов» полно чудес... Вы пришли с ними?

Андрей и Валя переглянулись. Правильно ли им передалось понятие «балахон»? Видимо, в этом мире так называли пришельцев из-за их похожей на балахоны одежды.

— Нет, мы бежали от них...

— Спасибо, что спасли нас! — вставила Валя.

— Я колебался, не знал, кто вы, потом понял, что вас собираются убить...

— «Балахоны» — наши враги, — сказал Андрей, — «балахоны» и ваши враги. Значит, враг вашего врага — ваш друг!

Он подумал, что сейчас последует долгая пауза — понять эту логическую цепочку было непросто, но мужчина сразу же улыбнулся:

— Я Уссва-охотник.

— Я Андрей, это — Валя.

— Откуда вы пришли?

Этот вопрос поставил Андрея в тупик. Он понятия не имел, где оказался и верна ли его «теория измерений». И как объяснить, откуда они взялись. Но выход нашла Валя. Она указала на связанного пришельца:

— Нужно его допросить! Он многое сможет объяснить!

Уссва с уважением посмотрел на нее и сказал Андрею:

— У тебя умная и красивая девушка. Так откуда вы все-таки пришли?

Вместо ответа Андрей серьезно взглянул на броневик и заметил:

— Нам нужно поскорее убраться отсюда!

Уссва согласно кивнул и сказал псу:

— Принеси арбалет!

Пес послушно засеменил в лес и через полминуты вернулся с арбалетом в пасти.

— Умная собака, — протянул Андрей. — У вас здесь все такие?..

74

По лесу, среди деревьев, стелился утренний туман. Вокруг царила тишина, ни один звук не смел нарушить этого молчания природы.

Открыв глаза, Андрей долго смотрел на подернутые серой пеленой верхушки деревьев. События ночи казались ему страшным сном. Сейчас с трудом верилось, что все происходило на самом деле.

Убить — не убить?..

Андрей посмотрел в ту сторону, где должен был находиться привязанный к дереву пришелец. Уронив голову на грудь, тот спал, скрючившись в неудобной позе. Рядом лежал здоровенный черный пес. Андрею показалось, что он тоже спит, однако, присмотревшись, юноша увидел, что глаза его открыты. Интересно, спал ли пес ночью? Или же, не смыкая глаз, стерег пленника и охранял сон людей?

Уссва сел, протер глаза и приветственно улыбнулся Андрею.

— Доброе утро! — сказала только что проснувшаяся Валя, привстав на локте. — Что тебе снилось?

— Мне? — Андрей задумался, не так-то легко ответить на этот простой вопрос. — Вроде ничего... Как мы дошли, я сразу свалился и уснул...

— А сколько мы шли?

— Час, наверное...

— Час?! — изумилась девушка.

— Ну да, где-то так...

— Мне показалось, что минут десять...

— Ты, наверное, спала на ходу. То-то я думал, чего это ты навалилась на меня?!

— Неправда!

Увернувшись от ее шутливого удара, Андрей оказался рядом с Уссвой и увидел возле него целый «склад» оружия, состоящий из трех «силовиков» и двух их маленьких копий. Он припомнил, что ночью охотник собрал все оружие пришельцев, но тогда Андрей просто не придал этому значения. Сейчас это показалось ему странным: они с Валей взяли свое оружие, у самого охотника было два «силовика» (да еще арбалет!) — так зачем ему еще оружие?! Андрей решил спросить об этом у Уссвы.

— Мне приснился плохой сон, — ответил Уссва, — будто в этом оружии кончаются «сатанинские стрелы»...

— Какие стрелы? — переспросил Андрей.

— Дьявольские, — ответила за охотника девушка.

— А мне послышалось Люциферовы! Погрешности телепатии... — резюмировал Андрей и, обращаясь к Уссве, сказал: — Значит, ты собрал все это оружие на случай, если в твоем «силовике» закончатся эти... «стрелы»?

— Ну да, правда, таскать за собой неудобно.

— А мы сейчас спросим, нужно таскать за собой или нет!

Все посмотрели на проснувшегося от шума голосов пришельца. На лице его застыло равнодушное выражение.

Но в глазах пленника читался страх.

Андрей двинулся к нему, но Валя остановила его вопросом:

— Ты будешь его... пытать?

Андрей остановился в замешательстве. Ночью он не остановился бы ни перед чем, чтобы выбить из пришельца всю информацию о вторжении, «балахонах», их собственном мире, целях, силах, оружии. Если бы понадобилось, он пытал бы его, не испытывая угрызений совести, потому что еще свежи были ощущения, полученные во время «гадания». Но сейчас гнев немного спал.

Однако при желании его очень легко возродить!

Кроме кучи «силовиков», рассудительный Уссва захватил еще и пару «наушников», одни из которых водрузил теперь на голову пленника.

— Что это за оружие? — резко спросил Андрей, подсунув под нос пришельца «силовик», причем таким образом, что дуло оказалось направленным тому в лицо.

— Силовая винтовка...

— А это силовой пистолет? — Андрей указал на маленькую копию «силовика».

Пришелец кивнул.

— Мощность силового поля можно регулировать?

— Слева, над спусковым крючком, регулятор, — снова кивнул пришелец.

— Какое у тебя еще оружие?

— Эквивалент вашего гранатомета, два баллончика: со слезоточивым и парализующим газом, гранаты.

— Средства защиты?

— Не понял.

— Эквивалент нашего бронежилета?

— А-а. Эта накидка. Пуле... — он посмотрел на Уссву, — и стрелонепробиваема, огнеупорна и жаростойка, выдерживает воздействие серной кислоты и малых доз радиоактивного излучения. То же можно сказать и о комбинезоне...

— Но они не выдерживают удар силового поля?

— Они слишком тонки!

— А ваши броневики?

— Их броня выдерживает выстрел минимальной мощности. Есть особенно тяжелые модели, которые выдержат среднюю мощность...

— Принцип движения ваших машин?

— Антигравитация...

Андрей уже хотел было спросить, как пришельцам удаётся преодолевать гравитацию, но сообразил, что Уссва, наверное, и так не понимает и половины их разговора.

А ведь есть темы, интересующие их обоих.

— Что представляет собой Земля?

— Цепочку измерений, — после заметной паузы ответил пришелец.

— Цепочку? — переспросил Андрей. — Я правильно понял: ряд идущих друг за другом миров?

— Правильно.

— Перечисли их! И их отличительные особенности!

— Чистый мир, или мир динозавров. Вы там были. Ваш мир. Этот мир. Духовный мир, как мы его называем. Похож на ваш собственный, но с другими моральными принципами. Ну и наш мир.

Уссва вдруг снял с головы пленника «наушники» и, посмотрев на Андрея, сказал:

— По-моему, он врёт. Или что-то недоговаривает.

— Ты уверен?

— Раньше он отвечал уверенно и не задумываясь. Теперь взвешивает каждое слово.

Андрей ничего этого не заметил. Но, может, Уссва лучше разбирается в человеческой психологии, может, интуиция, инстинкты подсказывают, что пришелец врёт? Да и если рассуждать логически, пленник перешёл к более щекотливой для себя теме.

Пока Уссва надевал «наушники» обратно, Андрей перевел мощность своего «силовика» до минимума и медленно приложил его к ноге пришельца.

— У вас в моде моральные пытки, — произнес Андрей, глядя на побледневшее лицо пленника, — но я человек своего мира. Сейчас я выстрелю, силовое поле лишь обожжет тебе ногу...

— Я ведь все сказал!!!

— Он телепат, — и глазом не моргнув, соврал Андрей, указав на охотника, — он чувствует, когда врут.

Уссва сохранил каменное выражение лица, лишь глаза его пронзительным взглядом сверлили пришельца, будто действительно хотели проникнуть в самую глубину его сознания.

Пленник уставился на возвышавшегося над ним охотника, потом перевел взгляд на «силовик» у своей ноги.

Андрей выстрелил. Пришелец вздрогнул, с губ его сорвался короткий крик, лицо искривилось в гримасе боли.

Однако боль была вызвана не выстрелом, а движением раненной ночью руки. Андрей выстрелил в землю, образовав рядом с ногой «черного балахона» неглубокий дымящийся мини-кратер.

— Ха-ха! — садистски усмехнулся Андрей, глядя на испуганное лицо пришельца. — Выбирай: или ты все правдиво и исчерпывающе рассказываешь сам, или мы выбиваем то же самое любыми средствами, а потом вдобавок играем в интересную игру.

Андрей сорвал какой-то цветок и ткнул его в лицо пришельца:

— Убить — не убить?..

75

Андрей и Уссва отошли от пришельца, который, не моргая, уставился на дымящуюся яму рядом со своей ногой.

— Как я в роли садиста? — поинтересовался Андрей у девушки.

— Убедительно...

— Это только разминка! Уссва, это у тебя не кинжал?

...Подбрасывая в руке кинжал с двадцатисантиметровым лезвием, Андрей вернулся к пришельцу, который с нескрываемым ужасом уставился на орудие в его руке.

— Сейчас я буду проверять прочность твоей накидки, — заявил юноша. — Говоришь, она пуленепробиваема?

— Что вас интересует? Спрашивайте, я отвечу на все вопросы!..

— Что-то он подозрительно легко сдался, тебе не кажется? — обратился Андрей к Уссве.

Он чувствовал, что уже вошел во вкус допроса, что ему нравится издеваться над пленником. Конечно же, каждому нравится быть сильнее другого, а еще лучше — иметь над ним неограниченную власть. Власть — немедикаментозный наркотик, к которому люди изо всех сил стремятся, а получив его, отбиваются руками и ногами, лишь бы не упустить, не утратить власть...

— Инструкция для попавших в плен разрешает при угрозе для жизни отвечать на все вопросы, — объяснил свое согласие пленник.

— Ладно... — Андрей задумался, не зная, с чего начать. — Повторимся: что есть Земля?

— Цепочка измерений...

— Из скольких звеньев?

— Из семи.

— Ага, прибавилось еще два мира! — Андрей поиграл кинжалом перед лицом пленника. — В следующий раз их окажется десять?

— Нет, семь измерений! За нашим миром идет колдовской и мертвый.

Андрей и Валя переглянулись, Уссва удивленно уставился на пришельца, все хором переспросили:

— Колдовской?!

Тот кивнул, явно довольный тем, что поверг противников в изумление.

Андрею это не понравилось. Мало того, что пришелец может просто водить их за нос, так он еще и пытается перехватить инициативу.

Неожиданно для всех Андрей выстрелил и выжег новую яму около ног пленника, окатив его дождем горячей земли.

— Это правда! — испуганно воскликнул тот. — Иначе как вы объясните врата между мирами, направленное землетрясение, антигравитацию, даже существование этих силовых винтовок?! Технология плюс колдовство! Колдовство!!!

— То есть ты хочешь сказать, — Андрей говорил медленно, чтобы дать возможность этой явно негабаритной информации разместиться на узких полочках сознания, — что за вашим миром идет измерение, где живут... колдуны?

— Жили. Их мир разрушен, и они перешли в наш...

— Перешли?!

— Да, именно перешли и заключили с нашей цивилизацией союз, выгодный и им, и нам.

— Ага, они получили от вас передовые технологии, а вы — возможности колдовства? — резюмировал Андрей, не зная, воспринимать слова пленника как бред, дезинформацию или чистую правду.

— Это не совсем так! Мы объединили передовые технологии и колдовство!..

Андрей тяжело вздохнул. Ему представилось, как колдун с ожерельем черепков на шее магическим взмахом руки запускает атомную бомбу на другой материк. Но, словно прочитав его мысли, пришелец продолжил:

— Однако не следует путать это колдовство с примитивными обрядами в ваших мирах. В нашем понимании колдовство — это умение распоряжаться энергией, создавать ее, накапливать, избавляться от нее.

— Распоряжаться энергией... — протянул Андрей.

— Да, чистой энергией!

— Кажется, я начинаю понимать, — снова сказал Андрей. — Врата между измерениями — это не что иное, как колдовство, помноженное на возможности технологии. Колдуны пробивают стену между мирами, а вы делаете в ней дверь?

— Что-то вроде этого...

— Направленное землетрясение — это волна, что идет по суше, так ведь? Колдуны направляли ее, контролировали силу?

Пришелец согласно закивал.

Пока все выглядело вполне логичным. Становилось понятным, почему рухнула лаврская колокольня, а забор в паре сотен метров от нее выстоял. На месте монумента Родины-матери должны были возникнуть врата, поэтому-то его тысячетонная махина слетела со своего места.

— Теперь антигравитация, — продолжил Андрей. — Это тоже колдовство?

— Не совсем. Мы доскональнο изучили это явление, но для его повсеместного применения не хватало мощных источников энергии. Не будешь же ставить в каждую машину ядерный реактор? Колдуны предоставили нам такие источники. Различные по мощности, они стоят в каждом самолете, броневике, машине, винтовке, пистолете...

— Аккумулятор энергии?

— Грубо говоря, да. Хотя в вашем языке нет точного эквивалента его названию.

— Это он взрывается при попадании в машину?

— И да, и нет. Он взрывается, но наружу выбрасывается лишь малая часть энергии.

Андрей погрузился в раздумья, пытаясь переварить полученную информацию: слишком нереальную, чтобы в нее верить, и тем не менее очень много проясняющую.

— Что это за мертвый мир? — спросила Валя.

— Мир, где вообще нет жизни. Туда сбрасывается лишняя энергия.

— Сбрасывается? — переспросил Андрей. — Как отходы, что ли?

— Примерно...

— А жизни там не стало как раз после того, как начали сбрасывать энергию?

— Мне это неизвестно! Но жизни там действительно нет.

— А зачем вообще сбрасывать энергию? — поинтересовался Андрей.

— Закон равновесия. Это очень легко объяснить на примере врат. Не знаю, заметили вы или нет, но каждому входу, скажем, из вашего мира в этот, соответствует выход...

— То есть каждым черным вратам соответствуют светящиеся, — уточнил Андрей, поняв причину существования множества неохраняемых и неиспользуемых врат.

— Правильно. И числу попадаемых в мир чужих атомов соответствует число покидающих его собственных атомов. Примерно то же происходит и с энергией. Особенно много чистой, но ненужной энергии выбрасывается в мир при создании врат. Она чрезвычайно разрушительна...

— Ею колдуны и разрушили свой мир? — предположил Андрей.

— Нарушение равновесия вызвало экологический кризис, все последствия которого проявились лишь через сотню лет после выброса энергии.

Пленник сделал паузу, задумавшись о чем-то, а Андрей почувствовал себя присутствующим на лекции о какой-то экзотической стране.

— Энергия разрушительна, поэтому колдуны направляют ее в специальные уловители...

— Такие черные кубы?

— Да... — Пришелец удивленно посмотрел на Андрея. — Вы видели их?

— Не важно. Дальше!

— ...А потом мы отправляем уловитель в мертвый мир, где энергия высвобождается... — Пленник обвел взглядом стоящих над ним людей и, неловко улыбнувшись, произнес: — Ну вот вкратце и все!

— Забыл главное! — не согласился с ним Андрей, постукивая ногтем по гладкой поверхности лезвия.

— Конечно, я рассказывал коротко и сжато, но...

— Вторжение!!! — перебил его Андрей.

— Это идея «колдунов», для этого они и объединились с нами. Им нужен новый мир, нам уже тесно в своем...

Неожиданно Уссва вновь сорвал с его головы «наушники» и сказал:

— Здесь было сказано много неясного для меня, но тема вторжения... захвата чужих земель мне понятна.

— Он снова врет? — спросил Андрей.

— Не знаю, последние фразы он произнес както неуверенно... Но что я хочу сказать. Захватчики ведут себя странно: они не только не грабят города, они даже не интересуются ими. Возятся со своими вратами...

У Андрея мелькнула какая-то смутная догадка, он жестом остановил охотника, собиравшегося продолжить свой рассказ.

Не грабят города, даже не интересуются ими... Не интересуются ими!

«Волна»... Разрушительная волна...

Нужен ли «колдунам-энергетикам» или тем, с кем они объединились, полуразрушенный мир? Если бы «волна» смела с лица Земли все существовавшее здесь прежде, захватчики могли бы построить на пепелище свой, новый мир. А так...

Получалось, что судьба миров Земли захватчиков не интересовала!

Тогда что же? Что?

Для чего это колоссальное вторжение в четыре измерения Земли?

В четыре ли?

Андрей чуть не подпрыгнул от посетившей его догадки.

Единственным миром, который не пострадал от «волны», являлся мир динозавров. Вот она — идеальная цель для вторжения! Чистый, незаселенный мир! А вина трех других измерений лишь в том, что они оказались между ним и измерением пришельцев, ведь добраться до этого земного рая можно только через эти миры, по очереди проходя каждое: «духовный» мир, мир Уссвы и, наконец, мир Андрея и Вали.

— Послушай, дорогой, — сказал Андрей, когда пришельцу вернули «наушники», — может, в твоей инструкции, разрешающей отвечать на все вопросы при угрозе для жизни, есть тайный параграф?

— Какой?.. — Пленник изобразил удивление. Именно изобразил: удивление было неискренним, наигранным...

— Об истинных целях вторжения! — сказал Андрей, отдавая охотнику кинжал и беря «силовик». — На этот раз я не буду дырявить землю!..

Пленник вдруг преобразился. Глаза его сверкнули злобой, губы сжались в тонкую линию.

— Давай стреляй! — крикнул он, рванувшись вперед. — Вы все мертвецы! Мертвецы! Вам не выжить! Можете погадать на ромашке: вам всегда будет выпадать «не выжить»!..

Андрей оборвал этот поток слов, хладнокровно выстрелив пришельцу в ногу. Пленник дернулся и заорал, уставившись на кровавое месиво на месте икроножной мышцы.

Валя отвернулась и отошла в сторону.

— Извини, не сдержался! — сказал он, догнав девушку.

Вдруг крик пришельца резко оборвался.

— Он бы уже все равно ничего не сказал! — словно оправдываясь, произнес Уссва, на «силовике» которого как раз погас красный огонек. — К тому же крик его мог привлечь внимание...

76

...За секундой проходила секунда, они складывались в минуты, а минуты — в часы. Долгие часы, долгие минуты, долгие секунды одиночества.

Небольшая комната с забитым снаружи окном, пластиковый стол и два стула, тумбочка и большая мягкая кровать. В который раз Широ оглядел все это и резким движением выключил свет. Две неоновые лампы под потолком погасли, погрузив комнату в темноту.

Но темнота не спасала, так как Широ прекрасно помнил комнату, и она по-прежнему стояла у него перед глазами. Идеально ровный белый потолок, окрашенные в теплый желтый цвет стены. За множество часов, проведенных здесь, он изучил каждый их сантиметр. Правее от окна — две маленькие дырочки, сюда что-то вбивали. Над кроватью — какая-то отметина, возможно, что-нибудь перетаскивали и задели стену.

И все! Ровные, нетронутые, неиспачканные, непоцарапанные стены. Такие они во всех домах!

А Широ хотелось найти какую-нибудь надпись, оставленную «технарем» (он слышал, что некоторые необразованные и невоспитанные «технари» ради забавы пишут на стенах). Может, по этой надписи он смог бы определить свое местоположение. Но о том, что пишут на стенах, он и понятия не имел.

Алра, наверное, смогла бы ответить на этот вопрос...

Широ тут же включил свет, так как ему показалось, что в темноте он видит силуэт женщины.

Яркий свет ударил по глазам, заставил зажмуриться. Он стоял так, закрыв глаза и держа руку на выключателе.

А что ему еще делать?

Широ не знал, сколько времени он провел в этой комнате. Через плотно закрытые снаружи окна сюда не проникал ни один лучик света, так что не было никакой возможности следить за сменой дня и ночи. Юноша предполагал, что находится здесь два или три дня.

Иногда Широ чувствовал, что сходит с ума. Ему хотелось кричать, метаться по комнате, крушить, ломать все на своем пути, рвать одеяла...

От сумасшествия спасали изматывающие физические упражнения.

Вот и сейчас, почувствовав, как приближается приступ безумия, он лег на пол и стал отжиматься.

Пять, десять, пятнадцать раз... Ему бы «пистолет», нет — лучше два! Регулятор в крайнее максимальное положение...

Двадцать, двадцать пять, тридцать...

Вышибить выстрелом окно. Если там на улице броневик — выстрелить в него и с наслаждением вдохнуть горячий воздух взрыва...

Тридцать, сорок, пятьдесят...

Выпрыгнуть наружу и убить первого попавшегося на глаза пришельца. Их пуленепробиваемые плащи не выдерживают выстрела силовой винтовки...

Пятьдесят пять, шестьдесят...

Хватит! Минута отдыха — и упражнения для пресса.

«Пусть я тронусь умом, — подумал Широ, усмехнувшись, — но, во всяком случае, физической формы не потеряю!»

Скоро ему принесут еду. Это всегда делал молодой парень в темно-сером комбинезоне, пришелец из соседнего измерения. Соседнего... Звучит дружелюбно и обыденно.

Однако соседи эти пришли в гости отнюдь не с добрыми намерениями!..

Засунув ноги под кровать, Широ стал делать классическое упражнение для мышц пресса — поднимание и опускание туловища.

А интересно: неужели его держат здесь одного и приносящий еду пришелец следит только за ним? Уж слишком большая честь!

Как называется это заведение, где «технари» содержат преступников?..

Тюрьма.

Широ замер, лежа на полу. Видимо, его содержат в одной из комнат импровизированной тюрьмы. А почему импровизированной? Он огляделся вокруг и понял, почему никак не мог осознать, что это за комната и какому дому она принадлежит.

Лишив сознания, его перевезли в район «технарей». В настоящую тюрьму...

77

Что им делать?

Этот вопрос мучил Андрея уже на протяжении часа их пути по лесу.

Солнце давно разогнало утренний туман, повсюду можно было видеть волшебное сплетение света и тени. Щебетали, перепархивая с ветки на ветку, птицы, к их гомону присоединялся тихий шепот листвы и шелест травы под ногами людей.

Андрей шел за Уссвой как бы по инерции, автоматически придерживая ветви, чтобы они не ударяли по лицу шедшую следом девушку.

— Что-то придумал? — нарушила она затянувшееся молчание.

Андрей отрицательно покачал головой.

— Давай подумаем вместе! Одна голова, как известно, хорошо, а три — лучше! К тому же ты обещал рассказать о своей версии вторжения.

Андрей действительно ничего не сказал Вале и Уссве о своем предположении насчет цели вторжения. Ему просто не хотелось в это верить.

Прислушивавшийся к их разговору Уссва замедлил шаги и наконец вообще остановился:

— Делаем привал! Рассказывай, но только так, чтобы и я понял!

Они уселись под развесистым деревом. Убежавший куда-то вперед пес вернулся и улегся рядом с хозяином, настороженно прислушиваясь к шорохам леса.

— Ладно, начнем сначала, — сказал Андрей, решив еще раз разложить по полочкам все услышанное от пленника. — Если верить «балахону», то Земля состоит из семи идущих строго друг за другом измерений: мертвого (непонятно по какой причине), колдовского (переживающего экологический кризис)...

— Что переживающего? — решил уточнить Уссва.

— Ну... — Андрей в задумчивости провел рукой по покрытой трехдневной щетиной щеке. — В общем, это умирающий мир! Значит, мертвый мир, колдовской, умирающий, техногенный...

Уссва уже открыл рот, чтобы вновь переспросить, Валя улыбнулась, Андрей поднял руку:

— Объясняю! Третий мир — мир «балахонов», в нем полно всяческих чудес типа этих «дьявольских стрел», переводчиков...

— И других механизмов, — резюмировал Уссва.

— Ну да... Потом «духовный» мир, за ним — этот, твой. — Андрей указал на землю, и громадный черный пес, проследив за его движением, уставился на траву. — За ним идет наш мир и последним — чистый мир динозавров.

— Послушай, Варр, — обратился Уссва к собаке, — твоим именем назвали целый мир.

Андрей и Валя удивленно уставились на охотника.

— Как его зовут?

— Варр.

Андрей услышал, как охотник произнес это имя, но «переводчик» предложил толкование — «ужасный зверь». Видимо, «варр» на языке Уссвы значило «ужасный зверь» или даже «динозавр». Возможно, в этом мире еще сохранились эти гиганты или в крайнем случае живы были легенды о них. Поэтому-то на понятие «динозавр» мозг охотника и откликнулся словом «варр»...

— А что идет дальше? — спросила Валя. — За чистым миром?

— Это одна из тех вещей, о которых мы забыли спросить пленника. — Андрей покачал головой. — Мне это тоже жутко интересно... Ну да ладно!.. Вот мое предположение о цели вторжения. «Балахонов» и «колдунов» не интересует ни «духовный» мир, ни этот, ни наш. Их цель — мир динозавров...

— Но чтобы попасть туда, — продолжил Уссва, — нужно пройти через мой, ваш и этот... «духовный» мир!

— Логично! — резюмировала Валя. — Но меня смущает несколько вещей. Живя в чистом мире, им нужно будет сбрасывать в мертвый лишнюю энергию. Но до него ведь далеко!

— Они сделают еще один мертвый мир, — мрачно заметил Андрей, — так как соседним с чистым является их собственный мир.

Поняв его намек, девушка тоже помрачнела.

— У нас одни предположения, — с немалой долей раздражения заметил Андрей, — причем основанные только на словах «балахона»...

— Ну, по крайней мере про три измерения он не врал...

— Значит, надо проверить четвертое! — сказал Уссва.

Андрей уставился на него, подумав, что это шутка. Но охотник был абсолютно серьезен.

— А ведь это мысль! — Андрей вскочил на ноги, голова его наткнулась на ветку, и он вынужден был сесть обратно. — Но что мы узнаем?

— Как что? — удивился Уссва.

— Ну, узнаем, что представляет собой «духовный» мир, если он, конечно, существует. И все!

— Но за «духовным» миром идет мир «балахонов»! — заметил охотник.

Андрей и Валя посмотрели на него, понимая, к чему тот клонит.

«Странники миров, — подумал юноша. — Колумбы измерений!..» Он снова задумался над тем вопросом, что мучил его в течение последнего часа.

Что им делать?

Последовать предложению Уссвы и сломя голову ринуться в эту авантюру с прыжками через измерения? Или вернуться домой, в собственный мир? Найти родителей... Если верна теория, что цель вторжения — чистый мир, то их миру может грозить опасность превратиться в мертвый из-за сбросов в него энергии...

Если бы знать точно!!!

Неопределенность, неточность, теории, построенные на предположениях, начинали раздражать Андрея. Нужна точная, достоверная информация. А чтобы ее получить, нужно...

Лежавший более-менее спокойно Варр вдруг резко сел, навострив уши.

Через несколько секунд над верхушками деревьев мелькнула трапециевидная тень. Все подняли головы, напряженно вслушиваясь и всматриваясь в редкие просветы в листве. Люди надеялись, что в этом зеленом море леса со штурмовика их не заметить. Прошло несколько долгих минут ожидания, но штурмовик не возвращался, то есть можно было считать его пролет случайным.

— Нам нужен еще один «язык», — сказал Андрей и, сообразив, что Уссва может неправильно понять его, добавил: — Еще один пленник! И нужно выбить из него всю недостающую информацию!

— Пленник... — протянул Уссва, размышляя вслух. — Это будет похоже на охоту... Причем на крупного зверя! И брать его надо живым!

— А если он повторит то же самое и не станет ничего говорить о вторжении? — усомнилась Валя.

Слова об охоте на «языка» вызвали у нее необъяснимую тревогу, а мысль о новом, еще более жестоком допросе — чуть ли не отвращение. Валя понимала, что все это, возможно, и необходимо, но при упоминании слова «допрос» перед глазами у нее вставала превращенная в кровавое месиво нога пленника. Девушка убеждала себя, что несколькими часами раньше этот пришелец издевался над ними, что нечего жалеть ни его, ни ему подобных!.. Но пытать человека, путь даже пришельца, врага...

Валя украдкой посмотрела на Андрея. Она надеялась, что пытка не доставила удовольствия и ему. Как и убийство пришельцев. Все это вынуждено.

Это война!

Андрей перехватил ее взгляд и ободряюще улыбнулся.

Девушка улыбнулась в ответ, ругая себя за свои размышления. Сейчас — никакой слабости, рассуждений о моральности тех или иных поступков. Все — потом!

Сейчас надо думать о том, как дожить до этого «потом»...

78

...Два «балахона» появились неожиданно.

Черными призраками вынырнули из-за деревьев и понеслись по узкой тропинке прямо навстречу шедшим по ней людям. Похоже, пришельцы не были готовы к столь неожиданной для них встрече.

Выстрел Уссвы отбросил назад первого «балахона». Из-под ног его вылетел какой-то плоский предмет и свалился метрах в трех от грозно зарычавшего Варра.

Второй пришелец потерял равновесие и врезался в дерево, где в него ударила «сатанинская стрела», пущенная Андреем. Плоский предмет остался лежать рядом с неподвижным телом.

Стычка длилась две-три секунды, и лес вокруг продолжал шуметь, будто и не заметив ее.

Андрей и Уссва оттащили тела подальше от тропинки, а когда вернулись, увидели, что Валя сидит возле предмета, вылетевшего из-под ног первого пришельца. Варр стоял рядом, с опаской обнюхивая его.

Андрей уже догадался, что с помощью именно этого предмета «балахоны» могли плавно скользить над поверхностью земли (или воды), что этот шестиугольник со сглаженными углами — не что иное, как «антигравитационный скейт». Нижняя его поверхность была ребристой, а на верхней имелись два углубления для ног и четыре узких параллельных выступа по краям. Андрей предположил, что, когда «скейт» был не нужен, пришельцы вполне могли носить его на спине под «балахоном» и выступы на поверхности предназначены специально для этого.

— Ты когда-нибудь каталась на скейте? — спросил Андрей у Вали.

— Да, правда, давно...

— А я нет, но учиться никогда не поздно!

Он решительно положил шестиугольник на землю и поставил ногу в углубление. Ничего не произошло. Однако едва вторая нога заняла свое место, как «скейт» ожил и приподнялся сантиметров на пять—семь. При этом он почему-то накренился набок, Андрей, чувствуя, что падает, наклонился в другой бок — и «скейт», рванувшись в сторону наклона, слетел с тропинки в лес. Андрей с воплем врезался в дерево и, схватившись за него, спрыгнул с летающей площадки, которая тут же плюхнулась на землю, скрывшись в густом подлеске.

— Вот это да!!! — Юноша отпустил ствол дерева, глаза его горели веселым огнем. — Я, кажется, понял!..

Не обратив внимания на неодобрительный взгляд охотника, Андрей нашел среди травы и низкого кустарника «скейт» и вернулся на тропинку.

Вторая попытка оказалась более удачной. Он спокойно простоял на висящей в воздухе площадке секунд десять, а потом плавно двинулся вперед.

— Понял, понял!.. — сказал он, чуть ли не хлопая в ладоши. — Управляется давлением ступни... Переносом центра тяжести.

Юноша наклонился назад, «скейт» остановился и тут же полетел в заданном телом направлении. Чувствуя, что теряет равновесие, Андрей замахал руками, что только усугубило положение. Чуть не наехав на вовремя отбежавшего в сторону Варра, он спрыгнул со «скейта», который, взмыв на высоту человеческого роста, свалился на землю.

— Пара дней практики — и будем летать не хуже «балахонов»! — резюмировал Андрей, собираясь совершить третью попытку полета.

— Нам нужно убираться отсюда! — заметил Уссва.

Андрей чуть не попросил: «Ну можно еще разочек?» — но вовремя опомнился. Сейчас не время и не место для развлечений, коим, по сути, и являлось оседлание «скейта» пришельцев. Став серьезным, Андрей указал на шестиугольник и спросил:

— Что будем с этим делать?

— Оставим здесь, — не задумываясь, ответил Уссва, которому эта летающая площадка внушала опасения.

— Но она может пригодиться! — не согласилась Валя.

— То, чем ты не умеешь пользоваться, — лишнее! — процитировал Уссва слова своего отца.

Правда, слова эти касались оружия, но Уссва подумал, что в данном случае они тоже подходят.

Андрей был в чем-то согласен с охотником. Да, они не умеют пользоваться «скейтом», он будет обузой, так как каждый из них нес по силовой винтовке и пистолету, а Уссва еще и арбалет. Однако, если научиться управлять... Но для этого нужно время и, главное, место. Мир ведь оккупирован, и неизвестно, где их ждет встреча с захватчиками.

Поэтому Андрей с сожалением посмотрел на это чудо союза технологии и колдовства и забросил антигравитационный «скейт» в кусты.

...Ближе к вечеру лес заметно поредел, стали попадаться большие поляны, и вскоре Андрей понял, что они приблизились к району лесостепи. Дальше при дневном свете идти здесь было опасно, да и ночью тоже. Уссва нашел безопасное место для ночлега, и они встретили приход темноты, сидя среди сухих ветвей старого поваленного дерева.

А когда совсем стемнело, увидели поднимавшийся на востоке бледно-голубой свет. Источник его находился не далее чем в километре.

И источником, конечно же, являлись врата!

Однако когда путешественники, соблюдая осторожность, приблизились к свету, выяснилось, что источник его — не только врата.

«Балахоны» строили дорогу.

Это первое, что пришло в голову Андрею, когда он увидел ровную просеку, что тянулась от светящихся десятиметровых врат через лес, далее — в виде полосы снятого вместе с травой и кустарником дерна — через степь, насквозь пронзала маленькую рощицу и где-то в полукилометре упиралась в черный квадрат врат. Она имела ширину метров пятнадцать—двадцать и была хорошо освещена множеством мощных прожекторов. На некоторых участках вовсю трудились пришельцы в серых комбинезонах, очищая края дороги (а это, несомненно, была дорога!) от поваленных деревьев и кусков дерна. Туда-сюда шныряли небольшие, похожие на автокары машины, тяжело проползали некие подобия бульдозеров. Днища их не касались земли.

Точно так же, не касаясь ее, пойдет по незаасфальтированной, не залитой бетоном и даже не засыпанной щебенкой дороге транспорт захватчиков.

Пойдет от одних врат к другим.

Из одного мира — в другой!

Это подтверждало теорию Андрея о том, что пришельцев не интересуют миры, лежащие между их собственным измерением и миром динозавров.

Видимо, совсем скоро, когда закончится строительство подобных дорог во всех трех мирах, начнется второй этап вторжения. Тысячи, сотни тысяч, миллионы пришельцев ринутся через врата, через миры, чтобы оккупировать, заселить никем еще не тронутое, «чистое» измерение.

Эта картина поражала своим масштабом, как батальные сцены в фильмах «Война и мир» и «Ватерлоо». Масса людей и техники сдвинется с места, преодолевая целые миры!

И Андрей понял, что помешать этому не сможет ничто. Останови одну колонну — тысячи других будут продолжать свое движение.

Здесь нужно организованное, массовое сопротивление. Оказать его смог бы их собственный, жестокий и вооруженный до зубов самым смертоносным оружием мир Земли XX века. Но пришельцы наверняка позаботились об этом, нанеся по их миру мощнейший удар «волной», так что человечество сейчас думает о том, как выжить, а не о том, как оказать сопротивление...

Над дорогой пронесся штурмовик и растворился в ночном небе. На границе освещенного пространства темнели силуэты броневиков, охранявших дорогу.

— По-моему, это врата! — Уссва указал на еле заметное световое пятно метрах в трехстах от строящейся дороги.

...Крадучись шагая вслед за Уссвой по темному лесу, Андрей подумал, что он и его спутники похожи на сорвавшиеся с дерева и упавшие в быстрый ручей листья. Они практически не управляли своими поступками, их бросало от одного берега к другому, из одной заводи они попадали в другую, и все неслись неизвестно куда с быстрым потоком воды.

Это были черные врата-вход, он мог привести ребят в «духовный» мир, а мог возвратить домой, на их землю. Андрей все еще не определил для себя, что лучше: вернуться в свой родной мир или нырнуть в водоворот новых событий, попав в еще одно незнакомое измерение?

Андрей решил просто положиться на судьбу.

Маленькие двухметровые врата стояли на краю искусственной, освещенной двумя прожекторами продолговатой поляне, которая была завалена стволами деревьев. На ее противоположном от врат краю темнели силуэты двух броневиков. Это значило, что выход охраняться не будет.

Андрею вспомнилось ощущение жуткого холода и скованности после выхода из врат. Он вдруг понял, какую глупость они совершили, не взяв у пришельцев ни одного балахона. Но на это была причина.

Ни он, ни Валя, а возможно, и Уссва, не смогли бы надеть, пусть даже поверх собственной одежды, окровавленную накидку убитого пришельца. Им бы казалось, что засохшая кровь пропитывает одежду насквозь, чудился тошнотворный запах жженой плоти... Конечно, «позаимствовать» хоть одну чистую накидку они могли, но не воспользовались такой возможностью. Но что теперь жалеть об этом!

Несмотря на то что ребята и Уссва ползли по-пластунски, прячась в подлеске, медленно и осторожно приближаясь к поляне, где-то метрах в сорока от нее их все же заметили.

«Понеслось-поехало!!!» — только и успел подумать Андрей, когда вокруг разверзся огненный ад...

79

Побег...

Эта мысль забилась в голове Широ, словно вольная птица в клетке, запульсировала, как свет древнего маяка на горизонте.

Побег!!!

В который раз он пожалел о том, что рядом с ним нет (и уже никогда не будет) Алры. Она наверняка знала, осуществлялись ли когда-нибудь побеги из тюрем «технарей», и если да, то каким образом.

Широ читал не рекомендованные наставниками развлекательно-приключенческие книги «технарей», герои которых выпутывались из самых опасных и невероятных переделок. Многие из них жили несколько сот лет назад, в темные времена насилия и бездуховности. Действия героев нередко поражали своей жестокостью, но еще чаще — смелостью и находчивостью.

Один из них, будучи заточенным в каменную темницу с узкими окнами и массивной железной дверью, должен был умереть от голода, но костью своего погибшего предшественника (когда Широ читал эту книгу, волосы у него вставали дыбом) сделал подкоп под стеной и выбрался наружу, избежав тем самым мучительной смерти.

Широ посмотрел на покрытый пластиковой плиткой пол своей «темницы». Под плиткой был бетон, время земляных полов давно ушло. Что бы сделал герой? Раскрошил бы бетон, пробил дыру?..

Широ кисло улыбнулся. Он прочитал только три подобные книги, и речь в них шла отнюдь не о современных тюрьмах.

Придется думать самому!

Широ еще раз осмотрел свою комнату, хотя мог бы этого и не делать, так как изучил каждый сантиметр ее пространства. Имелось только два пути к бегству: окно и дверь.

Окно было плотно закрыто ставнями, их прочность он уже проверял. Ставни спокойно выдерживали удар ноги, когда в порыве безумия он метался по комнате и пытался вышибить окно.

Оставалась дверь...

Дверь, которая открывалась дважды в день. В которую заходил пришелец с подносом. Поставив его на стол, он ждал, пока пленник поест. Охранник никогда ничего не говорил и никогда не двигался с места до тех пор, пока пленник не отойдет от стола к кровати.

И он не был вооружен: у него не было не то что силовой винтовки, но даже баллончика с газом или простой дубинки.

Широ удивился, почему он не думал о побеге раньше. Видимо, «духовник» сидел в нем слишком глубоко. Только сейчас, спустя несколько дней после пленения, он задумался о побеге. Все-таки стиль и философия жизни «духовников» хороши только когда вокруг царят мир и спокойствие.

...Широ представил, что он будет делать, когда появится пришелец. Сразу же бросится, пока в руках у того поднос, собьет охранника с ног, заблокирует телом дверь, не даст ей закрыться. Закрыться?! А ведь пока пришелец в комнате, дверь открыта, ведь выходя, он просто берется за ручку...

Широ даже усомнился в том, что находится в тюрьме. А может быть, его представления об этом учреждении ошибочны и заключенные здесь имеют больше свободы, чем ему представляется.

К тому же не следует забывать, что он находится в плену у пришельцев и неизвестно, какими правилами содержания пленников они руководствуются.

Ему показалось, что покинуть эту комнату не составит большого труда. Но вот что делать дальше?..

...Тихий щелчок замка прозвучал, как оглушительный удар древнего гонга. Широ вздрогнул и уставился на открывающуюся дверь. Держа в руках пластиковый поднос, в нее быстро вошел пришелец в темно-сером комбинезоне — молодой парень, чуть постарше Широ, сантиметров на десять ниже его и явно намного легче. Бросив на сидящего на кровати пленника короткий взгляд, он подошел к окну и поставил поднос на стол.

Минуту назад Широ был готов к действию. Сейчас — сидел в оцепенении, следя за пришельцем.

Поставив поднос, тот отошел от стола и встал у двери.

Широ понял, почему сразу же не бросился в атаку. Он испугался неизвестности, что ждала его за дверью. Он не мог прыгнуть в воду с высокого берега, не будучи уверенным, что рябь не скрывает подводных камней.

Хотя тогда в разбитой медицинской машине он ринулся в безумную атаку, не зная, что ждет его впереди. Так почему сейчас он страшится неизвестности?

Да потому что тогда его вела ярость, гнев, Широ практически не контролировал себя! Полчаса назад он был рад тому, что взял себя в руки, переборов отчаяние и безумие, задумался о побеге. Сейчас же страстно желал возвращения того приступа безумия, который бы в клочья разорвал пелену нерешительности, открыв выход ярости и гневу.

Он хотел выпустить наружу инстинкты...

Широ поймал себя на том, что слишком долго сидит, уставившись на дверь. Это может показаться подозрительным. Поэтому он встал и подошел к столу.

На подносе в пластиковых тарелочках все было как обычно: суп из концентратов, второе, два кусочка относительно свежего хлеба и компот. Широ стал есть показавшийся в этот раз особенно безвкусным суп.

Как он соскучился по натуральной пище! По свежим овощам, фруктам, душистым булочкам... Он еще долго может не увидеть всего этого!

И во всем виноваты они!!!

Широ с удовольствием почувствовал надвигающуюся волну гнева. Да, похоже, его духовное равновесие нарушено раз и навсегда, и он становится агрессивно-опасным.

Вот и чудесно!!!

— Эй, у меня в супе муха!

Широ прекрасно понимал, что без этого непонятным образом функционирующего аппарата-переводчика, похожего на наушники, которые надевались на виски, пришелец не поймет его.

— В супе — муха! — негодующе повторил он, указывая на свою тарелку.

Пришелец уставился на него, не понимая, в чем дело.

Широ перешел на язык жестов. Он изобразил муху, траектория полета которой заканчивалась в его тарелке. На лице парня отразилось любопытство. Его заинтересовала эта пантомима, поэтому Широ еще раз, более смешно и красочно, изобразил муху, спикировавшую в его суп.

Пришелец улыбнулся и подошел к столу.

Поднос полетел ему в лицо.

Схватив ослепленного противника, Широ проволок его пару метров и со всего размаху толкнул на стену. Парень ударился о нее головой и, лишившись сознания, рухнул на пол.

С бешено бьющимся сердцем Широ взялся за ручку двери и осторожно приоткрыл ее. Пустой коридор с рядом одинаковых дверей, упирающийся в окно с жалюзи.

Выглянув из проема, Широ увидел, что с другой стороны коридор оканчивается лестницей.

Стараясь не нарушить царящую в здании гробовую тишину, Широ подошел к лестнице. Два коротких пролета вели вниз. Куда?

Снова нерешительность, страх...

Действовать! Действовать!! Не останавливаться!!!

Бесшумно и осторожно Широ стал спускаться вниз. Лестница выходила к закрытым дверям. Судя по всему, за ними — тоже коридор, но вместо окна в его конце вполне может оказаться выход.

«Вперед, пока удача на твоей стороне!» — повторял про себя Широ, встав перед дверьми. Он глубоко вздохнул — и увидел в углу, под потолком, миниатюрную камеру, уставившуюся на него черным глазом объектива.

— Чудесно!.. — прошептал юноша, удивляясь собственному спокойствию.

Если такая же была на втором этаже...

Двери распахнулись, и на Широ уставился не менее черный и еще более зловещий глаз силовой винтовки в руках пришельца. Другой охранник схватил Широ и затащил в маленькую комнату с несколькими работающими мониторами. Его посадили на стул, пришелец с винтовкой сел напротив, второй охранник взял в руки портативную рацию и что-то коротко сказал.

Потекли секунды.

Широ сидел, не зная, чего ожидать. На мониторе увидел, как открылась одна из многочисленных дверей знакомого коридора и из нее вышел оглушенный парень.

Пришелец напротив Широ сидел неподвижно, на коленях у него по-прежнему была винтовка. Второй куда-то вышел.

Прошла минута, две...

Широ терялся в догадках. Почему охранники ведут себя так странно? Ведь он пытался совершить побег! Чего они ждут?!

Быстрый стук сердца отбивал секунды.

Лицо сидящего напротив пришельца было словно вылеплено из глины и не отражало никаких эмоций. Глаза следили за пленником и были так же холодны, как объектив камеры.

Несмотря на чудовищное нервное напряжение, Широ заставил себя успокоиться.

Прошло еще несколько минут, в течение которых Широ рассматривал изображение на мониторах. Наконец на одном из них — судя по всему, показывавшем главный вход, — появились три пришельца в длинных черных одеждах с капюшонами на головах. Быстрым, уверенным шагом они двинулись по коридору, и вскоре их изображение появилось на другом мониторе. Шедший по центру был на голову выше двух остальных.

Он первым вошел в комнату, взял свободный стул и сел напротив Широ. Тот как завороженный уставился на капюшон и черную бесформенную маску под ним, скрывавшую лицо пришельца.

Вошедший следом тоже был в капюшоне, но под ним виднелось обычное человеческое лицо. Он водрузил на виски Широ аппарат-переводчик, и тот тут же услышал:

— У нас мало времени! Ты слушаешь меня и задаешь минимум вопросов.

Широ понял, что говорит странный пришелец в черной маске.

— Здесь содержатся пятеро пленников, оказавших наиболее яростное сопротивление. Один из них пытался бежать, и мы вынуждены были его застрелить, так как агрессия противника не контролируема. Ты же более хладнокровен и рассудителен, поэтому годишься для выполнения особой миссии...

— Какой миссии? — Широ понял, что содержание в этой тюрьме было для него своего рода проверкой, тестом, но все остальное было скрыто завесой тайны.

— Обо всем по порядку...

80

Холод...

Знакомый ненавистный холод!

И убегающие в небытие секунды! С каждым ушедшим мгновением приближалась погоня и уменьшались шансы на спасение. Преследователи, конечно, появятся не сразу, но сомневаться в том, что после такого фейерверка они появятся, не приходилось.

...Когда броневики открыли огонь, Андрей подумал, что их эпопее передвижения по измерениям пришел конец. Мощные «сатанинские стрелы» силовых полей ударили совсем рядом, засыпав людей и собаку искрами, горящими щепками, ветками, листвой и дымящимися комьями земли... Андрей вжался в траву, жалея, что он не крот и не может быстренько закопаться метра на два-три.

За первым залпом тут же последовал второй. Видимо, броневики были оснащены несколькими пушками и могли вести непрерывный огонь, не тратя времени на паузу между выстрелами.

Андрей почувствовал, как вздрогнула земля, когда «стрела» ударила прямо перед ним, засыпав его горячим дерном.

И в этот момент Уссва не нашел ничего лучшего, как выстрелить по броневику. Андрей предупреждал его о последствиях этого действия, но охотник, видимо, и рассчитывал на хороший взрыв.

Тот не заставил себя ждать.

Шестьдесят метров до эпицентра... От сильных ожогов беглецов спасло то, что они были обильно присыпаны землей. Мир вокруг дернулся, словно в судороге, раскалился, наполнился оглушающим грохотом. Деревья вспыхнули, словно сделанные из спичек, вниз посыпались сбитые ударной волной скрюченные, почерневшие листья.

Андрей схватил Валю за руку и бросился по горящему лесу, через черный снег к вратам. Огонь обжигал лицо, горло, легкие, но цель была близка...

И вот они в другом мире. В своем? Или в новом, незнакомом?..

Левой щекой он чувствовал какую-то прохладу. Открыл глаза, сделал глубокий вдох — и чуть не захлебнулся. Он лежал лицом в луже. Приподнялся и, застонав от боли во всем теле, умудрился передвинуться чуть в сторону. Натолкнулся на неподвижно лежащую девушку.

На этот раз выпрыгнув из врат, они упали лицом вниз.

Земля мокрая, в лужах, то есть здесь недавно прошел дождь. Андрей увидел какие-то руины, освещенные бледно-голубым светом врат. Может, они в своем мире?! Но что сказал «язык» о «духовном» мире: «Похож на ваш, только с другими моральными принципами...» Значит, и здесь могут быть руины.

Андрей придвинулся ближе к девушке. Заколебался, прежде чем перевернуть ее на спину, ведь каждое движение могло причинить ей боль, но все же сделал это. Время таяло, уже прошла целая минута. Надо вставать, уходить отсюда. Уползать...

Глаза девушки были закрыты, левая часть лица испачкана грязью, в волосах запутались обгорелые листья и комья земли. В бледно-голубом свете врат лицо ее казалось совершенно белым.

Валя никак не отреагировала на его действия, словно не почувствовала боли.

Не почувствовала боли?!

Андрея словно ударило током, в глазах потемнело...

Только не это!!!

Забыв о собственной боли, которая сопровождала каждое его движение, он взял Валю за руку. Ладонь была холодной...

«Это еще ничего не значит!» — зло огрызнулся на себя Андрей, пытаясь нащупать пульс девушки, но пальцы не хотели его слушаться...

— Все нормально, — тихо прошептала Валя, не открывая глаз. — Просто я сдаюсь...

Андрей вытер с ее щеки грязь и переспросил:

— Сдаешься?

— Я больше не могу...

Он наклонился и прошептал ей на ухо:

— Черта с два!!! Женщины легче переносят боль! У нас есть двадцать секунд, чтобы убраться отсюда!

Говоря это, он левой рукой нашарил свой «силовик», правой — по-прежнему продолжал поддерживать девушку.

Валя хотела что-то сказать, но вместо этого вскрикнула, когда Андрей рывком усадил ее.

— Ты будешь меня ненавидеть за это, — произнес Андрей, тяжело поднимаясь с колен на непослушные ноги, — но три секунды уже прошло.

Он поставил девушку на ноги, поднял ее «силовик» и огляделся вокруг.

Свет, шедший от врат, освещал руины некогда большого дома, сами врата, судя по всему, стояли в его просторном дворе.

— Почему именно двадцать секунд? — спросила девушка, забирая у него свое оружие.

— Понятия не имею! Но десять уже прошло.

И тут Андрей понял, что не видит ни Уссвы, ни его верного пса. Он не помнил, побежал ли охотник к вратам после взрыва или по какой-то причине остался в горящем лесу. Прищурившись, юноша посмотрел на светящиеся врата в надежде, что сейчас оттуда выпрыгнут охотник и собака.

Андрей вдруг осознал, что может никогда больше их не встретить. Как не встретить и Владимира, не увидеть родных и знакомых лиц... Он не хотел даже думать об этом.

— За врата! — скомандовал он и, не отпуская руки девушки, побежал к квадрату.

Это, конечно, был не бег, а утиное переваливание с ноги на ногу. Несчастные три-четыре метра до врат они преодолели ненамного быстрей ползущей изо всех сил черепахи. Так, во всяком случае, показалось Андрею.

Когда ребята были на одной линии с вратами, из них выпрыгнул «балахон». Андрей заметил его появление краем глаза и тут же свернул чуть левее. Таким образом, их отделял от преследователя светящийся квадрат.

Валя без слов, по изменившемуся лицу Андрея и крепче сжавшей ее ладонь руке поняла, что произошло. Она оглянулась, но за вратами ничего не увидела. Однако знала, что там, в каких-нибудь десяти метрах, пришелец, и, может быть, не один. «Сдаюсь! Не могу! — зло сказала она себе. — Дурочка! Сколько там провалялась!..»

...Перед ребятами был просторный двор с аккуратным газоном и рядами низких, в половину человеческого роста, декоративных кустов. За двором лежала улица и виднелись силуэты полуразрушенных домов. У обочины, до которой было метров пятьдесят, стояли несколько автомобилей обтекаемой формы.

Таких машин Андрей никогда раньше не видел.

Значит, они попали в «духовный» мир (или в Голливуд, на съемочную площадку фантастического фильма).

Андрей удивился тому, что он еще способен шутить. Хорошо это или плохо?

Подтолкнув Валю к декоративным кустам, он развернулся и поднял «силовик» в удобное для прицельной стрельбы положение. Так он пятился назад, готовый выстрелить, если из-за врат появится пришелец.

Тот возник, когда они уже были под ненадежной защитой кустов.

Появились сразу двое и, не задумываясь, выстрелили из гранатометов по ближайшим машинам. Подброшенные взрывом, те разбросали вокруг горящие детали и тяжело рухнули, объятые пламенем. Вслед за ними взорвалась стоящая чуть поодаль машина. Оставляя за собой дымный след, словно четыре кометы, ее двери разлетелись в разные стороны, а крышка багажника, подпрыгнув вверх, с лязгом свалилась на крышу автомобиля. Тревожный пляшущий свет пламени залил улицу.

Гранатометы исчезли под балахонами, а в руках пришельцев появились силовые винтовки. Они двинулись по двору, осматриваясь вокруг, взгляд одного из них остановился на кустах.

Андрей, конечно, не видел его глаз, но по движению головы догадался о направлении взгляда. Маска «балахона» сейчас наверняка работает в режиме инфравидения, то есть такая преграда, как кусты, не может скрыть от него беглецов.

Поэтому Андрей выстрелил, опередив пришельца на долю секунды. Попавшая в грудь преследователя «сатанинская стрела» отбросила его на пару метров назад. Красный огонек горел две секунды, так как «силовик» был поставлен на две трети мощности. Однако второго выстрела не понадобилось, так как другого пришельца «сняла» Валя.

Но Андрей прекрасно понимал, что на этом все не закончится. Он лихорадочно соображал, что же предпринять, когда из-за врат появились еще два пришельца. Одного он тут же уложил точным выстрелом, второй успел нырнуть за светящийся квадрат.

Пущенная девушкой «стрела» прошла в каком-то сантиметре от края врат.

А что будет, если попасть в них? Видимо, ничего хорошего...

Из-за другого края врат метнулась «стрела» и, чуть не срезав вместе с кустами голову Андрея, упала куда-то в руины. Валя прижала его к земле, не дав выстрелить в ответ, и вторая «стрела», с резким звуком сорвав несколько веток, промелькнула над их головами.

Вжимаясь в землю, Андрей повернул голову и посмотрел в глаза девушке. Они поняли друг друга без слов.

Они загнаны в угол, их везению пришел конец. Из этой переделки им уже не выбраться.

— Беги, я прикрою!.. — прошептал Андрей.

— Нет!.. — чуть ли не крикнула Валя. Еще две «стрелы» одна за другой пронеслись над ними, срезая ветви и разбрасывая обожженные листья. — Не надо геройства...

— Да какое геройство?! — разозлился Андрей. — Вдвоем мы не пробежим и двух шагов...

— Одна я не пробегу их тем более!..

— Я тебя прикрою! Добежишь до руин, рвану я, а ты будешь прикрывать...

— Андрей! Не надо меня спасать!..

Одно долгое мгновение они смотрели друг другу в глаза, а потом Андрей подтолкнул Валю:

— Поползли!..

Он решил сделать попытку перебраться в соседний двор.

Ребята пробрались через ряд кустов, и тут Андрей обратил внимание на то, что по ним больше не стреляют. Почему?

Ответ пришел вместе с тихим гудением, что донеслось со стороны улицы. Вслед за ним раздался треск ломаемых веток, и два броневика на скорости влетели в ряды декоративных кустов. Еще немного, и они задавили бы беглецов.

Но Андрей вскочил, направив на приближающиеся машины «силовик». Вид оружия, видимо, здорово напугал водителя шедшего прямо на него броневика, и тот резко остановил свою машину в трех-четырех шагах от ребят...

81

Сверкая гладкими металлическими боками, броневик стоял совсем рядом, безжалостно подмяв под себя ровный ряд кустов. Андрей смотрел на четыре коротких, соединенных в связку дула силовых пушек. Четыре черных зловещих глаза, не мигая, уставились на него.

А стоит хотя бы одному из них мигнуть...

Указательный палец напрягся на спусковом крючке «силовика», направленного на броневик.

Левой рукой Андрей перевел регулятор мощности в максимальное положение. Он надеялся, что сидящие в боевой машине понимают, что одного его выстрела будет достаточно, чтобы превратить все вокруг в выжженный пустырь.

Валя поднялась и стала спиной к его спине.

Андрей грустно усмехнулся. Великолепный кадр для драматической развязки какого-нибудь фильма. Герои стоят спина к спине в окружении двух броневиков, один из которых совсем рядом, в трех-четырех шагах. От врат к ним осторожно, перебежками приближаются пришельцы...

Что будет дальше?

Герои стреляют по броневику, взрыв — и титры...

Броневик стреляет, мощная стена силового поля прошивает героев — и титры на фоне трагического финала: враги сходятся к неподвижно лежащим телам...

Герои бросают «силовики» и, ослабив бдительность противника, выхватывают «пистолеты». Бах-бах! Пара точных попаданий. Потом, выстрелив по второму броневику, герои забегают за другую машину, которая защищает их от всепожирающего пламени взрыва. Запрыгивают на броню уцелевшей машины, где становятся неуязвимыми для ее пушек, находят люки... Бах-бах! Хеппи-энд! Как в плохом фильме.

Но зато счастливый конец, особенно если учесть, что ты не зритель, а герой.

— Что будем делать? — услышал Андрей Валин голос. — У нас ведь есть «пистолеты»...

Он усмехнулся: Валя будто прочитала его мысли о последнем варианте сценария.

Над улицей промчался штурмовик. Краем глаза Андрей увидел еще два приближающихся броневика.

Теперь, чтобы бежать, им необходимо такое везение!..

— Что молчишь? — с усмешкой спросила девушка.

— Сдаюсь...

— Черта с два!!! — Она стукнула его локтем в бок. — По моей команде падаем, а я стреляю в тот броневик...

Андрей быстро оглянулся: до броневика метров тридцать открытого пространства — они превратятся в хорошо прожаренный бифштекс.

— Раз, два... — начала Валя, но Андрей поспешил остановить ее:

— Слишком близко!..

— Но это шанс!!!

— На дороге еще два броневика...

— Взорвешь их!!! Мы можем прорваться!!!

— Мне в лицо, а тебе в затылок смотрят четыре пушки. Мы не успеем упасть...

Теперь оглянулась Валя, больше она уже не говорила.

Андрей воспринял ее молчание как укор. И в чем-то она была права. Предложенный ею безумный план имел мизерные шансы на успех. При условии, что в самом начале, когда они по команде упадут на землю, «сатанинская стрела» не срежет им макушки. А без макушки человек уже не тот!

Поэтому Андрей стоял как вкопанный, играя в «гляделки» с черными глазами силовых пушек. Он несколько раз порывался сказать Вале: «Ладно,

давай командуй!», но холодный взгляд двух пар
бездушных глаз словно загипнотизировал его.

Похоже, пришельцы тоже пребывали в замешательстве и не знали, как разрешить сложившуюся
ситуацию. Они боялись стрелять по беглецам, резонно полагая, что если кто-то из них успеет нажать на спуск, то взрыв броневика похоронит всех
находящихся во дворе.

Две подъехавшие бронемашины остановились
чуть поодаль. Развернувшийся штурмовик вновь
пролетел над улицей.

Андрей почувствовал, как вспотели его ладони,
особенно правая, держащая рукоятку «силовика».

— Значит, все? — спросила Валя.

— В смысле?

— Сдаемся?

Он снова попытался сказать: «Давай командуй!», но не смог. Юноша почему-то был уверен,
что в этот раз им не повезет...

В левой части броневика плавно и бесшумно
открылся прямоугольный люк со сглаженными углами. Показавшийся из него мужчина с «наушни-
ками» на висках и дружелюбным выражением на
лице заявил:

— Эй, мы предлагаем вам сдаться! Гарантиру-
ем жизнь!

— Дайте расписку! — ляпнул Андрей.

— Что дать?

— Расписку в том, что вы не нарушите гаран-
тийных обязательств.

Мужчина долго смотрел на Андрея, вникая в
смысл его слов. Андрей же просто наслаждался
этой реакцией.

Спиной он почувствовал, как вдруг вздрогнула Валя и навалилась на него всем телом.

Тут же что-то острое впилось ему в шею. Андрей вздрогнул, скорее от неожиданности, чем от боли, и почувствовал быстро растекающуюся по телу слабость. Доля секунды — и «силовик» выпал из его ослабевших рук. Еще секунда — и мир окутала непроницаемая тьма...

82

Он падал куда-то, а вернее, парил в какой-то пустоте, наполненной неразборчивыми звуками. И ничему не удивлялся. Пустота — так пустота, звуки — так звуки, парение — так парение! Даже приятно...

Его полет прервала острая колющая боль в шее.

Андрей почувствовал, что лежит на какой-то жесткой поверхности; голова гудела, по телу растекалась слабость. Однако сознание довольно быстро прояснилось.

Снайперы вкололи ему и Вале быстродействующий транквилизатор — словно тигру или носорогу, которых надо прооперировать. Андрей понял, что им снова повезло. Ведь пришельцы все-таки выстрелили транквилизатором, а они вполне могли рискнуть выстрелить на поражение. Нелепо было думать, что они боятся стрелять по беглецам из-за возможности ответного выстрела по броневику. Просто «балахоны» принимали решение: убить или пленить эту парочку?

Повезло... Однако у каждой медали есть две стороны.

Теперь они в плену!

— Он очнулся...

Андрея подхватили под руки и усадили, оперев о какую-то не менее жесткую, чем та, на которой он лежал, поверхность. Большая освещенная комната, без окон, с голыми бетонными стенами и потолком, в углу беспорядочно свалены какие-то коробки с надписями на незнакомом языке. У широких дверей замерли, словно часовые у Мавзолея, два «балахона». Еще двое с «силовиками» в руках замерли посреди комнаты. Трое стояли возле Андрея, внимательно глядя на него. Сам он сидел, прислонившись к стене, конечно, без оружия. В нескольких шагах неподвижно лежала на спине Валя. Присмотревшись, Андрей с облегчением заметил, что она дышит.

Подняв глаза, юноша взглянул на стоящих над ним пришельцев. Все были в черных балахонах, у двоих — капюшоны опущены, а у третьего — нет.

Именно он и привлек внимание Андрея. Высокий, на голову выше стоявших рядом с ним, он распространял вокруг себя какую-то зловещую ауру. Возможно, этому способствовала бесформенная черная маска под капюшоном, которая надежно скрывала лицо.

Это был «колдун», повелитель энергии, как определил его про себя Андрей. Интересно, способен ли он на настоящее колдовство?

— Ты будешь отвечать на наши вопросы?! — не то спросил, не то утвердительно заявил стоявший слева пришелец, мужчина лет сорока с короткими седыми волосами и азиатскими чертами лица. — Кто оказывал вам помощь?

Андрей чуть не расхохотался. Похоже, все пришельцы подвержены этой паранойе. Или в их рядах действительно полно предателей? Но какую же они могут преследовать цель?

— Ты понял вопрос?

— Понял. Тем более что мне его уже задавали.

— Так отвечай...

— Нам действительно помогали. — Андрей с удовольствием отметил, как подались вперед оба пришельца, только «колдун» остался внешне бесстрастным, как статуя. — Случай, везение, фортуна...

— Мы можем убить тебя!

— Я знаю...

— И ты не боишься? Или твоя религия гарантирует вечную жизнь?

— Я атеист...

— И лгун! Кто оказывал вам помощь?

— Ну елки!.. — пробурчал Андрей и громко произнес: — Никто из ваших не оказал нам ни малейшей помощи. Все они честно сражались и пытались нас остановить, но это у них плохо получалось. Видимо, мы попадали на плохо подготовленные части...

— Несколько раз вы вступали в стычки с элитными подразделениями!

— Ну я же не виноват, что ваши элитные подразделения так плохи!

— Мы топчемся на месте! — сказал «седой» тоном, в котором Андрей почувствовал скрытую угрозу. — Твоей девушке введен препарат, замедляющий жизнедеятельность организма. По сути, медленный, безболезненно действующий яд. Или ты правдиво отвечаешь на наши вопросы, или она умирает. Время идет!

Андрей перевел взгляд на Валю. Она дышала. Дышала все медленнее. Или ему просто показалось?

— Никакой помощи не было! — четко выделяя каждое слово, произнес Андрей. — Только обстоятельства, цепь случайностей...

— Время идет! — повторил «седой».

Андрей почувствовал, что его начинает трясти от злобы и бессилия:

— Да, помощь была! Была! Каждый второй из встреченных нами пришельцев спрашивал, не помочь ли нам, предлагал свое оружие, указывал, где находятся врата, а экипажи броневиков вставали в очередь за право подвезти нас...

— Кто был с вами в соседнем измерении? — остудил его пыл бесстрастный голос «колдуна».

Андрей, естественно, не слышал его голоса, но даже от слов телепатического переводчика, по сути расшифрованных его собственным мозгом, веяло ледяным дыханием.

— Местный охотник. Он спас нас, когда нас задержала охрана врат.

— Он тоже проник сюда?

— Нет. Не знаю, что случилось, но он остался в своем мире.

— Посмотри на свою девушку! — резко произнес «колдун». — Сердце ее бьется все медленней...

— Он остался в своем мире!!! — Голос Андрея срывался на крик.

— Вы пытали охранника врат...

— Сначала он вдоволь поиздевался над нами! — скорее перед собой, нежели перед пришельцами, оправдался Андрей.

— Меня это не интересует! — отрезал «колдун». — Что он рассказал?

— Что это — вторжение с целью захвата всех миров Земли, потому как вам, — он кивнул на высокого в капюшоне, — нужен новый мир вместо своего разрушенного, да и вам тоже, — обратился юноша к седому пришельцу, — нужны новые пространства, так как в своем уже тесно.

«Седой», сам, наверное, не заметив того, еле заметно кивнул, словно услышал то, что хотел услышать. Все-таки пришельцы тоже люди и им свойственны слабости.

А Андрей еще больше укрепился в версии, что цель вторжения — не все миры Земли, а только один. А для трех ненужных измерений захватчики найдут применение...

— Ты легко расправился даже с элитными подразделениями, — сказал «колдун». — И утверждаешь, что это везение?

— Ну не знаю, что это!!! — чуть ли не взмолился Андрей. — Эффект внезапности, удача... Может, они не знакомы с подобной тактикой... Вернее, с ее отсутствием. Может, расслабились, не ожидали сопротивления... К тому же оружием вашим очень легко пользоваться...

«Колдун» вдруг развернулся и направился к дверям, пришельцы последовали за ним.

— Эй! — крикнул Андрей им в спины. — А девушка?

— Скоро очнется, — не оборачиваясь, бросил «седой».

Андрей покачал головой. Он чувствовал, что эти любители изысканных пыток духа и воли блефовали, говоря о яде.

Пришельцы покинули комнату, двери закрылись, мягко щелкнул замок.

Андрей перебрался к Вале и нащупал на ее шее пульс. Вроде бы нормальный...

Она пошевелилась лишь через пять долгих, наполненных мучительным ожиданием — вдруг пришельцы не блефовали? — минут. Открыла глаза, и Андрей, к своему удивлению, увидел в них слезы.

— Ну... — Он помог ей сесть и вытер начавшую свой путь по щеке слезу. — Ты чего?

Девушка глубоко вздохнула и взяла себя в руки. Правда, прошло не меньше минуты, прежде чем она сказала:

— Я все слышала...

Андрей непонимающе посмотрел на нее.

— ...но не могла ничего сказать, пошевелиться, даже просто открыть глаза. Я... я не управляла своим телом... А когда услышала, что мне введен препарат...

Поставив себя на ее место, Андрей ужаснулся. Что она пережила за последние десять минут? Все слыша и понимая, неподвижно лежала, не в состоянии даже пошевелить пальцем!

И прислушивалась к своим ощущениям: не замедляется ли ритм сердца, не холодеют ли руки, не останавливаются ли непрерывно действующие процессы организма?

И так почти десять минут!!!

И после этого только одинокая слеза скатилась по ее щеке... Да многие просто сошли бы с ума!!!

Андрей взял девушку за руку и крепко сжал ее ладонь. Как ему повезло, что именно Валя оказалась рядом с ним в эти дни!

83

— Наверное, они из-под фруктов, — сказал Андрей, разглядывая сваленные в углу коробки, на боках которых красовались трехмерные изображения не то мандаринов, не то апельсинов.

— Если бы в них еще было содержимое... — грустно заметила Валя.

Андрей согласно кивнул и подошел к двери. Хотел было проверить прочность замка, но замер, так как снаружи донесся резко оборвавшийся крик, а вслед за ним — встревоженные голоса. Слов он не понимал, видимо, переводчик действовал только при непосредственном контакте, но в интонациях чувствовались тревога и непонимание...

Левая часть двери разлетелась на куски, а пробившее ее силовое поле ударило в стену, разбросав по комнате кусочки бетона. Щепки брызнули Андрею в лицо, он инстинктивно отвернулся и шарахнулся в сторону.

В двери зияло метровое отверстие с дымящимися краями.

Через него донесся резкий звук удара — видимо, еще одна «сатанинская стрела» угодила в бетонную стену — и быстрое шарканье бегущих по заваленному осколками полу ног.

В отверстие головой вперед запрыгнул пришелец. Проскользил пару метров на животе и, вскочив, отпрыгнул в сторону. Над ним, пробив в двери еще одну дыру, мелькнула голубоватая стрела силового поля и врезалась в стену, брызнув осколками бетона.

Пришелец, а это был «седой», в два прыжка оказался возле Вали и, обхватив ее шею левой рукой, правой извлек из-под накидки пистолет и приставил его к виску девушки.

От сильного удара чьей-то ноги двери распахнулись, и в комнату ворвались два пришельца в капюшонах, с «силовиками» в руках. Оружие тотчас было направлено на прикрывшегося живым щитом «седого».

Все произошло так стремительно, что Андрей не то что не успел хоть как-то среагировать, но даже не сразу понял суть происходящего.

Заговор среди пришельцев все-таки имел место!

Прикрываясь девушкой, «седой» отступил в глубь комнаты. Глаза его лихорадочно блестели, он понимал, что загнан в угол. Пистолет его по-прежнему был прижат к виску Вали.

В комнату вбежали еще два пришельца.

Андрей боялся, что они могут проигнорировать наличие живого щита, чтобы добраться до «седого».

— Вы ведь пришли за ней? — закричал беглец. — И за ним?

До Андрея не сразу дошел смысл его слов.

— Отпусти девушку! — негромко сказал один из пришельцев. — Мы договоримся...

— Отпустить?! — истерично хохотнул «седой». — Вы, наверное, шутите, а я — нет!!!

Он метнул на Андрея быстрый взгляд.

Тот мгновенно осознал его значение.

Время замедлило свой бег...

Чтобы показать серьезность своих намерений, «седой» собирался убить Андрея.

Он отвел пистолет от виска девушки и направил на юношу.

Валя ударила держащего ее «балахона» локтем в живот и отклонила в сторону голову.

Ее удар заставил руку «седого» дернуться, и пущенная им «сатанинская стрела» впилась в стену сантиметрах в двадцати от головы Андрея.

В то же мгновение оба пришельца выстрелили. Голова и шея «седого» превратились в кровавое пятно на стене.

В затылок Андрея брызнули осколки бетона, выбитые силовым полем.

Валя вырвалась из безжизненных рук «балахона», и его обезглавленное тело рухнуло на пол. Указательный палец правой руки погибшего несколько раз нажал на спусковой крючок.

Первая «стрела» ударила в потолок над Андреем, еще раз обдав его градом осколков. Вторая угодила в потолок, прямо над телом «седого», немного присыпав его и не успевшую отскочить девушку.

Третьего выстрела не последовало, так как пистолет со срезанной силовым полем кистью отлетел в угол.

Пришельцы опустили «силовики».

— Следуйте за нами! — И двое тут же вышли из комнаты, а двое остались, выжидательно глядя на ребят.

Те переглянулись. Все случилось слишком быстро — с того момента, как в комнату ворвался «седой», не прошло и десяти секунд, — и они просто не знали, что сказать друг другу.

Не оставалось ничего другого, как последовать за пришельцами.

В стенах небольшого коридора зияли выбоины от попаданий «стрел», пол был устлан ковром из кусков бетона и цементной пыли. Под лестницей в неестественных позах лежали два «балахона», стены до самого потолка были забрызганы кровью, в воздухе висел тошнотворный запах жженой плоти.

Быстро шагая между пришельцами, ребята миновали этот коридор и, поднявшись по лестнице, оказались в другом; пол его был тоже завален кусками бетона, а потолок и стены покрыты паутиной трещин.

Андрей предположил, что причиной разрушений является скорее всего не перестрелка, а «волна».

Из коридора они попали в большой торговый зал, треть перекрытий которого обрушилась на заваленные товарами прилавки.

Здесь к ним присоединились еще четыре пришельца-заговорщика, а на полу Андрей увидел тела их противников...

Через зал они прошли к двум броневикам, что стояли прямо на осколках разбитой витрины.

Ночь была окрашена в оранжевые цвета пожарища. Метрах в пятидесяти от этого супермаркета мир тонул в море бушующего огня. Пришельцы в своих жаростойких одеждах не обращали на его горячее дыхание никакого внимания, а вот Андрей и Валя с удовольствием сели в броневик.

Они оказались в помещении, напоминающем салон микроавтобуса, с удобными сиденьями, плоскими экранами вместо окон и мягким неоновым освещением.

Там уже сидел и, похоже, с нетерпением ждал их какой-то парень с приятными чертами лица и мышечной массой, не уступавшей ван-даммовской.

— С освобождением! — улыбнулся он усевшимся на мягкие сиденья с высокими спинками ребятам.

— Благодарим, — ответил Андрей с некоторым подозрением.

К ним подсели еще два пришельца, люк мягко и бесшумно закрылся, броневик плавно тронулся с места и, быстро набрав скорость, влетел прямо в море огня.

— Разрешите представиться, — вновь улыбнулся парень. — Меня зовут Широ. Я, так сказать, абориген этого мира...

84

Броневик вылетел из огненного моря и помчался по улице. Мимо проплывали полуразрушенные дома, замершие вдоль обочин автомобили.

С грустью посмотрев на эту картину, Широ спросил:

— В вашем мире, наверное, то же самое?

Андрей кивнул, рассматривая собеседника — своего ровесника, наверняка пользовавшегося успехом у девушек. Он даже позавидовал бицепсам парня.

— Комфортабельные у них броневики, — похлопав по мягким подлокотникам кресла, заметил Андрей.

— Броневик едет сзади. А это просто бронированный автомобиль.

— Настоящий лимузин... — протянул Андрей. — И к чему такая честь, не знаешь?

— О, нам выпала большая честь! — Широ улыбнулся, но как-то странно, натянуто. — Мы попытаемся остановить вторжение!

Андрей долго смотрел на парня, потом обернулся назад, где сидели два пришельца. Их больше интересовало то, что происходит за бортом машины, нежели слова Широ.

— Остановить вторжение? — переспросил Андрей, поощряя собеседника к разговору.

— Я не знаю всех подробностей предстоящей миссии. Сейчас моя задача — просто встретить вас. Не допустить, чтобы вы натворили глупостей...

— Глупостей?..

— Решив, что между пришельцами возник конфликт, вы могли бы, например, воспользоваться случаем и бежать...

— А что, конфликта нет?

— Конфликт есть, и очень серьезный. Часть пришельцев, причем очень влиятельная, выступала и продолжает выступать против вторжения... Но подожди с вопросами! Я сам узнал обо всем лишь час назад. Сейчас мы едем в штаб оппозиции, где нас должны точно и подробно обо всем проинформировать...

Машина остановилась, люк бесшумно открылся, впустив внутрь прохладный ночной воздух.

— Следуйте за мной! — сказал вынырнувший из темноты пришелец и, не дождавшись, когда приглашенные последуют за ним, исчез из виду.

Андрей выбрался из бронемашины, обернулся, чтобы подать Вале руку, и заметил, как Широ что-то быстро прошептал ей.

— Что он сказал? — спросил Андрей, когда девушка оказалась рядом с ним.

— Что не доверяет пришельцам, — шепотом ответила та, покосившись на двух «черных балахонов», сопровождавших пленников.

Едва группа покинула бронемашину, как та рванула с места и растворилась в ночи.

Андрей огляделся. Метрах в двадцати левее угадывался силуэт броневика. Справа чернел частокол деревьев. Туда и направлялся встретивший ребят пришелец.

Андрей шел, пытаясь привести в порядок свои мысли. Они носились в голове, как стая потревоженных пчел. Одно предположение наскакивало на другое, количество их возрастало в геометрической прогрессии, образуя неописуемый хаос гипотез, версий и вопросов.

Вопросы...

Как они надоели!!!

Кто этот Широ? Подсадная утка? Говорит: «Я не доверяю пришельцам», а на самом деле на их стороне?

Но ведь эти пришельцы — заговорщики! Хотят остановить вторжение... Но для чего?

И почему им понадобились для этого люди из других измерений? Андрей горько усмехнулся. Мало того, что они с Валей столько раз рисковали жизнью, мало того, что устроили безумную скачку по измерениям, так еще оказались втянутыми в какой-то вселенский заговор. Это как трясина: чем больше сопротивляешься, тем сильнее затягивает.

Та, прежняя жизнь казалась теперь такой далекой, хотя еще неделю назад он жил ею. Жил в знакомом мире, среди близких, родных людей. И пусть не всё его устраивало в той жизни, сейчас он буквально зубами ухватился бы за возможность вернуть ее.

Вернуть...

В это просто невозможно было поверить, но прежняя жизнь не вернется уже никогда!

...Пройдя метров пятьдесят, ребята оказались на широкой аллее, посреди которой стоял штурмовик — его трапециевидный силуэт легко угадывался даже в темноте.

Кабина была размером с салон легкового автомобиля: впереди сидели два пилота, сзади имелись места еще для четырех человек. Андрей понял, что скорее всего это не боевой штурмовик.

Внутри кабины не было слышно шума двигателя, просто у Андрея и Вали возникло вдруг ощущение полета, а земля за экранами-иллюминаторами оказалась далеко внизу.

Минут через пять проходившего в молчании полета Андрей увидел внизу освещенную площадку с черным квадратом врат. Так как перед ним не наблюдалось никакой деятельности по прокладыванию дороги, Андрей решил, что эти врата ведут в мир «балахонов».

— А где находится штаб оппозиции? — спросил он у Широ.

Тот пожал плечами, но, проследив за взглядом Андрея, понял его намек.

Словно подтверждая эту версию, самолет, повернув налево, сбросил скорость и снизился, взяв курс на врата.

85

Когда самолет, нырнув во врата над самой землей, вылетел из них на высоте пары километров, у Андрея закружилась голова. Только что земля была совсем рядом, потом вспышка — и вот она уже далеко внизу.

Самолет вынырнул из врат, что располагались на вершине башни, основание которой было скрыто слоем облаков. Над этим серым, едва различимым в темноте ковром, словно стволы деревьев, увешанные гирляндами огней, торчали десятки подобных башен. Каждая из них была хорошо освещена размещенными на ее корпусе прожекторами, поэтому от открывшейся картины просто захватывало дух.

А когда самолет попал в разрыв между облаками, Андрей увидел раскинувшееся до самого горизонта море огней.

Вот он, мегаполис техногенного мира «балахонов»! Еще трудно было разглядеть подробности, но художники-постановщики голливудских фантастических фильмов, похоже, не ошиблись в создании облика городов будущего. Андрей даже на мгновение подумал, что экран-иллюминатор — это экран телевизора, по которому показывают «Бегущего по лезвию бритвы» или «Судью Дредда».

Под самолетом раскинулось упорядоченное нагромождение огней, гигантских зданий, по сравнению с которыми современные небоскребы казались обычными пятиэтажками, и многоярусных улиц, сеть которых опутывала город, словно трехмерная паутина.

— Фотоаппарат бы! — произнесла Валя, и Андрей согласно закивал, безуспешно борясь со своим ртом, который сам собой открывался от изумления, смешанного с восхищением.

Облака вновь скрыли город, но взметнувшиеся вверх гигантские башни по-прежнему возвышались над их бледно-серым ковром.

Самолет снизился до верхнего края облаков, несколько раз круто изменил курс и, описав круг возле одной из башен, влетел в раскрывшиеся ворота ангара, размером с большой спортивный зал, где у стен замерли несколько явно пассажирских самолетов.

Едва их закамуфлированный под штурмовик летательный аппарат приземлился, дверь кабины распахнулась и человек в одеянии, отдаленно напоминавшем деловой костюм, заглянул внутрь и произнес уже ставшую привычной фразу:

— Следуйте за мной!

Быстро, чуть ли не бегом, они перешли в другой самолет, кабина которого была намного просторней и комфортабельней, чем предыдущая. Широкие, мягкие, обтянутые кожей сиденья, отделка «под дерево», микроклимат (здесь было теплее, чем в штурмовике), похоже, понятия об удобстве и роскоши в этом мире были примерно такими же, как в мире Андрея и Вали.

«И ничего удивительного, — подумал Андрей, — ведь все измерения похожи друг на друга, они часть одного целого — Земли». Просто каждый мир жил своей жизнью, имел свою историю.

Измерения являлись разными ликами Земли...

Из ангара вылетели сразу три самолета, видимо, для того, чтобы запутать следы для возможных преследователей.

...После пятнадцати минут полета на большой высоте самолет снизился, прорвался через слой облаков и стремительно приземлился на крышу небоскреба, которая, приняв летательный аппарат, тут же закрылась, подобно тому как закрываются на ночь лепестки некоторых цветков.

В сопровождении того же пришельца в «костюме» пленники прошли к лифту с зеркальными стенами и потолком, который плавно и бесшумно тронулся вниз. Над закрывшимися дверьми сменяли друг друга какие-то знаки, видимо, номера этажей. На двадцать восьмом Андрей сбился со счета, а лифт все продолжал двигаться вниз, и скорость его, хоть и не чувствовалась, наверняка была приличной, так что спустились они, наверное, до самой земли, если не глубже.

Двери открылись в просторной комнате без окон, с несколькими плоскими экранами у стен, парой большущих диванов и просто огромных кресел вокруг стола из темного дымчатого стекла. Комната казалась нежилой и служила, видимо, исключительно для встреч.

В ней находились двое.

Мужчина лет сорока, с волевым лицом, ежиком коротких седеющих волос, облаченный в знакомый темно-серый комбинезон, видимо, являвшийся эквивалентом военной формы. На левом боку у него из наплечной кобуры торчала рукоятка силового пистолета.

Второй, судя по всему, был «колдуном». Высокий, в черном балахоне и капюшоне на голове, под которым не было видно лица.

Двери лифта бесшумно закрылись, и ребята не услышали, поехал он наверх или остался здесь.

— Проходите, садитесь! — вежливо произнес военный, указывая на огромные кресла.

Сев в одно из них, Андрей просто утонул в нем, про себя отметив, что кресло чрезвычайно удобно.

Пришельцы заняли диван по другую сторону дымчатого стола.

— Я Огчес, — представился военный. — Это Апис.

— Андрей.

— Валя.

— Широ.

Андрей не был уверен, что «переводчик» внутри него правильно произносит имя «колдуна», ему послышалось то ли Апис, то ли Эпис, но сейчас это было не суть важно.

— Прежде всего, — начал Огчес, — у нас не так много времени. Вам еще обязательно нужно отдохнуть и привести себя в порядок. Поэтому нет возможности ответить на все ваши вопросы. После выполнения миссии получите исчерпывающую информацию обо всем, что вас интересует. А пока скажу коротко. К нашему общему стыду и огорчению, — он посмотрел на «колдуна», который согласно кивнул, — наши миры объединились для того, чтобы осуществить вторжение в четыре других измерения Земли. Мы представляем группу людей, которая с самого начала противилась этому. Но, к сожалению, мы действовали разрозненно и не смогли сорвать вторжения на стадии его подготовки. Тем более что захват чужих измерений поддерживает большинство обитателей моего перенаселенного и полуразрушенного мира Аписа. Вторжение удалось, организованное сопротивление не оказывается, очень скоро начнется экспансия пришельцев, то есть наших соотечественников, в ваши миры. Это можно остановить. Вы резонно спросите: «Зачем же нужны мы?» Повторюсь, что у нас нет времени объяснять все подробности. Коротко: чтобы остановить вторжение, нужно захватить единственный вход в мертвое измерение, лишив тем самым захватчиков возможности сброса туда лишней энергии. И тогда они не смогут продолжать вторжение. Вы нужны, чтобы преодолеть линию безопасности, созданную вокруг врат.

Огчес замолчал, глядя на слушающих его молодых людей, потом заговорил вновь:

— Я прошу прощения за столь скудную информацию, но операция по захвату врат вступила в завершающую фазу. Прошлая наша попытка захвата провалилась, и теперь мы не имеем права на неудачу. Думаю, и вы заинтересованы в успехе. У вас есть время лишь на то, чтобы привести себя в порядок и немного отдохнуть. Потом, по дороге к вратам в мертвый мир, я вас тщательно проинструктирую...

— Мы не сможем отдохнуть, не зная, что нас ждет впереди, — заметил Андрей.

— Вы заснете гипнотическим сном, — вступил в разговор «колдун», — который полностью снимает усталость. К тому же часть инструкций вы получите прямо во сне.

— О!.. Телепатическая передача?

— Что-то вроде этого, — улыбнулся Огчес. — Теперь я покажу ваши комнаты. В каждой есть душ. В ванной вы также увидите баночки с желеобразным кремом. Тщательно смажете им свои раны и ушибы...

— Нам можно будет поговорить друг с другом? — поинтересовался Андрей.

— Конечно, но уже после душа и недолго. Сейчас вам необходим сон, а не разговоры... Пойдемте со мной!

Они вышли через открывшуюся в стене дверь в небольшой коридор с пятью одинаковыми дверьми.

— Выбирайте любые комнаты! — как радушный хозяин, предложил Огчес.

— И все-таки меня снедает любопытство! — Андрей остановился перед выбранной дверью. — Как же мы поможем вам преодолеть линию безопасности?

— Это очень длинный разговор. Коротко: система безопасности имеет информацию о каждом жителе этого мира и мира Аписа. Вас в ней нет...

— Ага... — протянул Андрей, входя в комнату. Он не поверил ни единому слову Огчеса.

Ни единому!

86

Стоя под лившейся прямо из потолка струей горячей воды, Андрей задавал себе один и тот же вопрос.

Чего в действительности хотят эти заговорщики?

На самом деле остановить вторжение? Так сказать, из принципиальных соображений. Чепуха! За этим должна стоять вполне реальная цель!

Но какая?

Андрей понял, что у него слишком мало информации, чтобы ответить на этот вопрос.

Не мог он разрешить и другую загадку: зачем в действительности заговорщикам понадобились люди из других измерений? Чтобы пройти эту линию безопасности, которая якобы непреодолима для любого представителя многомиллиардного населения этих миров? Бред какой-то!

А может, это бред для представителя другого мира? Может, такая линия безопасности действительно существует?

От бессилия, от невозможности проникнуть в замыслы пришельцев Андрей раздраженно фыркнул. Фыркнул еще раз, когда не обнаружил в ванной полотенца. «Тоже мне, гиганты мысли! Что, теперь мокрому влазить в одежду?»

Словно услышав его вопрос, воздух в ванной зашевелился, со всех сторон, откуда-то из стен, потолка, пола, пошел ощутимый поток теплого воздуха. Он быстро разогнал пар и высушил тело Андрея. Тот хмыкнул и взял в руки баночку с кремом. Содержимое ее действительно было студенистым, желеобразным, оно приятно холодило кожу и даже открытые раны не «щипало».

Андрей снова встал в замешательстве: как он оденется, весь намазанный этим желе, и, главное, во что? Как-то не хотелось надевать на себя грязную, порванную одежду!

Первый вопрос отпал сам собой. Буквально через полминуты от крема на коже не осталось и следа. Он или испарился, или просто быстро впитался. Интересно, успел ли крем подействовать?

Тут же разрешился и второй вопрос. Уловив легкое движение за спиной, Андрей обернулся. В стене напротив двери появилась ниша, где аккуратными стопками лежала одежда. Прежде чем одеться, он внимательно осмотрел ее. Нижнее белье и носки, темно-серые «спортивные» брюки и куртка со множеством карманов, черный свитер и ботинки на мягкой подошве. Андрею показалось, что вся эта одежда будет слишком велика для него.

Но все же он решил попробовать и не ошибся. Начал с белья и уже хотел было снять майку, которая висела на нем, как висела бы одежда баскетболиста на среднестатистическом гражданине, когда, к своему изумлению, обнаружил, что майка прямо на глазах уменьшает свои размеры. Десять—пятнадцать секунд — и она уже была ему в самый раз.

— Хо! — вырвался у Андрея неопределенный звук, и он натянул носки.

Пятка оказалась намного выше, чем следовало, но уже через четверть минуты заняла нужное положение.

Андрей с открытым ртом смотрел на уменьшение размеров носка, словно ребенок, которому впервые показали фокус.

Затем пришла очередь брюк. Он влез в них, и... штаны шлепнулись на пол! Второй раз натянув их, Андрей уже придерживал пояс руками до тех пор, пока брюки не уменьшились до нужного размера.

— Интересно, а если одежда мала, она увеличивается? — спросил он, глядя, как из уменьшающих свою длину рукавов свитера медленно появляются его ладони.

Оставив куртку «на десерт», Андрей покинул ванную и подошел к двери. Та плавно отошла в сторону, едва он дотронулся до белого квадрата на стене. Выйдя в пустой коридор, юноша подошел к соседней двери и постучал.

— Кто там? — донесся откуда-то издалека приглушенный голос Вали.

Она была еще в ванной, поэтому Андрей решил не кричать через двери, а войдя в комнату, произнес:

— Почтальон Печкин... Ты скоро?

— Слушай, тебе одежда подошла по размеру?

— А тебе что, велика?

— Не то слово!

— А ты сначала надень ее!

— Да я же буду как Баба-Яга!

— Надень, надень...

Через полминуты из ванной донесся несколько диковатый возглас. Андрей улыбнулся и сел в мягкое кресло. Минуты через две оттуда вышла одетая точно так же, как он, девушка.

— Волшебство! — воскликнула она, бросив на кровать еще не уменьшенную куртку. Потом поправила немного влажные волосы и добавила: — А вот расчески нет!

— С их короткими ежиками им расчески не нужны! — заметил Андрей. — А тебе и так хорошо!

— Спасибо...

Несколько секунд они смотрели друг другу в глаза, а потом, будто смутившись, отвели взгляды, и Валя спросила:

— Ну, что ты думаешь обо всем этом?

— Врут, причем нагло! По-моему, их даже не заботит, верим мы им или нет... Сюда бы Уссву, с его умением определять, лжет человек или нет!..

— По-моему, он телепат... Ну, или что-то вроде этого! Видел, как пес его слушается?

— Может, пес понимает человеческую речь? — улыбнулся Андрей.

— Да ну тебя!.. А знаешь, я боюсь этого гипнотического сна. Еще сделают из нас зомби...

— Я об этом не подумал, — серьезно произнес Андрей.

У него даже мурашки пробежали по коже. Зомби... Тогда становилось понятным, почему им вешают лапшу на уши...

— А если попытаться бежать? — прервала его размышления девушка. — У нас ведь есть одежда... Правда, этим все и ограничивается.

— Этот мир слишком не похож на наш. Здесь у нас нет никаких шансов... А ведь мы им нужны!!! Они о нас даже заботятся...

— Ага, — мрачно протянула Валя, — на птицефабрике тоже заботятся о пернатых.

— Мы им нужны, — протянул Андрей. — А если надавить на них? Сказать, что знаем об истинной цели вторжения; знаем, что нас обманывают; отказаться от миссии?..

— А если нас просто убьют?

— Зато узнаем, насколько мы для них ценны!

Валя удивленно посмотрела на приятеля, не сразу оценив его черный юмор.

Андрею вновь пришло в голову сравнение с упавшим в ручей листком. Он, как и они сейчас.

не в силах управлять своим движением. Он слепо несется в потоке воды, которая безраздельно контролирует его движение. Он — марионетка.

Как и они...

Дверь плавно открылась, и в комнату вошел Огчес. Хотел что-то сказать, но остановился на полуслове, указав на «наушники» у себя на висках. Андрей забыл свои в комнате, поэтому Валя перевела ему слова пришельца:

— Они ждут нас в зале.

— Хорошо, — кивнул юноша, — только возьму «переводчика».

Они вышли в коридор. Андрей заскочил в свою комнату, Валя хотела подождать его, но Огчес вежливо предложил ей проследовать в зал.

Андрею это не понравилось. Схватив лежащие на столике «наушники», он бросился обратно к двери, но та как назло закрылась перед самым его носом, так что пришлось потратить несколько секунд на то, чтобы открыть замок. Выскочив в коридор, Андрей чуть не столкнулся с Широ.

— Ну и одежда! — воскликнул тот, но, заметив на лице Андрея беспокойство, спросил: — Что-то случилось?

— Нет... Пока нет.

Они вошли в зал.

И тут Андрей понял: что-то все-таки случилось. Что-то изменилось...

Валя уже сидела, но не в кресле, а на диване. Позади нее стоял Огчес.

В кобуре его не было пистолета. Опущенные руки скрывала высокая спинка дивана.

В углу комнаты стояли два пришельца в темно-серых комбинезонах с «силовиками» в руках.

«Колдун» сидел на другом диване таким образом, чтобы не оказаться между ними и креслами на линии огня.

Он указал вошедшим Андрею и Широ на кресла. И сказал на чистом русском:

— С легким паром! У вас ведь так говорят?

87

На Андрея словно вылили ведро холодной воды. Он предполагал, что предоставленные им комнаты могут прослушиваться, но думал, что, не надев «наушников», они обезопасили себя от чужих ушей. И вот тебе на!..

Юноша лихорадочно прокрутил в голове разговор с Валей. Что мог узнать из него «колдун»? Многое, но ничего конкретного.

— У меня не было времени выучить ваш язык в совершенстве, — сказал «колдун». — Поэтому объясните мне, кто такие зомби?

— Марионетки, — ответил Андрей, — люди, подчиненные чужой воле.

— А-а, — было слышно, как «колдун» рассмеялся. — Мы не собирались превращать вас в них.

— А подчинять себе? — поинтересовался Андрей.

— Вопрос в том, в какой степени подчинять. Но обо всем по порядку. Забудьте практически все, что было сказано Огесом. Он сочинил эту сказку на ходу. Мы просто ждали поступления более подробной информации о ваших подвигах. — Он посмотрел на Андрея и Валю. — Теперь мы ее получили и полностью раскрываем свои карты. Но для начала еще один вопрос: какова же, по-вашему, истинная цель вторжения?

Андрей недолго колебался с ответом, так как скрывать свою версию уже не имело смысла.

— Цель: мир динозавров. Другие измерения вас... ну, ваших соотечественников не интересуют.

— Браво! — воскликнул «колдун». — Вы почти правы! И все-таки почти: ни нас, ни наших соотечественников не интересуют измерения Земли. В том числе и мир динозавров...

Андрей недоуменно поднял брови. Не интересует ни один из миров Земли? Но это же какой-то нонсенс!

— Вы ошиблись в главном, — продолжил «колдун». — То, что вы посчитали вторжением, на самом деле является бегством. Бегством с Земли... Довольно давно, когда все вы были еще детьми, наши предсказатели будущего — вы бы назвали их оракулами, провидцами — увидели, что Землю, все семь ее измерений, ожидает ужасный катаклизм... Апокалипсис, Конец Света — называйте, как хотите. Не думайте, что заглянуть в будущее так же легко, как выглянуть в окно. Это похоже, скажем, на встречу кораблей в сильный туман. Ты видишь, что какой-то корабль приближается к тебе, но различить его деталей не можешь. Кроме этого, попытка заглянуть в будущее опасна высвобождением колоссальной энергии. Так был разрушен наш собственный мир, — помрачнев, заметил Апис. — Мы объединили свои силы с передовыми технологиями мира Огчеса и начали подготовку к бегству. Затем началось то, что вы посчитали вторжением... Такова предыстория.

Слушая рассказ «колдуна», Андрей даже задержал дыхание. Такое объяснение было не просто невероятным. Оно никак не желало укладываться в сознании, даже несмотря на то, что Андрею пришлось пережить столько невероятных событий. Но оракулы, туманное будущее, катаклизм, бегство с Земли — это уже слишком!

Бегство... Куда???

Он вдруг понял то, что упустил из виду, когда решил, что пришельцам нужен мир динозавров.

Ведь за этим крайним седьмым измерением могут лежать и другие миры!

Ему вспомнились гигантские врата, что он с Валей видел в мире динозавров. Наверняка они ведут именно туда!

Полностью подтверждая его предположение, Апис продолжил:

— За миром динозавров, если так можно выразиться, за более толстой стеной, лежат другие миры. Первый же из них не заселен разумными существами и пригоден для жизни. Он и является истинной целью вторжения, а по сути — бегства. Ровно через день начнется завершающий этап этой операции — грандиозное переселение восьмимиллиардного мира. Только представьте: восемь миллиардов человек пройдут через четыре измерения, чтобы оказаться в новом мире!..

Андрей представил другое. Пять миллиардов (нет, меньше, из-за разрушительной «волны») остянутся в их собственном мире да плюс еще неизвестное число в измерении Уссвы и «духовном» мире. Они останутся в своих полуразрушенных мирах, чтобы дождаться катаклизма.

— Но мы не хотим допустить этого! — добавил «колдун», окончательно сбив Андрея с толку. — Восемь миллиардов — слишком много для одного мира!..

— А-а, теперь понятно! — перебил его Андрей. — Вы, группа «колдунов» и их сторонников из техногенного мира, хотите попасть в новый мир в более малочисленном составе...

— Совершенно верно! Не восемь же миллиардов брать с собой!

— Но это ведь предательство!

— Это здравый расчет, — спокойно отреагировал на выпад Андрея молчавший до этого Огчес. — Появление в новом мире такой массы людей может стать для него гибельным.

— И сколько же вас? — спросил Андрей.

Огчес улыбнулся, давая понять, что не собирается раскрывать точных цифр.

— Скажем так: семьдесят процентов всех «колдунов» и равное им число моих соотечественников. Плюс еще три человека. — Он многозначительно посмотрел на ребят.

— Что мы должны сделать, чтобы получить место в новом мире? — спросил Андрей, понимая, к чему он ведет.

— Уничтожить врата в мертвое измерение, — коротко произнес «колдун».

— Почему вы думаете, что нам легче будет их уничтожить?

— У нас есть план, — вновь заговорил Огчес, — но мы пока не можем посвятить вас в его детали. По городу в ваших поисках рыщут агенты противника. Нельзя не учитывать возможность того, что по пути к вратам вы будете схвачены...

— Понятно, — перебил его Андрей, — мы ничего не сможем сказать, так как ничего не знаем.

— В таком же положении все остальные участники операции. Они и вы узнаете все подробности перед самым ее началом. Простая предосторожность...

— А может, вы заранее знаете, что все участники операции погибнут?

— Я пойду вместе с вами! — сказал Огчес.

Казалось бы, это выглядело успокаивающе, но спокойствие почему-то не приходило.

— Мы пойдем втроем? — спросил Андрей, имея в виду себя, Валю и Широ.

Апис, верно поняв его, ответил:

— Нет, вдвоем.

В комнате воцарилась напряженная тишина. «Силовики» в руках двух «балахонов» уставились на Андрея черными глазами стволов. Огчес внимательно следил за его реакцией.

Андрей посмотрел на Валю. И он, и она прекрасно поняли, кто останется.

Останется в заложниках.

Вот что имел в виду «колдун», говоря о той или иной степени подчинения. Андрей не будет превращен в зомби, но все равно будет подчинен воле пришельцев, так как в их руках останется Валя.

— Грязная игра, — сказал он, с трудом оторвав взгляд от глаз девушки и посмотрев на стоящего над ней Огчеса.

— Еще одна вынужденная подстраховка, — ответил тот. — Ей не будет причинено никакого вреда, если вы, конечно, не совершите глупостей...

— Мы заговорились, — сказал «колдун», вставая. — Вам нужно отдохнуть, а заодно и получить некоторую информацию. Прошу в свои комнаты!

Андрей нехотя поднялся. Огчес вежливо придержал попытавшуюся встать девушку. На душе у Андрея скребли кошки.

Ему вдруг показалось, что он видит Валю в последний раз...

88

...Андрею снились какие-то подземелья: мрачные, залитые водой залы, погруженные в темноту проходы, тоннели с низкими потолками, глубокие шахты и лестничные марши с выщербленными, потрескавшимися ступенями. Он бродил по этим бесконечным молчаливым лабиринтам, не слыша звука собственных шагов, не чувствуя запахов и не ощущая сырости.

Тоннели, проходы, шахты, лестницы... На всем лежал невидимый, но явственно ощущаемый налет времени.

Капли падали с потолка и почему-то совершенно беззвучно разбивались о каменный пол.

Он шел по широкому коридору и вдруг оказался у черного люка вентиляционного отверстия. И полетел по погруженной в кромешную темноту шахте. Вверх, навстречу маленькому кругу серого света.

Очутился в большом помещении, куда через огромные, высотой метров пять-шесть, проемы окон вливался свет, но уже не унылый, серый, а пляшущий красноватый. Он подошел к одному из окон и увидел пустынную землю, что тянулась до самого горизонта, и окрашенное в красноватые тона небо, нависшее над ней безбрежной громадой.

Вдруг среди этой пустоты и уныния зазвучал отдаленный голос, говоривший что-то на незнакомом языке.

...Андрей проснулся от легкого толчка в плечо. Над ним стоял Огчес, уже облаченный в черный балахон. Он снял с головы Андрея «наушники» переводчика и водрузил на их место телепатический аппарат.

— Оракулы сообщают, — сказал он, — что катаклизм приближается.

Андрей равнодушно кивнул, прислушиваясь к своим ощущениям. Он бы не сказал, что хорошо отдохнул, даже наоборот: голова стала какой-то тяжелой.

— Что-то я не чувствую себя обремененным новой информацией.

— Что тебе снилось? — спросил Огчес.

— Какие-то заброшенные подземелья... Это и есть информация?

— Да. Надень!

Он протянул ему черный балахон и направился к двери. На ходу надевая его, Андрей поспешил за Огчесом.

— Я могу поговорить с Валей? — спросил юноша, почему-то уверенный в отрицательном ответе.

— Когда вернешься...

— Я обязательно вернусь за ней! — перебил его Андрей.

Он надеялся, что Огчес понял его намек.

Он вернется за ней, даже если это не входит в планы пришельцев!

Двери лифта в комнате для встреч были открыты. Там их ждал уже знакомый человек в «костюме». А в самой комнате находились Широ, «колдун» и два «балахона». Все вошли в лифт, подъем прошел в полном молчании.

«Лепестки» крыши были подняты, и Андрей увидел только поднявшееся над горизонтом красноватое солнце. Ничего больше он рассмотреть не смог, так как вместе с Широ, Огчесом и двумя «балахонами» оказался внутри небольшого, явно грузового самолета без иллюминаторов.

— Думаю, эти мелкие неудобства грузового самолета не испортят вам настроения, — произнес «колдун» и добавил по-русски: — Ни пуха ни пера!

— К черту! — машинально ответил Андрей и произнес знаменитую фразу Терминатора: — «I will be back!»*

— Of course**, — ответил «колдун».

«Чертов полиглот! — подумал Андрей. — Может, он еще и «Терминатора» смотрел? На языке оригинала...»

...Первые пять минут полета проходили в молчании.

Сидя на жесткой скамье, Андрей уставился на торчавшие из-под длинных пол «балахона» носки

---

* «Я вернусь!» *(англ.)*
** Конечно *(англ.).*

своих ботинок. Перед глазами у него стояло Валино лицо, на сердце была огромная тяжесть. Он не знал, держат ли пришельцы свои обещания.

Андрею вдруг вспомнились билеты на колокольню — талисман их удачи. Где он оставил свой? В брюках, на даче... А где Валин? Наверное, у нее дома. Сможет ли сила этих талисманов пробить стены между измерениями и проникнуть сюда?

Андрей больше не мог молчать и обратился к сидящему рядом Широ:

— Говорят, твой мир похож на наш, только с другими моральными принципами...

Широ вдруг помрачнел и бросил короткий взгляд на Огчеса.

— Ты задел его больную тему, — сказал тот Андрею. — Он узнал правду о своем мире.

— Какую?

— Это долгий рассказ. — Широ был мрачен. — В общем... Наш мир строился на принципах высокой морали и духовности. Люди в нем делились на «духовников» и «технарей». Первые не работали, занимались искусством и наукой, а вторые... ну, обеспечивали их потребности, что ли...

— Я понял, — кивнул Андрей.

— И я никогда раньше не задумывался, каким образом поддерживалось равновесие между двумя этими группами. Ведь, по сути, «духовники» жили за счет «технарей»! И совсем недавно я узнал, — он вновь бросил короткий взгляд на Огчеса, так что Андрей понял, от кого он это узнал, — что «духовники» уже несколько веков обладали генетическим оружием. И с позиции силы, а не высокой морали заложили основы своего «духовного» общества...

— А ты «духовник»? — спросил Андрей мягко.

— Да...

Андрей не мог ощутить всей глубины трагедии Широ. Там, в тюрьме, узнав правду от одного из «колдунов», юноша сначала не поверил в нее. Генетическое оружие?! Насильственное разделение мира на «духовников» и «технарей»?! Благополучное общество с высокими моральными принципами, покоящееся на насилии и неравноправии?

От шока Широ спасло лишь сознание того, что этого общества уже нет. Его вдребезги разбила «волна»...

Из переговорного устройства донесся голос пилота, и Огчес спокойно повторил его слова:

— Нас преследует патруль...

89

Андрей выпрыгнул из самолета и, следуя короткой инструкции Огчеса, побежал вместе с Широ вслед за одним из «балахонов». Он сразу понял, что находится на крыше небоскреба.

На ходу он оглянулся и как раз вовремя.

Над крышей расположенного совсем рядом соседнего небоскреба завис патрульный самолет. Огчес и второй «балахон» выстрелили по нему из гранатометов.

Первый взрыв уничтожил кабину пилотов, а тут же последовавший второй снес всю правую часть трапециевидного аппарата.

Оставляя дымный след, множество горящих осколков попадало на крышу, а объятая пламенем оставшаяся часть самолета начала свое медленное падение. Зацепив края крыши, она разбила окна верхнего этажа. Сверкающим потоком осыпались стекла, а вслед за ними, почти соприкасаясь со стеной небоскреба, полетели разрозненные куски самолета.

О том, сколько бедствий они натворят внизу, приходилось только догадываться.

Сбежав по короткой лестнице, они миновали несколько узких коридоров и оказались в большом, совершенно пустом помещении с низким потолком и закрытыми непрозрачными щитами окнами.

Посреди него стоял черный квадрат врат, верхний их край почти упирался в низкий потолок. Возле квадрата находились два человека в цветастых одеждах, у ног их лежала такая же яркая сумка.

Не останавливаясь, два «балахона» запрыгнули во врата и растворились в их темноте.

Огчес подбежал к «цветастым», которые при его приближении раскрыли сумку. Он извлек оттуда две непрозрачные прямоугольные маски и передал их Андрею и Широ:

— Прибор ночного видения. Знакомство с другими его функциями вам не понадобится. Поставлен на автоматический режим. Надевайте!

Андрей не понял, что значит «поставлен на автоматический режим», но надел прибор, понимая, что нужно спешить, пока сюда не слетелась вся полиция этого мегаполиса.

Сначала была темнота, но потом появилась картинка, ничем не отличавшаяся от той, что он видел без прибора. Андрей решил, что автоматический режим означает возможность видения при любом количестве света, как минимальном, так и максимальном.

Огчес надел свою маску и извлек из сумки два «силовика».

— Мы вам доверяем! — сказал он, протягивая их. — Надеемся на взаимность!

Когда «силовик» оказался в руках Андрея, он сразу же подумал о сопротивлении. Но был уверен, что пришельцы учли возможность его бунта. Нельзя, нельзя рисковать! Его ошибка будет стоить Вале жизни.

«Цветастые» забросили пустую сумку во врата и со всех ног бросились к ближайшей двери.

Странно, сверхсекретная операция, а уже в самом ее начале их обнаруживают...

— Надевайте капюшоны — и вперед! — сказал Огчес, указав на черный квадрат.

Андрею вспомнились неприятные ощущения, что возникали после выхода из врат, но сейчас он был уверен, что их не будет.

Надев капюшон, юноша шагнул во врата.

Вспышка, больно ударившая по глазам, неуловимое ощущение полета — и чья-то рука, подхватив его, отводит в сторону.

Андрей чувствует легкое головокружение, мир уходит из-под ног, он с трудом удерживает равновесие, по спине пробегает холодок, руки сжимают «силовик», чтобы не выронить...

Но буквально через несколько секунд все проходит.

Андрей понял, что стоит в стороне от врат. Его привел сюда «балахон», чтобы не мешать появлению Широ. Сам Широ — рядом, стоит, широко расставив ноги, словно моряк на палубе качающегося на волнах корабля.

Из врат выпрыгнул Огчес и быстро осмотрелся вокруг. Похоже, у него вообще не возникает неприятных ощущений, связанных с проходом между измерениями. Видимо, привычка.

Андрей с удивлением отметил, что свет, льющийся из квадрата, абсолютно не режет глаз и он может смотреть на врата не жмурясь. Ну да, конечно! На его лице теперь прибор-маска. И без всякого вреда для глаз он сможет смотреть даже на вспышку ядерного взрыва.

Андрей огляделся вокруг.

Они находились в небольшом помещении с каменным полом, потолком и стенами. Камень потемнел от сырости, повсюду блестели капли воды.

И на всем лежала печать времени...

Сон!!! Подземелья!!!

...Один из «балахонов» что-то устанавливал на стене. На противоположной стороне Андрей увидел предмет, напоминавший хоккейную шайбу. Понятно, они собираются взорвать зал!

— Еще не время проинструктировать нас? — поинтересовался Андрей, подойдя к Огчесу.

— Время сматываться! — с усмешкой проговорил тот и побежал к единственному выходу из зала.

Широкий коридор, скользкий пол, под ногами хлюпает вода. Теперь Андрей видел все примерно так же, как если бы на нем был обычный прибор ночного видения из его измерения. Ну, может, картинка здесь была более мягкой и четкой.

Впереди маячила спина Огчеса, сзади слышался топот ног и хлюпанье воды.

Они свернули на узкую винтовую лестницу. Андрей поскользнулся, но не упал, ухватившись рукой за влажные камни стены. По узким ступеням текли маленькие ручейки, затрудняя и без того нелегкий подъем.

Даже Огчес один раз чуть не упал.

Они свернули в тоннель со сводчатым потолком, а лестница продолжала подниматься куда-то вверх по спирали.

Пробежав метров двадцать, остановились. Огчес сделал знак одному из «балахонов». Андрей не видел, как среагировал тот, но пол ощутимо вздрогнул, по стенам прошла мелкая дрожь, и через некоторое время до слуха долетел глухой рокот взрыва.

Андрей ожидал возобновления бега, но, к его удивлению, Огчес пошел вперед спокойным шагом. Это уже выглядело нелогично. Им бы следовало добраться до врат в мертвый мир раньше чем там поднимут тревогу. Андрей чувствовал какой-то подвох.

Однако спрашивать об этом Огчеса было бесполезно. Поэтому он заговорил о другом:

— Что это за подземелья? Или тоже секрет?

— У вас это называется фамильным замком, — ответил Огчес.

— И чей же это замок?

— Это был замок семьи Аписа.

— Мрачноватый... Он что, весь под землей?

— Нет, но верхняя часть сильно разрушена.

— Оракулами?

— Грубо говоря, да. А точнее, неконтролируемой энергией...

— А на что похож ее выброс?

— Ты ведь взрывал наши броневики? Этот взрыв составляет примерно одну тысячную от мощности выброса.

Андрей присвистнул:

— А когда мы взорвем врата в мертвый мир, будет такой же выброс?

Огчес повернул к нему голову, и Андрей пожалел, что не может видеть выражения его лица.

— Терпение, скоро все узнаешь.

— Вы злоупотребляете нашим терпением...

— Такова ваша миссия! — резко ответил Огчес, и Андрею показалось, что в голосе его прозвучали нотки раздражения и даже злобы.

...Коридор выходил в огромный зал с высоким сводчатым потолком и гладкими стенами, на которых блестела влага. Пол был по щиколотку залит водой.

Огчес, не останавливаясь, вступил в нее и как ни в чем не бывало зашагал дальше. Немного помедлив, Андрей с опаской последовал за ним, ожидая почувствовать холод пропитывающей ботинки воды. Однако ничего подобного не произошло.

Ботинки были непромокаемы, так что вода лишь хлюпала под ногами, словно сердилась, что не может намочить нарушителей ее спокойствия.

И тут случилось неожиданное.

В конце зала, в проеме дверей, появились два человеческих силуэта...

90

Андрей едва успел констатировать факт появления людей, а Огчес уже открыл огонь.

Вскинув руки, противник, находившийся слева, отлетел в глубь проема. У плеча Андрея мелькнула «стрела», пущенная шедшим сзади «балахоном», — и второй силуэт исчез в фонтане искр и огней, вызванном попаданием силового поля в каменную стену. Еще одна «стрела» рванулась в проем.

— За мной! — скомандовал Огчес и, выстрелив в глубь тоннеля, из которого появились неизвестные, бросился вперед.

Оттуда последовал ответный выстрел.

«Стрела» пронеслась метрах в пяти от него. Взметнулись тучи брызг и клубы пара. Брызги и кусочки камней долетели и до Андрея, застучали по маске и балахону.

Огчес скрылся в облаке пара, Андрей обежал воронку.

Спокойствие воды, которое она хранила, наверное, десятки лет, было окончательно нарушено. Вода заволновалась, забурлила под ногами бегущих, волны разошлись по всему залу...

В проеме, присыпанные камнями, лежали два тела. От их одежды поднимался густой пар.

Впереди лежал длинный, пустой, залитый бурлящей водой тоннель. В его стенах виднелись темные проемы ответвлений.

Огчес подскочил к первому из них и, прежде чем войти в него, выстрелил. Из проема ударил фонтан искр.

Заскочив в проем вслед за Огчесом, Андрей вынужден был резко остановиться и даже отпрянуть назад, так как оказался на самом краю колодца шахты. На другой его стороне, всего лишь в двух-трех метрах от Андрея, шипели обожженные выстрелом камни стены.

Шахта была глубокой, со своего места юноша даже не видел ее дна, для этого нужно было встать на самый край колодца, на скользкие предательские камни.

— Не здесь! — бросил Огчес, наверное, имея в виду, что неизвестных здесь нет, и, вернувшись в тоннель, кинулся к другому колодцу.

«Балахоны» проверяли шахты в другой стене тоннеля. Андрей и Широ держались ближе к Огчесу, но внутрь колодцев не заглядывали.

— Есть! — крикнул один из «балахонов» и тут же выстрелил вниз из гранатомета.

Потом еще раз.

Громыхнуло, пол вздрогнул, из колодца вырвались клубы дыма. Через мгновение снизу пришла новая волна грохота, будто где-то там, под ними, рушились каменные стены и потолки.

Огчес, казалось, с удовлетворением вслушивался в этот постепенно затихший гул. Минуту спустя он уже шагал по тоннелю дальше. Будто ничего чрезвычайного не произошло, будто не было никакой стычки, трупов на пороге зала и, возможно, засыпанных завалом людей.

Андрею все это жутко надоело. При виде удаляющейся спины Огчеса у него даже зачесался указательный палец. Но он сдержался: глупо было бы стрелять, имея за своей спиной двух «балахонов».

...Дальнейшее напоминало его сон.

Залитые водой залы сменяли друг друга. Мрачные проходы, тоннели с низкими потолками сливались в один бесконечный заброшенный коридор. Машинально переставляя ноги, Андрей поднимался по выщербленным, потрескавшимся ступеням. С опаской обходил бездонные колодцы шахт.

Он устал, но не физически. Неизвестность, тревога, всевозрастающее напряжение давили на его плечи невидимым, но тяжелым грузом.

...Они шли по очередному, но уже более сухому залу, когда до слуха долетел отдаленный гул. Он то приближался, то отдалялся, словно играя с людьми. Пол задрожал мелкой дрожью, будто его охватила лихорадка. Андрей с опаской посмотрел на потолок: не рухнет ли он сейчас?

А Огчес по-прежнему спокойно шагал впереди, словно все было абсолютно нормально.

Очередной тоннель показался Андрею знакомым. Гладкий потолок, какие-то выступы на стенах... У Андрея возникло навязчивое ощущение, что нечто подобное он уже где-то видел. Юноша даже перестал обращать внимание на все еще продолжавшийся гул.

Вот сейчас по бокам должны быть две винтовые лестницы...

Десяток шагов — и Андрей увидел их!

— Это все гипносон! — услышал он голос Широ. — Мы хорошо ориентируемся во всех этих подземельях!

Андрей согласно кивнул. Похоже, в их сознание действительно заложили информацию о подземельях.

А когда через пять минут Огчес свернул в узкий коридор, где нужно было идти опустив голову, Андрей и Широ хором воскликнули:

— Там же тупик!!!

— Я знаю, — невозмутимо ответил тот, продолжая идти, хотя впереди уже виднелась глухая каменная стена.

Андрей не видел, что сделал Огчес, но стена вдруг со скрипом и лязгом стала втягиваться в боковую стенку тоннеля. Это был самый обычный тайный ход, и о нем, конечно же, знал владелец замка «колдун» Апис. Андрей подозревал, что ведет этот ход прямо к вратам в мертвый мир.

За уступившей им дорогу стеной было сухо. Узкий тоннель вывел в знакомый Андрею и Широ широкий коридор с низким потолком.

Где-то впереди должно быть вентиляционное отверстие, здесь они парили во сне.

Пройдя шагов двести, они увидели его. Метрового диаметра черный глаз в потолке. И никакого круга серого света вверху.

Огчес показал, как закрепить «силовик» под балахоном на комбинезоне, и, подпрыгнув, ухватился за скобы в шахте. Андрей последовал его примеру.

Никакого парения, только работа рук и ног. К радости Андрея, скобы были нержавыми, сухими и нескользкими.

Он поднимался все выше и выше, но света впереди по-прежнему не было. По подсчетам Андрея, было преодолено уже метров тридцать, он даже почувствовал усталость в руках. Еще бы, взобраться чуть ли не на пятнадцатиэтажный дом!

Огчес наконец остановился, и после минутной возни и недовольного бормотания (Андрей уже подумал, не забыл ли тот что-то важное) в шахту проник лучик серого цвета. Со знакомым уже лязгом и скрипом отъехал в сторону мощный люк, позволив им выбраться в большое помещение, куда через огромные, высотой метров в пять-шесть, окна вливался унылый, серый свет. Это было еще одним несоответствием со сном.

Но Андрей тут же понял, в чем дело, и снял прибор-маску. В глаза ему ударил пляшущий красноватый свет, и юноша заморгал, привыкая к нему.

Не снимая маски, Огчес осторожно подошел к ближайшему окну. Андрей последовал за ним. Он ожидал увидеть унылую, пустынную землю, что тянется до самого горизонта, и красноватое небо над ней.

Но увидел нечто другое...

91

Небо действительно имело красноватый оттенок, горизонт постоянно озарялся яркими вспышками. Если бы не этот странный цвет, можно было бы подумать, что за окнами гроза.

На этом все сходство со сном кончалось.

Сразу за окном начинались практически сровненные с землей руины. Просто один огромный, заваленный оплавленными камнями пустырь. Казалось, что он тянется до самого горизонта, но, приглядевшись, Андрей понял, что пустырь уходит вдаль метров на четыреста. Видимо, на этом месте стояла наземная часть фамильного замка Аписа.

А метрах в пятистах, сразу же за пустырем, располагалось приземистое сооружение, напоминавшее вогнанную в землю гантелю. Возле него Андрей увидел два светящихся квадрата врат, из которых один за другим появлялись броневики. Словно большие жуки, расползались они по проложенным прямо среди руин дорогам. В небе, подобно грифам, кружили трапециевидные штурмовики.

Похоже, здесь разворачивалась крупномасштабная операция с привлечением большого количества техники и живой силы.

И Андрей догадался, какова цель этой операции.

Цель — они, группа из пяти человек.

При виде всей этой техники ему стало не по себе, но зато Огчес сохранял поистине феноменальное спокойствие.

— Чудесно! — сказал он, глядя на расползающиеся среди руин машины. — Теперь я расскажу о вашей миссии. Апис составил этот план еще до контакта «колдунов» с нашей цивилизацией. Там, — он указал на гантелеобразное сооружение, — врата в мертвый мир. Апис специально построил тайный ход и шахту, соединяющие подземелья его замка со зданием, в котором мы сейчас находимся. Это своего рода запасной вариант, и он, как видите, пригодился. Апис является одним из руководителей переселения двух миров с Земли, поэтому ему легко вести двойную игру. Так что когда до наших противников дошла некоторая информация и они стали подозревать о заговоре, ему удалось удержать ситуацию под контролем. Особенно это касается врат в мертвый мир. Раньше они практически не охранялись, но совсем недавно здесь создали несколько линий безопасности. Одна из них проходит в подземельях. Но, как вы понимаете, ее созданием руководил владелец замка, досконально знавший свои владения...

— То есть сам Апис!

— Совершенно верно. Так что, когда мы появились в подземельях, все ловушки и средства наблюдения были отключены. Представляете, какой шок это вызвало у охраны! А теперь добавьте сюда дезинформацию о том, что к вратам направляется диверсионная группа, в составе которой члены элитных спецподразделений из других миров Земли...

— Мы, что ли?

— Естественно. Причем в эту дезинформацию они поверили, потому что знали о ваших, — Огчес обратился к Андрею, — прыжках по измерениям и стычках с войсками. Не важно, что вам просто исключительно везло! И о твоем, — Огчес посмотрел на Широ, — нападении на колонну и бегстве из тюрьмы. Так что представьте, какая паника началась сейчас среди охраны врат, когда они узнали о том, что к ним приближается диверсионная группа из жутких головорезов, когда вдруг отключилась линия безопасности в подземельях, а один из посланных туда отрядов, перед тем как связь с ним окончательно оборвалась, успел сообщить, что диверсанты уже совсем близко...

— И они просто начали взрывать подземелья! — закончил за него Андрей, имея в виду шедший снизу грохот.

— А мы здесь, у самых врат! — по-мальчишески улыбнувшись, воскликнул Широ, но тут же снова стал серьезным. — Но как мы доберемся до них?

Взглянув на десятки броневиков и штурмовики в небе, Андрей тоже задался этим вопросом.

— А нам и не надо добираться до них, — загадочно произнес Огчес. — Если вы еще не поняли, скажу. Наш рейд — самый обычный отвлекающий маневр. Врат уничтожать мы не будем, это сделают другие. Свою задачу мы практически выполнили: все внимание противника сосредоточено на нас.

— И так ли уж необходимо было держать все это в тайне от нас? — воскликнул Андрей.

— Предосторожность. Если бы вас схватили, то об отвлекающем маневре стало бы известно...

— А как в действительности уничтожат врата? — спросил Широ.

— Видите ли, мертвый мир — очень нестабильная система, — неторопливо, будто собираясь прочитать лекцию, начал Огчес. Андрей даже подивился: окруженные противником, они преспокойно беседуют о других мирах, — переполненная чистой энергией. Именно поэтому существует только вход в него, и нигде вы не найдете выхода. Едва появится выход — тут же произойдет мощнейший выброс энергии.

— То есть кто-то из «колдунов» создаст рядом с вратами в мертвый мир выход из него? — предположил Андрей.

Огчес кивнул.

— Но почему так сложно?! — удивился Широ. — Не легче ли просто взорвать врата?!

— Не забывай, что среди наших противников тоже есть «колдуны». Они тут же создадут другие врата.

— А разве они не смогут создать другие врата, если предыдущие разрушены выбросом? — Андрей чувствовал какие-то несоответствия.

— Как говорят у вас, в этом вся соль. Выход из мертвого мира станет постоянным источником выбросов и их головной болью. Ведь совсем рядом так называемая Долина Оракулов. — Огчес указал на горизонт, где вспыхивали красноватые молнии. — А катаклизм приближается, и оракулам нужно постоянно следить за его приближением. Выбросы представляют для них реальную угрозу. Минимум день все силы нашего противника будут брошены на выход из мертвого мира. За это время мы покинем Землю.

— А не кажется ли вам, что именно ваши действия станут причиной катаклизма? Ведь он стал приближаться, когда ваша операция вступила в завершающую фазу...

— Апис думал над этим. Он уверен, что от наших действий пострадает только этот и без того разрушенный мир. Катаклизм же развивается сам по себе.

...Броневиков на пустыре среди руин стало намного меньше, они скрылись где-то слева от окон, видимо, в районе известных охране выходов из подземелий.

— А что это, собственно, за здание? — спросил Андрей, еще раз оглядев пустой зал.

— Главенствующая здесь высота, — ответил Огчес и, указав пальцем вверх, добавил: — Там находится наблюдательный пункт охраны врат...

92

— Наблюдательный пункт?! — хором воскликнули Андрей и Широ, с опаской посмотрев на потолок.

— Там постоянно находятся два человека, — спокойно продолжал Огчес, — возможно, сейчас их пятеро или шестеро. На данный момент они заняты координацией действий прибывших войск, так что им не до нас...

— И что, это здание не охраняется?

— Конечно, охраняется. Снаружи... Ведь ход, по которому мы прошли, все-таки тайный, и считается, что в это здание из подземелья попасть невозможно... Нам осталась небольшая и самая сложная часть работы. Окончательно дезориентировать непосредственную охрану врат, отвлечь ее внимание на себя, чтобы дать возможность второй группе высадиться там, — Огчес указал на гантелеобразное здание, — а пришедшему с ними «колдуну» создать врата-выход.

— И как мы будем отвлекать внимание? — поинтересовался Андрей.

— Захватим наблюдательный пункт! Вы останетесь здесь. Задачу помните? — обратился он к двум «балахонам», которые утвердительно кивнули в ответ. — А вы за мной!

Андрей и Широ поспешили за Огчесом, который на ходу стал инструктировать их:

— Наверху нас не ждут. Идете за мной, прикрываете фланги и тыл. Позже я покажу камеру, передающую изображение в командный центр охраны. Ты, Андрей, войдешь в зону действия камеры, причем без капюшона, и уничтожишь ее. Я в это время заложу мины. А потом мы отходим в зал, к люку.

— И что, моя физиономия дезориентирует охрану и отвлечет внимание? — поинтересовался Андрей.

— Да, учитывая, что для них ты — один из коммандос. Не забывайте еще, что они не знают цели нашего нападения. Скорее всего предполагают, что мы хотим просто захватить врата... А теперь — внимание!

Он остановился перед узкой стальной дверью в стене. В левой руке Огчеса появился прибор, напоминающий небольшого размера дистанционный пульт, и через пару секунд дверь послушно поднялась вверх.

Надев маски, они стали подниматься по узкой лестнице, на ступенях которой лежал толстый слой пыли.

Мысли в голове Андрея проносились, как стадо испуганных антилоп. Чем дальше, тем меньше ему верилось в реальность происходящего.

Вторжение, которое оказалось бегством... Заговорщики, которые хотят оставить за бортом «Ноева ковчега» большую часть своих соплеменников... Операция, которая является отвлекающим маневром... Сложный, подготовленный много лет назад план уничтожения врат...

— Детектор движения, — сказал Огчес, указав на небольшие металлические кружки в стене на уровне пояса. — Не работают.

Да, с оборудованием линии безопасности Апис «постарался на славу»! Но, видимо, даже его власть не позволила «колдуну» добраться до врат. Он смог только подготовить подходы, по которым диверсионные группы беспрепятственно приближались к цели.

Андрей уже не знал, можно ли ожидать какого-нибудь подвоха со стороны Огчеса. Или же действительно он, Валя и Широ получат обещанные места в новом мире?..

Лестница упиралась в еще одну стальную дверь, которая послушно поднялась перед ними.

Огчес выглянул наружу и тут же отпрянул назад. Несколько секунд молчал, потом перевел регулятор мощности своего «силовика» в минимальное положение.

— Там камера, которой не должно быть. Наверное, поставили совсем недавно... Готовы?

Не успел Андрей даже кивнуть, как Огчес, выскочив из проема двери, выстрелил и бросился бежать.

Андрей и Широ ринулись за ним.

Пустой широкий коридор длиною шагов в двадцать, с большой металлической дверью в конце. В углу, под потолком, — обожженные камни и дымящиеся части камеры.

Держа «силовик» в правой руке, левой с помощью пульта Андрей открыл дверь. За ней Андрей увидел часть большого зала с рядами узких, как экраны на жидких кристаллах, мониторов.

Огчес тут же выстрелил. «Стрела» вдребезги разнесла один из мониторов, разбросав повсюду пучки искр. Пришелец на ходу спрятал пульт и увеличил мощность «силовика».

Они ворвались на наблюдательный пункт.

Андрей уже не контролировал себя, выпустив на волю более быстрые, чем сознательное мышление, рефлексы.

Справа — глухая стена, слева — большой освещенный зал, заставленный аппаратурой. Человек в темно-сером комбинезоне. Вскакивает со стула, в руке — пистолет. Но тут же падает на широкий стол, сраженный выстрелом Огчеса, сметая с его поверхности какие-то приборы. Те летят на пол.

Второй человек. Безоружный. Но рядом с ним два «силовика». Рука его тянется к ним.

Широ стреляет. Промахивается. «Стрела» разносит стул рядом с человеком.

Андрей нажимает на спуск. (Мелькает мимолетная мысль: «На какой мощности работает мой «силовик»?»)

Крутанувшись от удара в плечо, человек падает на спину.

«Наверное, половина мощности...»

На пол падают и разбиваются приборы.

Остатки стула, в который попал Широ, перестают скользить по гладкому полу.

Прошло секунды три, как они ворвались в зал, а кажется — целая вечность...

Справа загорается красный огонек. «Недостаток силовых винтовок...»

В дальнем углу зала, среди работающих мониторов — человек. Съезжает со стула вниз, исчезает за рядом столов.

Красный огонек еще горит.

Огчес стреляет в то место, где спрятался противник. Фонтан искр, дым, объятые пламенем детали, летящие во все стороны.

Не видно, достиг ли выстрел цели.

Туда же стреляет Широ.

Гаснет огонек на «силовике» Андрея. Он удерживает себя от выстрела в то же место.

С тихим щелканьем отключаются два монитора рядом с почерневшим, искореженным столом, где спрятался противник. Дым мешает разглядеть, жив ли он.

В другом углу зала вспышка, искры.

И тут же вырвавшаяся из них голубоватая — смертоносная — полоска мелькает перед глазами Андрея и врезается в стену рядом с ним. В глаза, в голову летят раскаленные камни...

Слишком поздно отворачиваться.

Осколки стучат по маске, бьют по капюшону, не причиняя вреда лицу. Вот и отлично!

Стрелявший произвел выстрел, особо не целясь, через боковую крышку стола. В ней осталась дыра с оплавленными краями.

За ней — какое-то движение.

Андрей берет чуть правее дыры и нажимает на спуск.

Снова искры, дым, а за ними на бледно-серую поверхность пластикового шкафа брызгает кровь.

Неровная багровая клякса стекает вниз.

...Андрея передернуло, словно кровь брызнула ему на лицо. Время замедлило свой бег. Юношу будто выхватили из стремительного потока горной реки и поставили на землю...

Но совсем ненадолго.

Из-за покореженного оплавленного стола, где находился третий противник, бьет «стрела».

Андрей инстинктивно пригибается.

Но все нормально. «Стрела» впивается в потолок, обрушивая вниз град осколков и дождь раскаленных искр.

Андрею вспомнились два выстрела пришельца, который был уже мертв, но продолжал удерживать Валю: просто предсмертная судорога.

Этот выстрел в потолок — наверное, то же самое.

Но Огчес все-таки стреляет в ответ. Он соблюдает предосторожность во всем.

Дым растекается по залу, что-то шипит, разбитые мониторы плюются искрами.

Андрей слышит быстрые удары сердца, гулкий набат в груди и висках. Во рту пересохло, ладони похолодели.

Но все закончилось. Пока.

Стараясь успокоить дыхание, он осмотрелся вокруг. Внимание прежде всего привлекло множество мониторов. Работала только треть из них. На экранах Андрей увидел заполненные броневиками подходы к вратам, штурмовики в небе, заваленные камнями выходы из подземелий, панораму на гантелеобразное здание...

— Это камеры в подземельях, — произнес Огчес, указав на темные экраны. — Отключенные.

Он вернулся к двери и указал Андрею на миниатюрную, со спичечный коробок, камеру под потолком:

— Время твоей игры!

Андрей нашел более литературный перевод: «Ваш выход!»

В руках Огчеса вновь появился пульт, и когда Андрей снял маску и скинул капюшон, работа камеры возобновилась.

Исподлобья посмотрев в миниатюрный объектив, Андрей криво усмехнулся и выстрелил по камере. Брызнувшие вокруг искры заставили его отвернуться и прикрыть лицо рукой.

Но тот, кто принимал изображение камеры, этого не видел. Но зато успел заметить злобно глядящего на него головореза, его кривую усмешку и выстрел, оборвавший картинку. Он не знал, что в груди «головореза» стучит неуспокоившееся сердце, не мог чувствовать холод его ладоней...

...Огчес одобрительно кивнул и вернулся к мониторам.

Буквально через полминуты на некоторых из них пришли в движение броневики и двинулись в направлении камеры, передающей их изображение. К той же цели устремились штурмовики.

На камеру...

А камера стоит на высокой точке...

На крыше этого здания!!!

Андрей бросил взгляд на Огчеса. Тот напряженно всматривался в монитор, передававший панораму с гантелеобразным сооружением. И казалось, не обращал внимания на приближавшуюся технику.

— А они не сровняют наше здание с землей? — поинтересовался Широ.

— Возможно... — Уставившись на монитор, Огчес замер, как охотничья собака, учуявшая дичь.

При виде надвигающейся техники по спине у Андрея пробежали мурашки. Он представил, как здание, в котором они находятся, под ударами силовых пушек разлетается на кирпичики...

От гантелеобразного сооружения к ним тоже двигалась нестройная колонна техники. До нее всего каких-то пятьсот метров!

А вот Огчеса появление колонны даже обрадовало. Ну да, конечно! Они отвлекли внимание противника и ослабили охрану врат.

Только чем все это кончится для отвлекающих? Большой каменной могилой?

Андрей подумал: уж не собирается ли Огчес пожертвовать собой и своими «друзьями» из других измерений ради дела Аписа? Может, именно из-за этого держалась в тайне цель их миссии?

Андрей чувствовал себя стоящим на железнодорожном пути, по которому навстречу друг другу несутся два локомотива...

Языки пламени пробили «ручку» гантели, разбросав вокруг куски крыши.

— Есть!!! — радостно воскликнул всегда сдержанный Огчес. — «Колдун» уже там! Теперь уходим!

— А если бы он задержался? — спросил Андрей, на ходу надевая маску и капюшон.

— Мы бы вступили в бой! — полушутя-полусерьезно ответил Огчес.

И первым скрылся в проеме открытых дверей...

93

Андрей сразу понял, что это пятый охранник.

Пятый охранник с наблюдательного пункта, отошедший куда-то, возможно, просто в туалет.

Но как бы там ни было, пущенная им «стрела» отбросила Огчеса на пару метров назад. К мониторам. Ударившись о них, его тело безвольно сползло на пол.

Оказавшийся в проеме дверей сразу же вслед за ним Андрей уже решил, что и ему конец. Так казалось ему в течение долгой секунды, пока юноша не перевел взгляд с Огчеса в коридор, по которому ему навстречу бежал человек с «силовиком».

На лице охранника отразилось замешательство. Он оказался в опасной для себя ситуации, ведь на его направленном на противника «силовике» горел красный огонек.

Бегущий словно налетел на какую-то невидимую преграду, когда «стрела» Андрея попала ему в грудь.

...Огчес был еще жив. Дыхание со свистом и бульканьем вырывалось из его горла, на губах выступила кровавая пена, помутневшие глаза смотрели куда-то вверх.

Андрей сделал было шаг к нему, но Огчес подергиванием руки остановил его.

Губы смертельно раненного пришельца шевельнулись, что-то прошептав. Струйка крови потекла по подбородку, последний вздох вырвался из горла, глаза невидящим взором уставились в потолок.

Даже если бы Андрей знал язык «балахонов», он все равно не разобрал бы предсмертного шепота Огчеса. Но благодаря телепатическому переводчику, юноша понял смысл последнего произнесенного слова.

— Сматывайтесь!!!

Андрей и Широ переглянулись. Они все поняли.

Их группа выполнила свою задачу, «колдун» уже рядом с вратами в мертвый мир. Еще немного — и последует выброс энергии, который уничтожит все вокруг на многие мили.

Но как скоро произойдет выброс?

Хватит ли у них времени, чтобы оказаться в безопасности, глубоко под землей?

Время еще есть, ведь Огчес не собирался умирать! Если бы не эта случайность, если бы он не утратил осторожности, то бежал бы сейчас по лестнице вниз, в большой зал...

Андрей и Широ бросились вперед по коридору, держа под прицелом дверь в его конце, через которую скорее всего и появился пятый охранник. Их не покидала мысль, что дверь вот-вот распахнется и в нее ворвется охрана наблюдательного пункта.

Андрею показалось странным, что ее до сих пор нет...

Слева — открытая дверь и уходящие вниз ступени. На их пыльной поверхности четко видны следы прошедших наверх ног.

Наверх прошли трое, вниз спустятся только двое...

Перепрыгивая через ступени, Андрей бежал первым. Ему казалось, что он спускается слишком медленно. Сколько времени понадобится «колдуну» на то, чтобы создать врата-выход?..

Быстрее вниз!..

Когда была преодолена половина лестницы, стены вздрогнули, до слуха долетел глухой рокот.

Андрей оступился и, подвернув ногу, чуть не покатился вниз кубарем.

Стены вновь вздрогнули. Сверху донесся отчетливый звук катящейся по ступеням лавины камней.

Вот почему не появлялась охрана! «Балахоны» решили пожертвовать наблюдательным пунктом и уничтожить его вместе с диверсионной группой.

А если они сровняют с землей все здание?!

Правая нога начала болеть. Пока еще терпимо, но с каждым шагом боль в ступне становилась все сильнее. Похоже на растяжение.

Только этого не хватало!!!

Андрей уже не мог прыгать через ступени. Скорость передвижения заметно упала.

Сзади по-прежнему доносился грохот. Неужели лавина камней действительно катится за ними?!

Впереди показался проем двери.

В него ворвалось облако пыли и дыма, пахнуло жаром.

Но останавливаться нельзя!

Прихрамывая, Андрей первым вбежал в зал. Через большое окно увидел, как взлетела на воздух вся левая часть гантелеобразного здания.

Еще не выброс, еще есть время. Тем более люк совсем близко.

В самом зале висел дым, с потолка сыпались камни, а часть окон была завалена обрушившимися верхними этажами. Выстроившиеся в цепочку на пустыре броневики вели непрерывный огонь по верхней части здания. Видимо, постройки «колдунов» отличались особой прочностью, так как «балахоны» уже несколько минут занимались верхними этажами.

И пока огонь не перекинулся вниз, Андрей и Широ бросились к люку.

Так как Андрей бежал хромая, Широ тут же нагнал его, но вперед забегать не стал.

Сзади, со ступеней лестницы, скатились несколько кирпичей, проделавших тот же путь, что и ребята.

Пущенное броневиком с пустыря силовое поле ударило прямо над окном. Оплавленные камни влетели в зал, ударили по ногам бегущих.

Из люка показалась голова «балахона». Пару секунд он смотрел на приближающихся людей.

Два «балахона» остались в зале, чтобы обеспечить отход ушедшим наверх Огчесу, Андрею и Широ. Но как поведут они себя, увидев, что Огчеса нет? Каковы у них инструкции на этот случай?

Эти мысли промелькнули в голове Андрея за те две секунды, что «балахон» смотрел на них. И когда тот выбрался из люка чуть повыше, с «силовиком» в руках, ответ на вопрос стал ясен.

Вернувшихся без Огчеса уничтожить!!!

— Ложись! — крикнул Андрей, падая на пол.

Его падение длилось долгую секунду, за которую «балахон» успел выстрелить.

По локтю Андрея будто ударили раскаленным утюгом. Свалившись на пол, он подумал, что лишился руки.

Не успев среагировать на предупреждающий крик Андрея, Широ среагировал на выстрел «балахона». Остановился, прицелился и выстрелил в ответ.

Его «стрела» попала в шею противника за мгновение до того, как он успел произвести следующий выстрел. Вторая «стрела» «балахона» прошла в метре над Широ, срезанная с капюшоном голова откатилась в сторону, а тело исчезло в люке.

Андрей перевел взгляд на свою руку. Он не сразу осознал увиденное.

Подскочивший к нему Широ облегченно вздохнул.

Чуть ниже локтя левой руки дымилась небольшая овальная дырка: силовое поле минимальной мощности (ведь между двумя выстрелами «балахона» прошла максимум секунда), по касательной задев руку Андрея, прожгло черный балахон, комбинезон и опалило небольшой участок кожи.

Рука сильно болела, но действовала. Так что Андрей поднял упавший «силовик», и они двинулись к люку...

94

Где второй «балахон»?

Это был исключительно важный вопрос. Если он в момент стычки находился в шахте, то, сбитый телом товарища, мог упасть вниз. Но мог и удержаться и теперь, притаившись, ждал.

Поэтому, не обращая внимания на сотрясавший стены грохот и на голову в капюшоне, лежащую в стороне от люка в луже крови, Андрей и Широ подходили к отверстию в полу, держа его под прицелом «силовиков».

Андрею было жаль этих двух «балахонов». Он понимал, что все должно было быть по-другому, они впятером должны были спускаться вниз.

Но несмотря на это, желал, чтобы «балахон» не удержался на скобах и рухнул вниз вместе с телом убитого.

Когда до люка оставалось шагов пять, сверху громыхнуло так, что у ребят заложило уши. В дальнем углу зала обрушился потолок. Вместе с пылью и дымом внутрь здания ворвалась волна разъяренного пламени. Лишь благодаря балахонам ребята не ощутили на себе ее обжигающего дыхания.

Они инстинктивно присели, втянув голову в плечи, когда сверху посыпались мелкие камни.

Бросив взгляд в окно, Андрей понял, что верхних этажей, видимо, уже не существует, а на их месте бушует море огня. За его опускавшимися вниз языками он разглядел пылающие остатки гантелеобразного здания, к которому возвращались оттянутые ранее к наблюдательному пункту броневики. Поняв, в чем дело, «балахоны» оставили наблюдательный пункт штурмовикам, а основные силы перебросили к вратам.

Скоро, совсем скоро произойдет выброс.

А еще раньше штурмовики нанесут второй удар.

Забыв об осторожности, Андрей подскочил к люку. Даже маска не позволяла увидеть всю глубину погруженной в темноту шахты. Десять ее первых метров были пусты.

Андрей хотел было выстрелить вниз на тот случай, если «балахон» скрывается в темноте, но в последний момент передумал. Вдруг выстрел повредит скобы или разрушит стены? Если бы «балахон» был там, он давно уже открыл бы огонь!

— Давай первым! — обратился Андрей к Широ. — Я только буду тебя задерживать!

Широ, не раздумывая, закрепил «силовик» на боку комбинезона, перекинул ногу через край люка и стал быстро спускаться вниз. Андрей последовал за ним.

Он понял, что они не успеют спуститься до выброса. Будь жив Огчес, он бы с помощью своего пульта просто закрыл крышку люка, обезопасив таким образом их головы от камней рухнувшего потолка.

Андрей опустился всего лишь метра на два, когда штурмовики нанесли новый удар. Он поднял голову и увидел, как рушится потолок.

Здоровенная плита как-то очень плавно и медленно падала прямо на люк. Затаив дыхание, Андрей смотрел на нее, прекрасно понимая, что следует хоть как-то защитить голову. Но не мог оторвать взгляда от приближающейся громадины.

С грохотом, от которого заложило уши и зазвенело в голове, плита рухнула на пол, на две трети закрыв люк. От удара вздрогнули стены, скобы чуть не выскочили из ладоней Андрея, а сам он едва не сорвался вниз. Зажмурился, втянул голову в плечи, подставив спину под град посыпавшихся сверху мелких камней. Закашлялся от ворвавшейся в шахту пыли, но кашля своего не услышал.

От удара многотонной плиты по каменному полу, произошедшему в двух метрах над твоей головой, можно и совсем оглохнуть!

В полуметровую щель между краем люка и упавшей плитой влетели несколько крупных камней и, чиркнув Андрея по спине, полетели вниз, ударяясь о стены.

Андрей продолжил спуск, то и дело получая по голове и плечам падавшими сверху камнями и камешками.

Ступня болела. Явно растяжение. А при спуске именно на ступню оказывалось максимальное давление.

Андрей не мог двигаться быстро. Он уже заметно отстал от Широ.

И скорость его спуска падала с каждым шагом.

Рука болела, но не мешала движению, так как повреждена была только кожа. Боль в ноге распространилась от ступни до колена.

Андрей старался до минимума сократить оказываемую на эту ногу нагрузку, но при быстром спуске это плохо получалось...

Прямо перед собой на стене он увидел несколько темных пятен и следы брызг. Здоровая нога вдруг соскользнула со скобы, а вслед за ней и не выдержавшая нагрузки поврежденная. Он повис на руках.

Левая ладонь тоже соскользнула.

Андрей висел на одной правой. Юношу развернуло боком к стене. Внутри его все похолодело, во рту появился неприятный металлический привкус.

Здоровая нога наконец нашла опору, и он продолжил спуск, чувствуя, как колотится в груди сердце и кружится голова.

Левая рука была испачкана в чем-то скользком и темном.

Кровь! Кровь убитого «балахона», свалившегося в шахту!

Здоровая нога вновь чуть не поскользнулась на ней. По поврежденной ступне расходились импульсы боли.

Когда же кончится этот спуск?!

Мелькнула мысль отпустить руки.

Нет, не будь слабаком! Осталось намного меньше, чем при начале спуска! Хорошее утешение...

А сколько именно осталось? Андрей этого не знал.

Стены вдруг вздрогнули, ноги соскользнули вниз, ладони выпустили скобы. В щель сверху ворвался свет, но маска-прибор уменьшила его яркость.

«Выброс!» — подумал Андрей падая.

Перехватило дух, он в ужасе замер...

Падение длилось недолго. Он преодолел намного большее расстояние, чем ему казалось. Три-четыре бесконечно долгих секунды — и юноша приземлился на что-то мягкое.

Боль в ступне пронзила все тело, и Андрей как подкошенный рухнул на спину. Снова на что-то мягкое, хотя локоть ударился о каменный пол.

Перед глазами запрыгали огоньки. Ему показалось, что сквозь пелену он видит в шахте какое-то движение. Что-то летит сверху... Может, камни?..

Кто-то схватил Андрея за руку и оттащил в сторону. Через секунду на то место, где он лежал, на тела упавших «балахонов» обрушился каменный поток.

Широ помог прыгающему на одной ноге Андрею убраться подальше от камнепада. Мелкие осколки стучали по их спинам.

Когда ребята отбежали шагов на пятнадцать, камнепад прекратился. Под отверстием шахты возвышалась куча осколков высотой с человека.

Тяжело дыша, Андрей и Широ опустились на пол у стены, не обращая внимания на клубы пыли, расползающиеся по коридору.

Андрей сидел с закрытыми глазами, слушая учащенные удары своего сердца. Голова гудела. Ноющая боль в поврежденной ноге и саднящая в обожженной руке усиливалась. Боли от ушибов юноша даже не чувствовал.

Широ все еще слышался треск ломающихся костей мертвого «балахона», когда он приземлился на него, спрыгнув с последней скобы шахты.

И оба юноши все еще не могли поверить, что остались живы...

Андрей смутно представлял, что происходит там, наверху. Ему чудился огненный ураган, сметающий все на своем пути. Смерть, вырвавшаяся из другого мира...

А потом пришли другие мысли.

Пусть не невредимый, но живой. Однако можно ли сказать, что он победил?

Нет!!!

Сидит черт-те где, в подземелье уже несуществующего замка, в мире «колдунов», выполнив уготованную миссию, но не зная, что делать дальше. Не зная, как выбраться отсюда и, главное, где найти врата.

Врата в мир «балахонов», где находится Валя. Если она, конечно, еще там. А если Апис уже начал эвакуацию?

Андрей почувствовал бессилие, опустошенность. Впереди глухая непробиваемая стена, и нет сил на ее штурм...

Широ коснулся его плеча, вложил что-то в ладонь. Андрей открыл глаза и увидел какой-то маленький скомканный клочок бумаги. Развернул его — и сердце подскочило в груди, а руки дрогнули.

Это был билет на колокольню.

— Когда ты видел ее? — спросил Андрей хриплым голосом.

— Перед самым нашим уходом. Она незаметно дала его мне. Пока с нами были «балахоны», я боялся передать тебе...

Андрей не слышал голоса Широ, только телепатический перевод. Может, точно оглох?

Плевать! Он еще может бороться! Этот билетик в одно мгновение вернул ему силы...

Андрей аккуратно сложил его и спрятал в карман комбинезона.

Еще не все потеряно.

Еще не вечер...

СОДЕРЖАНИЕ

Литературно-художественное издание

Якимов Сергей

Герои Земли

Компьютерный дизайн: А.С. Сергеев
Технический редактор Н.Н. Хотулева

Подписано в печать с оригинал-макета 01.04.98.
Формат 84 x 108 $^1/_{32}$. Бумага типографская.
Усл. печ. л. 26,04. Тираж 10 000 экз.
Заказ № 0409

Налоговая льгота – общероссийский
классификатор продукции ОК-00-93, том 2;
953000 – книги, брошюры

ООО "Фирма "Издательство АСТ"
Лицензия 06 ИР 000048 № 03039 от 15.01.98.
366720, РФ, Республика Ингушетия,
г.Назрань, ул.Московская, 13а
Наши электронные адреса:
WWW.AST.RU
E-mail: AST@POSTMAN.RU

Отпечатано с готовых диапозитивов
на Книжной фабрике № 1 Госкомпечати России.
144003, г. Электросталь Московской обл., ул. Тевосяна, 25.